Lale Akgün

Tante Semra
im Leberkäseland

Geschichten
aus meiner türkisch-
deutschen Familie

Krüger Verlag

Originalausgabe

Erschienen im Krüger Verlag, einem Unternehmen
der S. Fischer Verlag GmbH, Frankfurt am Main
© S. Fischer Verlag GmbH, Frankfurt am Main 2008
Satz: Pinkuin Satz und Datentechnik, Berlin
Druck und Bindung: GGP Media GmbH, Pößneck
Printed in Germany 2008
ISBN 978-3-8105-0119-6

Inhalt

Prolog
Gut betucht?   9

Willkommen in Deutschland   13
Aus Bosporus wird Rhein   35
Tante Semras Sehnsucht   52
Zarte Bande   66
Die frohe Botschaft   67
Unter dem Christbaum   70
Papas Klassenkampf   73
Ein Sommer wie früher   84
Auf gute Nachbarschaft 104
Die Tausendsassa von nebenan 107
Die Brille im Grab 123
Tante Semra wird Hadschi 129
Hurra, wir werden deutsch 149
Liebesvariationen 170
Eine Schwiegermutter zum Fürchten 170
Männer von der Stange 204
Ein Lehrer zum Verlieben 210
Eine Doktorarbeit und ihre Folgen 236

Epilog
Angekommen! 253

Die Dramatis personae

Burhan, *Papa*
Latife, *Mama*
Peyda, *meine Schwester*
Lale, *ich*

Enver, *der Casanova-Onkel*
Gül, *seine arme Frau*
Hilal und Nihal, *ihre Zwillinge*

Semra, *meine Tante im Leberkäseland*
Ismail, *ihr liebenswerter Ehemann*

Die lieben Nachbarn:
Anneliese und Rüdiger Breuer, *unser erster Kulturschock*
Karin und Hans-Peter, *die Tausendsassa*
Inge und Waldemar Bootz, *erste zarte Bande*
Herr Anton, *Cafébesitzer und Schwarm von Tante Semra*

Die Angeheirateten:
Ali, *Nihals Mann*
Elmas, *die dazugehörige Schwiegermutter zum Fürchten*
Adem, *Schwiegervater*
Friedrich, *Hilals Ehemann*
Makbule, *meine reinliche Schwiegermutter*

Nadir, *mein Schwiegervater*

Ahmet, *mein Liebster*
Aziza, *unser Töchterchen*

und weitere Personen …

Prolog
Gut betucht?

Nur noch wenige Tage waren es bis zur Bundestagswahl 2002. Ein warmer Sommer. Und für mich geradezu ein heißer Sommer, denn ich bestritt meinen ersten Wahlkampf als Direktkandidatin in meinem Wahlkreis im Kölner Südwesten.

Wie so häufig in den vergangenen Wochen stand ich auch an diesem Samstag inmitten der geschäftigen Innenstadt eines südlichen Stadtteils, eilte von Stand zu Stand, um möglichst viele Passanten anzusprechen. Als sich die Stadt langsam leerte, wie sie es immer tat nach dem Trubel eines Samstagmorgens, und ich endlich etwas durchatmen konnte, kamen zwei ältere Damen schnellen Schrittes auf mich zu. Sie waren gut gekleidet, und ich schätzte sie nach der Anzahl ihrer Falten grob auf Anfang 80. In ihrer Beweglichkeit aber gingen sie glatt als Anfang 60 durch.

»Entschuldigen Sie bitte«, sagte eine der beiden freundlich, aber mit einem entschiedenen Unterton. »Sie sind doch von der SPD?« Ich nickte und musterte sie ein wenig: Sie trug ihre weißen Haare als Dauerwelle, mir fiel direkt ihr heller Trenchcoat auf und die Tasche, die sie umgehängt hatte, zugleich aber mit der Hand leicht verkrampft festhielt (wegen der Taschendiebe, wie sie mir später sagte). »Wissen Sie, wo wir Frau Akgün finden?«

Offensichtlich hatten mich die beiden nicht erkannt.

»Guten Tag, ich bin es selbst«, antwortete ich schnell, »was kann ich für Sie tun?«

»Sie sind Frau Akgün?«

»Ja.«

Kurzes, erstauntes Schweigen.

»Ach, das hätte ich nicht gedacht.«

»Warum nicht?«, fragte ich.

Ich dachte, sie würde jetzt sagen, dass ich anders aussehe als auf den Plakaten oder nicht so hübsch sei wie auf Bildern – das alles hatte ich mir in den Wochen zuvor schon anhören müssen. Aber sie schaute mich nur prüfend an.

»Ich habe Sie mir größer vorgestellt«, sagte sie dann, »Sie sind ein bisschen klein geraten.«

Etwas baff sagte ich: »Wissen Sie, ich komme nach meiner Großmutter väterlicherseits, die auch sehr klein war. Das kann ich leider nicht mehr ändern.«

Jetzt mischte sich auch die andere Dame ins Gespräch ein.

»Aber immerhin sprechen Sie ganz ordentlich Deutsch, Liebchen!« Sie hatte wie ihre Freundin weiße Haare, trug sie aber kürzer als Herrenschnitt und dazu ein helles Kostüm.

Ich lächelte sie süffisant an und antwortete: »Oh, vielen Dank.« Das sollte eigentlich ironisch klingen, aber die alten Damen störten sich nicht an meinem Ton, vielleicht war der nicht deutlich genug.

»Sie brauchen sich nicht zu bedanken«, fuhr sie fort, »es ist nur so: Sie sind doch Türkin und kommen jetzt als Abgeordnete in den Bundestag. Also, ich will nicht, dass die Kölner Abgeordnete im Bundestag radebrecht. Oder was denkst du, Renate?«

Renate nickte: »Natürlich nicht, wie würde das denn aussehen? Wenn der Bundestag im Fernsehen übertragen wird, und Sie sind zu sehen und reden kein ordentliches Deutsch, das wäre doch eine Blamage für uns alle!«

Ich war erleichtert, dass ich diesen netten alten Damen keinen Anlass zur Blamage bieten müsste, wusste ich doch, dass mein Deutsch in Ordnung war.

»Nun«, setzte Renate aufs Neue an, »der Grund, weswegen wir Sie sprechen wollten, ist aber ein ganz anderer: Wir haben eine Frage an Sie! Mariechen, meine Freundin hier …« – jetzt zeigte Renate auf ihre Freundin im Kostüm –, »also, wir haben zu Hause darüber gesprochen, und wo wir nun an dem Stand vorbeikamen, da wollten wir Sie fragen …«

Langsam spürte ich die Ungeduld in mir wachsen. »Fragen Sie ruhig, was Ihnen auf dem Herzen liegt«, sagte ich und lächelte aufmunternd dazu.

Die beiden schauten sich an und fassten sich ein Herz: »Wir sehen ja Ihre Plakate überall kleben, und da haben Sie erfreulicherweise kein Kopftuch auf. Wir möchten gerne wissen, ob Sie das Kopftuch nur für die Plakate abgenommen haben oder ob Sie nie eines tragen.«

Puh, die Frage war raus. Renate und Mariechen sahen irgendwie erleichtert aus.

Die kurze Stille irritierte die Damen ein wenig, und Renate setzte hinzu: »Jetzt haben Sie auch kein Kopftuch um …«

Ich war baff, dann hatte ich mich aber wieder im Griff: »Ich habe nie ein Kopftuch auf.« Ich spürte, wie die beiden sich entspannten. »Wissen Sie«, sagte ich, »ich wäre nie auf die Idee gekommen, dass irgendjemand auf die Idee kommen könnte, ich trüge ein Kopftuch!« Dabei lächelte ich ein wenig. Mindestens 160 Jahre Lebenserfahrung lächelten zurück.

»Jetzt sind wir beruhigt«, säuselte Mariechen sichtlich erleichtert, »nicht wahr, Renate?« Diese nickte zustimmend und sagte: »Jetzt freue ich mich darauf, Sie im Fernsehen in den Nachrichten zu sehen!«

Willkommen in Deutschland

Als in unserem Haus in Istanbul an diesem schönen Sommertag das Telefon klingelte, konnte wohl niemand erahnen – erst recht nicht eine Neunjährige –, dass dieser Anruf unser Leben für immer verändern würde. Meine Schwester und ich stürzten uns auf den Apparat, weil das laute, durch den Flur hallende Geräusch noch immer eine große Faszination auf uns ausübte.

»Halt, stopp, ich gehe dran, es könnte die Vermittlung sein.« Die Stimme meiner Mutter. Sonst lief sie nicht mit uns um die Wette zum Telefon, dieses Mal aber erwartete sie einen Anruf. Papa war zwei Wochen zuvor für eine Tagung nach Deutschland gefahren, und wenn er anrief, dann war zunächst die Vermittlung dran. Das war 1962, damals mussten Auslandsgespräche angemeldet werden, woraufhin eine minutenlange Warterei begann, bis nach einiger Zeit das Telefon klingelte und uns eine weibliche Stimme aufforderte, am Hörer zu bleiben. Wenn man es besonders eilig hatte, konnte man ein sogenanntes Blitzgespräch anmelden, das zwar schneller, aber auch doppelt so teuer wie ein herkömmliches war. Und das lohnte sich kaum, denn die Warterei verkürzte sich dadurch nur unwesentlich. Papa hatte seit Beginn seiner Reise nur einmal angerufen, um uns mitzuteilen, dass er gut angekommen sei – was ihm angesichts der langwierigen Prozedur kaum zu verdenken war.

Aber ich war die schnellste Läuferin: »Hallo«, rief ich in den Hörer. »Bitte bleiben Sie dran, Sie haben einen Anruf aus Deutschland.« Ich machte ein wichtiges Gesicht. »Es ist Papa.« Die große Hand meiner Mutter und die kleine meiner Schwester griffen gleichzeitig zum Hörer, die Attacke kam für mich unerwartet, also hielt nun Mama das Telefon in der Hand. Rechtzeitig genug, um die Stimme meines Vaters zu hören. Wir schauten sie erwartungsvoll an. Aber statt froh zu sein, dass Papa angerufen hatte, sah ich ihr unzufriedenes Gesicht.

»Wie stellst du dir das vor?«, hörte ich sie fragen. »Und überhaupt, wozu soll das Ganze gut sein? Ja, wenn es nur für zwei Jahre ist, wozu dann der ganze Aufstand? Ja, du hast richtig verstanden. Ich will nicht!«

Damit legte sie auf und schaute mich zum ersten und letzten Mal in ihrem Leben ratlos an. »Was sagt Papa denn?«, frage ich. »Warum bist du böse auf ihn?«

»Er will, dass wir nach Deutschland kommen. Aber wozu?« Sie schaute mich an, blickte aber durch mich hindurch.

Vier Wochen und etliche Telefonate später war Mama bereit, einem Kompromiss zuzustimmen und auf Wunsch meines Vaters für zwei Jahre nach Deutschland zu gehen. Während sie die Koffer packte, war sie permanent am Schimpfen. »Das ist wieder typisch für ihn«, sagte sie zu meiner Tante Semra, die zu Hause nur »Tantchen« genannt wurde, weil sie so klein war, und die gekommen war, um ihr beim Packen zu helfen. »Er sitzt in Deutschland, und da fällt ihm ein, dass er dort eine Zeit lang leben möchte, und ich kann hier alles verpacken, seine Praxis verpachten, seine Mitarbeiter auszahlen und seine Patienten vertrösten. Er stellt mich einfach vor vollendete Tatsachen.« Und weiter: »Ein Abenteurer ist dein Cousin. Ein selbstgefälliger Abenteurer. Deutschland bitte, warum ausgerechnet Deutschland? Bitte, warum nicht in die USA oder nach England?« Mitten im Packen wechselte sie das Thema: »Was meinst du, wie kalt es jetzt in Deutschland ist?«

»Ehrlich gesagt«, antwortete mein Tantchen, »ich weiß

14

es nicht. Mitte September in Westeuropa … vielleicht zehn Grad? Weißt du es nicht?«

»Nein«, jetzt polterte Mama, »ich kenne die deutschen Mathematiker und Physiker, aber das deutsche Wetter kenne ich nicht!«

Mein Tantchen lächelte versöhnlich: »Wirst du bald kennenlernen. Pack einfach alles ein, warme und dünne Sachen, dann seid ihr für den Anfang gewappnet.« Dann schaute Semra uns an: »Aber meine Schätzchen werde ich sehr vermissen. Zwei Jahre ohne euch halte ich nicht aus. Ich komme euch ganz bestimmt bald besuchen.« Mama, die Besuch an sich – und ganz besonders den Besuch meines Tantchens – nicht ausstehen konnte, lächelte plötzlich weich: »Ja, Semra, bitte komm bald!«

Also, auf nach Deutschland. Auf Deutschland war ich nun sehr gespannt. Dieses Land, von dem ich nichts wusste, hatte bei meiner Mutter Charakteränderungen bewirkt. Sie war auf einmal so nett zu Tantchen gewesen. Und das, bevor wir überhaupt losgefahren waren. Was würde erst alles nach unserer Ankunft passieren?

Drei Tage später stiegen wir im berühmten Bahnhof Sirkeci, der Endstation des Orientexpress, in den Zug. Es war der 12. September 1962. Außer Tantchen waren circa noch 50 Verwandte am Bahnhof, um uns zu verabschieden, und sie alle hatten Berge von Süßigkeiten mitgebracht. Was das Leben in Deutschland auch bringen mochte, die Reise wenigstens sollte mir in süßer Erinnerung bleiben.

Und dann das Wiedersehen mit meinem Vater am Münchner Hauptbahnhof: »Papa«, jubelten meine Schwester und ich. Zehn Wochen hatten wir uns nicht gesehen. »Meine kleinen Lämmchen«, sagte er und nahm uns beide auf seine Arme. Mama schaute derweil so spitz und kühl, wie sie nur konnte: »Guten Morgen, Burhan.« Förmlich begrüßte sie meinen Vater. »Ach komm, lass dich auch umarmen«, nörgelte Papa. Mama ließ es widerwillig geschehen. Sie war ihm böse, dass er das Deutschland-Kapitel überhaupt aufgeschlagen hatte, und Papa sollte das ruhig zu spüren bekommen.

»Schön ist es, dass ihr hier seid. Jetzt kommt mit, wir wollen raus aus dem Bahnhof«, sagte Papa. »Wir müssen zwar noch weiter, aber wenn wir schon in München sind, schauen wir uns die Stadt doch ein bisschen an. Schließlich«, fügte er mit einem spitzen Lächeln in Richtung meiner Mutter an, »haben wir nur zwei Jahre Zeit, da sollten wir nicht trödeln.« Mama schnaufte, sagte aber nichts.

Ich schaute mich um, es sah aus wie der Bahnhof von Istanbul, vielleicht ein bisschen größer, aber nicht viel anders. Ich war neugierig auf München: wie sah die Stadt aus? Wie in Istanbul, oder ganz anders? Als wir aus der Bahnhofshalle heraustraten, merkte ich, dass sich Tantchen geirrt hatte, was das Wetter anging. Es war herrlich warm in München.

»Hier gibt es wunderschöne Lokale«, erklärte Papa, »Biergärten, da gehen wir hin, und dann essen wir was.« Im Biergarten war es wirklich sehr schön, ein bisschen wie im Teegarten in Istanbul, aber alles war größer und mächtiger: die Tische, die Stühle, die Bäume, unter denen wir saßen.

Papa war der Einzige aus unserer kleinen gestrandeten Familie, der Deutsch sprach, also musste er im Biergarten für uns übersetzen. Er fragte die Kellnerin, was man hier essen könne, und übersetzte: »Weiße Würste«. Um diese Zeit äße man Weißwürste. »Frag doch bitte, ob in den Weißwürsten Schweinefleisch ist«, raunte Mama.

»Schweinefleisch?« Papa war konsterniert. »Wen interessiert das?«

»Mich«, antwortete Mama.

»Und seit wann bitte?« Papas Stimme klang etwas scharf.

»Schon immer, aber bisher war ich nicht in der Verlegenheit, Schweinefleisch essen zu müssen.«

»Okay, okay.«

Die Kellnerin wartete, und Papa wollte die Prozedur nicht

unnötig in die Länge ziehen. Anscheinend gefiel ihr das Gespräch, sie lauschte und hatte wohl keine Mühe, den scharf geführten Wortwechsel als Ehekrach zu identifizieren. Nach einer kurzen Unterredung mit ihr stand fest: Die Weißwürste enthielten Schweinefleisch. »Ja dann«, sagte Mama, »esse ich keine.«

»Ich auch nicht«, krähte meine Schwester dazwischen, und Papa sah Mutter böse an: »Siehst du, was du anrichtest? Du bist böse auf mich, weil wir jetzt ein paar Jahre in Deutschland leben werden, und setzt den Kindern solche Flausen in die Köpfe. Das sind ja Nummern wie bei den reaktionären Typen aus Fatih.« Fatih war ein Stadtteil in Istanbul, der berühmt-berüchtigt war für seine besonders konservativen Bewohner.

»Aber ich«, rief ich dazwischen, bevor der Krach weitergehende Dimension annehmen würde, »ich will weiße Würste.«

»Trinkst du auch kein Bier?« Papa hatte nun den Fehdehandschuh aufgenommen, seine Stimme klang ironisch bis belustigt.

»Am Vormittag Bier?« Mama schüttelte sich. »Für mich bitte einen Tee!« Die Kellnerin zog mit der Bestellung ab.

»Willst du deinen Deutschlandprotest durch eine betont muslimische Verhaltensweise unterstreichen? Oder wie darf ich dein Verhalten verstehen?«

»Ich weiß nicht, wovon du sprichst«, entgegnete Mama. »Du weißt, dass ich deinen demonstrativen Atheismus noch nie geteilt habe.«

»Hört auf, euch zu streiten«, hakte ich zaghaft ein, »wir sind doch gerade erst angekommen!«

Mama schaute mich an, hob ihre Augenbrauen ein wenig, und sagte: »Aber ich bitte dich, wir streiten doch nicht, wir diskutieren nur.« So war es immer: Mama stritt nach eigener Einschätzung niemals, immer »diskutierte« sie nur auf intellektuellem Niveau. Auch war sie nie böse auf uns, sondern nur »traurig«, wenn etwas nicht nach ihrer Nase ging.

Nach einigen Minuten kam unser Essen: Auch das war alles sehr viel mächtiger als in Istanbul. Die Teller waren riesig, Papas Bierglas, aber auch unsere Limonadengläser waren wie kleine Eimer, sogar in Mamas Teeglas war mindestens dreimal so viel Tee wie in einem türkischen Teeglas. Unter Portionen verstanden die Deutschen jedenfalls etwas anderes als die Türken

Papa, Freund feierlicher Anlässe, sagte: »Unsere erste gemeinsame Mahlzeit in Deutschland.« Die Kellnerin stellte die Teller auf den Tisch. In ihrem Kleidchen sah sie sehr hübsch aus, fast ein wenig wie »Heidi«, das Bergmädel aus dem gleichnamigen Kinderbuch. Und sie trug eine Schürze über dem Kleid. Das fand ich sehr lustig. In der Türkei trugen die Frauen nur beim Putzen und Kochen eine Schürze, aber nicht beim Servieren. Heidi sagte etwas zu uns und zeigte auf den Nebentisch. »Die Würste«, übersetzte mir Papa, »werden nicht mit der Pelle gegessen, sie werden aus der Pelle ausgesaugt. Schau mal, wie es die Leute am Nachbartisch machen.« Das würde eine spaßige Sache werden, die Wurst in die Hand zu nehmen, und den Inhalt herauszusaugen, zumal uns Heidi jede Menge Würste gebracht hatte. Die Käseplatte für Mama und Peyda war bei weitem nicht so attraktiv.

Papa schaute mich an: »Legen wir los?« Ich nickte und griff nach der ersten Wurst. Papa und ich saugten. »Es ist nicht nur Schweinefleisch, ihr schmatzt auch wie Schweine«, ätzte Mama.

»Jamjam, wir schmatzen im Duett«, erwiderte Papa.

»Ich will auch wie ein Schwein schmatzen«, quengelte meine Schwester.

»Nein«, rief ich schnell dazwischen. »Wir dürfen im Restaurant immer nur eine Sache bestellen. Du wolltest eben kein Schweinefleisch, jetzt darfst du auch keine Würste haben! Nicht wahr, Mama? Das sagst du uns doch immer.«

Jetzt war Mama in der Zwickmühle. Sollte sie sich und ihren Prinzipien treu bleiben? Allerdings konnte sie schlechtes Benehmen in der Öffentlichkeit nicht ausstehen, und meine Schwester war drauf und dran, einen kleinen Aufstand vom Stapel zu reißen. »Jetzt gib deiner Schwester doch eine Wurst ab«, sagte Mama zu mir. »Alle kannst du ja doch nicht essen!«

»Doch, kann ich. Das sind meine Würste, und eben wollte sie noch kein Schweinefleisch.«

Meinem Vater machte es sichtlich Spaß, Mama im Würgegriff ihres hausgemachten Konfliktes schmoren zu sehen. Aber er erbarmte sich und nahm eine Wurst von seinem Teller, gab sie meiner Schwester, und sagte: »Hier, jetzt schmatzen wir im Trio. Jamjamjam!«

Meine Schwester war selig. Sie hielt die Wurst wie eine Nuckelflasche, derweil Papa ein paar Spitzen in Richtung meiner Mutter abschoss: »Du bist doch eine gute Mathematikerin: Was meinst du, wie viel Schweinefleisch nimmt sie jetzt auf, wenn die Wurst – sagen wir mal – 20 Prozent Schweinefleisch enthält? Und wie rechnet man das in Sündeneinheiten um, wenn die Sünderin vier Jahre alt ist?« Mama antwortete nur mit einem kaum hörbaren Schnaufen. »Komm«, forderte er Mama auf, »lach doch mal, niemand kann zwei Jahre schmollen.« Aber da sollte er, ein kleiner Vorgriff auf spätere Zeiten, Mama noch ganz anders kennenlernen.

Später gingen wir noch durch München spazieren. Ganz viele Frauen trugen Heidi-Kleider und Schürzen.

»Putzen die deutschen Frauen den ganzen Tag?«, fragte ich Papa.

»Warum meinst du das?«

»Die legen ihre Schürzen ja nicht mal auf der Straße ab!«

Papa lachte. »Das ist die bayerische Tracht«, sagte er.

»Aber warum tragen sie auf der Straße Tracht? Tracht trägt man doch nur beim Folkloretanzen!« So kannte ich es jedenfalls. Bei der letzten Schulaufführung hatte ich auch eine Tracht angezogen, weil ich bei der Folkloregruppe mitgemacht hatte.

»Nun, in Deutschland gibt es Landstriche, wo die Frauen die Tracht gerne jeden Tag anziehen.«

»Muss ich auch so was anziehen?!« Ich war mehr als entsetzt! »Ich will nicht mit einer Schürze herumlaufen. Ich finde das doof!«

»Du musst gar nichts«, sagte Papa, »hier in Deutschland gibt es ja nicht einmal eine Schuluniform. Nur wer möchte, zieht eine Tracht an. Aber«, er konnte sich ein Grinsen nun nicht verkneifen, »vielleicht mag ja eure Mama ein Dirndl anziehen. Mit einer Schürze. Wie eine Hausfrau.«

Mama schaute ihn ganz böse an und funkelte mit den Augen. Es war ein offenes Geheimnis, dass sie Hausarbeit nicht nur hasste, sondern auch sehr ungern ausführte, sodass Papa ganz viel im Haushalt erledigen musste, während Mama kluge Bücher las. »Du weißt, was ich von der klassischen Frauenrolle halte!«

Papa grinste. »Aber wer sagt denn, dass du die Schürze zum Putzen umbinden sollst. Wenn du das schicke Dirndl beim Lesen anhast, wird es doch kaum dagegen protestieren.«

»Noch ein Wort, und ich fahre mit dem nächsten Zug nach Istanbul zurück!«

Aber jetzt stiegen wir erst einmal wieder in den Zug, der uns nach Moers am Niederrhein bringen sollte.

 Da die Fahrt von München nach Moers damals über acht Stunden dauerte, haben wir jetzt etwas Zeit, meine Familie näher kennenzulernen:

Zuerst mein Papa!

Mein Papa war der Größte! Er war ein dicker und lebhafter Mann. Einer, der viel lachte und erzählte, fluchen konnte wie ein Bierkutscher, und trotz seiner Leibesfülle immer aktiv war. Wenn ich ihn mit drei Charaktereigenschaften beschreiben sollte, dann fallen mir folgende ein: Er war ein überzeugter Sozialist, er war ein Genussmensch, und er war sehr unternehmungslustig. Dank seiner Rastlosigkeit sind wir nach Deutschland übergesiedelt. »Mal was anderes«, meinte er nur lapidar zu diesem großen Schritt. Wahrscheinlich hatte ihm aber auch Karl Marx den Weg nach Deutschland gewiesen, denn er bewunderte ihn und seine Thesen. Uns Kinder jedoch nervte Papa mit seinen Sprüchen aus Lenins Weisheitensammlung. In puncto Erziehung sagte er: »Vertrauen ist gut, Kontrolle ist besser.« Also versuchte er, uns zu kontrollieren, allerdings mehr formal als wirklich, denn für ausgeklügelte Kontrollen fehlten ihm die Beharrlichkeit und der dogmatische Geist: In ihm steckte zu viel Genussmensch und zu wenig Über-Ich.

Auch erinnere ich mich an lange Abende am Esstisch – immer musste ich mindestens anderthalb Stunden am Tisch sitzen bleiben – und große Gelage zweimal am Tag, bei denen sich mindestens acht Freunde einfanden und in deren Verlauf sich Papa in einen wahren Rederausch steigerte. Thema war meist Politik, und ich danke dem Herrn, dass er nie aktiv in die Politik gegangen ist, denn seine Thesen und Pläne waren, nun ja, sagen wir, höchst visionär – und dies nach gerade mal einer halben Flasche Raki.

Papa liebte Gesellschaft. Er liebte es, Leute einzuladen und zu besuchen. Ein Tag ohne Besuch war für ihn ein verlorener Tag. Ganz im Gegensatz zu meiner Mutter, die Gesellschaft hasste und so auch mit Besuch nicht viel anfangen konnte. Da sie aber viel Wert auf gute Manieren legte, musste sie immer gute Miene zum bösen Spiel machen, wenn Papa wieder Leute einlud oder Einladungen annahm, ohne es mit ihr abzusprechen. Zu Hause machte sie ihm aber dann die Hölle heiß. Bei einem kleinen Empfang begegneten sie einmal einem Ehepaar, das den Wunsch äußerte, man müsste sich doch mal wieder treffen. »Das täte ich sehr gern«, sagte

Papa freundlich, »aber meine Frau will nicht. Immer wenn ich sage, wir sollten euch besuchen, sagt sie, sie habe keine Lust!«

»Dann komm doch alleine«, lachte der Mann, und die Frau beeilte sich zu sagen, dass Papa immer so nette Scherze auf Lager habe.

Vor den Leuten sagte Mama selbstverständlich nichts, sie behielt die Contenance, aber als sie zu Hause waren, schimpfte sie wie ein Rohrspatz. »Weißt du, was dein Vater sich eben geleistet hat?«, schimpfte sie. »Weißt du, wie er mich kompromittiert hat?«

Papa bog sich vor Lachen. »Dir kann man auch nichts recht machen«, prustete er, »du hast doch immer gesagt, du willst sie nicht treffen, jetzt hast du für den Rest deines Lebens Ruhe vor diesen Leuten.«

»Habe ich auch, ich könnte ihnen nicht mehr unter die Augen treten.«

»Sage ich doch, lebenslänglich frei!«

»Du kannst sie jetzt alleine besuchen!«

»Das mache ich auch, und sie werden nicht fragen, wo du abgeblieben ist, das heißt«, hier machte er eine Pause, »auch ich bin ab jetzt frei, frei von Erklärungen, warum du nicht mitgekommen bist! Ich finde, ich war genial!« Wieder lachte er sich kaputt.

Von Beruf war Papa Zahnarzt. Ihn interessierte daran weniger die medizinische Seite als vielmehr das Handwerk. »Ich bin ein Handwerker«, pflegte er gar zu sagen, »und meine Baustelle ist der menschliche Mund.« Er hasste Kopftücher, nicht nur, weil er mit Religion nichts am Hut hatte. Nein, als Student hätte er wegen einer Kopftuchfrau beinahe eine Tracht Prügel bezogen. Das kam so: In den letzten Semestern an der zahnmedizinischen Fakultät hatten sich alle Studenten am lebenden Objekt zu versuchen, und im Behandlungsstuhl meines Vaters hatte eine Frau mit Kopftuch Platz genommen. Als er sie auf geschwollene Lymphknoten hin untersuchen wollte, bat er sie, das Kopftuch abzunehmen. Die Frau aber weigerte sich vehement und verhielt sich etwas schnippisch, worauf Papa rief: »Jetzt nehmen Sie endlich das Kopftuch ab! Das ist doch wohl typisch für euch ›kapali‹ (übersetzt heißt das »bedeckt« und meint Frauen, die Kopftuch, einen langen Mantel oder Tschador tragen). Beim Arzt macht ihr einen auf moralisch und draußen die Beine breit!« Die Frau stand entsetzt auf mit den Worten »Das sage ich meinem Mann« und rannte hinaus. Der alte Professor meines Vaters, der bei dem Vorfall dabei gewesen war, hatte meinen Vater glücklicherweise schon zur Hintertür hinausbugsiert, als der wutentbrannte Ehemann der Patientin hereingestürmt kam, um diesem Flegel, meinem Vater, eine richtige Abreibung zu verpassen. Wir Kinder liebten diese Geschichte von unserem flegelhaften Vater, vor allem wegen der Stelle, an der er flüchten musste. Ein ungewohntes Bild für uns damals. Aber immer, wenn er davon erzählte, wurde Mama zur Spielverderberin: »Nicht vor den Kindern«, ermahnte sie meinen Vater streng und hob dabei die Augenbrauen.

So war halt meine Mama! Sie war einen Kopf größer als Papa, schlank und vornehm. Und völlig humorlos. Ihre helle Haut, ihre kurzen Haare und ihr scharf geschnittenes Gesicht verleiteten manchen bei der ersten Begegnung zu der spontanen Äußerung, Mama würde ja »gar nicht türkisch« aussehen. Die Reaktion meiner Mutter brachte die Menschen jedes Mal in peinliche Erklärungsnot, wenn sie nämlich mit hochgezogenen Augenbrauen und strengem Gesichtsausdruck ihr Gegenüber fragte: »Wie, bitte, sehen Türken aus?«, und nach einer kurzen Kunstpause fortfuhr: »Und wenn Sie schon dabei sind, die Physiognomie unterschiedlicher Völker zu beschreiben, sagen Sie mir auch gleich, wie ein Tscheche aussieht!« (Der Tscheche konnte auch mal ein Pole sein oder Tunesier oder Brasilianer). Und wenn die Leute sich vor ihr wanden, dann weidete sich Mama an der Situation. »Sie sollen vorher überlegen, was sie sagen«, meinte sie dann, »wer in meiner Gegenwart unlogisches Zeug quatscht, wie zum Beispiel, dass man Menschen ansehen kann, woher sie kommen, muss damit rechnen, dass ich ihn mit seinem Unsinn konfrontiere.«

Für Mama war Logik ganz wichtig. Sie wollte Ingenieurin werden (damals wollten alle Ingenieur werden) und bestand im Gegensatz zu meinem Vater tatsächlich die schwere Aufnahmeprüfung an der technischen Universität Istanbul. Die Prüfung war sehr streng, und nur ein Bruchteil der Bewerber wurde genommen – nicht nur Bewerber, auch eine Bewerberin, die die Prüfung mit Bravour bestand: Mama. Und das sicher nicht zu Unrecht, denn ihre Welt bestand aus Zahlen. Ja, sie ging an jede Fragestellung mit der Genauigkeit einer Mathematikerin heran, und sogar menschliche Zwistigkeiten behandelte sie wie einen Dreisatz. Jedes Problem untersuchte sie auf Konstanten und Variablen, analysierte das Gleichungsverhalten und forschte nach der passenden Formel. Manchmal fand sie sie. Beileibe nicht immer.

Trotzdem oder auch gerade deswegen schimpfte sie mit uns, wenn wir in Mathe nichts verstanden hatten. »Wie«, sagte sie dann in gespieltem Frageton, »das hast du nicht verstanden?« Dabei betonte sie das »das« und zog es lang. »Meine Tochter hat diese einfache Fragestellung nicht verstanden?« Schlechte Noten beichteten wir immer zuerst meinem Vater, der das alles nicht so wichtig nahm: »Ach«, sagte er dann immer, »beim nächsten Mal passt du besser auf, dann wird das wieder.« Meiner Mutter waren schlechte Noten ein Dorn im Auge, bewiesen sie doch ihrer Meinung nach, dass ihre Töchter eher die Intelligenz vom Vater denn die ihre vererbt bekommen hatten.

Politisch war Mama eine lupenreine Kemalistin – also so

etwas wie eine protestantische Presbyterianerin und SPD-Vorsitzende aus Ostwestfalen in Personalunion. Dementsprechend legte sie auch keinen Wert auf Schmuck, Schminke und schicke Kleider. Was sie aber nicht daran hinderte, »angemessen« gekleidet zu sein. Wenn sie sich in Schale warf und wir Kinder ihre schicke Kleidung bemerkten, dann antwortete sie: »Das ist nicht schick, das ist angemessen.« Auch gut. Mit gleicher Vehemenz leugnete sie die Geschlechtsunterschiede und auch die Diskriminierung von Frauen. »Wieso Diskriminierung?«, fragte sie dann scheinheilig, »wir sind schon damals nicht diskriminiert worden. Das ist doch nur eine faule Ausrede von erfolglosen Frauen.« Mama wollte ganz Frau sein, wie Atatürk es sich gewünscht hatte: zäh, erfolgreich und gleichberechtigt. Jedes Betonen der Weiblichkeit war für Mama daher ein abscheuliches Vergehen, jede noch so kleine Geste, die als weibliches Verhalten hätte durchgehen können, tadelte sie als »weibisch« und prophezeite »eine freudlose Zukunft unter der Knute eines Mannes«. Symbol für die Selbstunterdrückung der Frau war für sie der Nagellack. Mama war feministischer als eine deutsche Feministin der siebziger Jahre.

Das Christentum hat die Zehn Gebote, der Kemalismus die sechs Grundpfeiler. Und die waren Mama heilig. Ganz besonders zugetan war sie dem republikanischen Denken. Alles, was mit dem Adel zusammenhing, war ihr verhasst. Für Mitglieder von Königshäusern hatte sie nur ein Wort übrig: »Schmarotzer«. Ich kann mich gut daran erinnern, als der Schah von Persien zum dritten Mal heiratete und der türkische Staat ein Hochzeitsgeschenk in den Iran schickte. In den Zeitungen war das edle Staatsgeschenk abgebildet. Mama tobte: »Jetzt heiratet dieser Idiot zum dritten Mal«, schrie sie, »und der türkische Staat schickt diesem Idioten zum dritten Mal ein teures Hochzeitsgeschenk! Dieser Schmarotzer kann von mir aus noch dreimal heiraten, aber warum schickt die Republik ein Geschenk? Von Steuergeldern der Bürger! Wenn Atatürk noch leben würde, nicht mal eine Streichholzschachtel würde er bekommen!«

Während andere Menschen abends im Bett den Koran oder einen Liebesroman lasen, verschlang sie den *Nutuk* zum 100. Mal. Der *Nutuk* – eine Grundsatzrede von Kemal Atatürk aus dem Jahre 1927, für deren Vortrag Atatürk ganze 36 Stunden benötigte – ist für die Kemalisten ungefähr das, was Marx' »Das Kapital« für die Sozialisten ist: Keiner hat es gelesen, aber jeder spricht darüber. Aber Mama kannte nicht nur jedes Zitat aus dem Werk, sie wusste auch, an welcher Stelle es stand.

Mama und Papa hatten zwei Töchter, mich und meine Schwester Peyda. Peyda ist die Jüngere von uns beiden. Durch diese Poleposition war sie die Prinzessin, was nicht weiter schlimm war, schließlich war ich ja die ältere Schwester! Ich bin wirklich dankbar dafür! Denn ältere Schwester zu sein ist ein Zustand, der einen Menschen fürs Leben prägt. Ob aus Istanbul oder Ingolstadt, ob in der Bahn oder im Lokal, ich erkenne eine ältere Schwester sofort. Wer passt am Bahnhof auf die Koffer auf und dirigiert die ganze Familie? Wer reicht im Lokal dem Kellner die leer gegessenen Teller? Wer legt der alten Dame, die an der Kasse vor einem steht, die Sachen aufs Band, damit es schneller vorangeht? Wir! Die älteren Schwestern. Wir sind wie die Heinzelmännchen, wir kratzen und schaben, wir rennen und traben, wir schniegeln und biegeln, wir klopfen und hacken, wir kochen und backen, und keiner denkt sich was dabei, höchstens, dass das völlig normal ist! Schließlich ist man ja die ältere Schwester. Aber wehe, man bestimmt ein wenig – sagen wir mal –, wie die Dinge laufen sollen, weil ja schließlich einer, in diesem Fall *eine*, den Laden zusammenhalten muss. Dann bekommt man zu hören, man sei so schrecklich autoritär!

Das Leben einer älteren Schwester kann eigentlich nur beurteilen, wer selbst in der Rolle der älteren Schwester war, für alle anderen wird dieses Leben ein Buch mit sieben Siegeln bleiben.

»Pass auf deine Schwester auf!«, wurde zum Mantra meines Lebens. Zum Beispiel sagte Mama: »Wir gehen heute Abend weg, ihr seid allein, du passt auf deine Schwester auf!«

»O.k., Mama.«

Meine Schwester schaute mich erwartungsvoll an. »Was machen wir heute Abend?«

»Wir kochen Spaghetti mit Verantwortung! Ich meine mit Ketchup!«

Wenn ich mal schwimmen gehen wollte: »Nimm deine Schwester mit, pass aber auf sie auf!« Und wenn es mir dann im Kinderbecken langweilig wurde, sagte ich zu ihr: »Bleib du mal hier, ich gehe in den tiefen Becken gucken, ob es Haie gibt, ich muss auf dich aufpassen.«

Wenn ich mal zu einer Geburtstagsfeier eingeladen war und machte mich gerade fertig: »Wo gehst du hin?«, fragte meine Schwester neugierig.

»Auf eine Geburtstagsfeier!«

»Kann ich mitkommen?«

»Nein!« Ich war wild entschlossen, sie nicht mitzunehmen. Wie sah das aus, mit der kleinen Schwester im Schlepptau.

Peyda fing an zu nörgeln. »Ich will aber mitkommen, bitte, bitte, bitte, nimm mich doch mit!«

Ich wollte mich gerade aus dem Staub machen, da erschien Mama auf der Bildfläche. Zu dem Zeitpunkt hatte Peydas Protest schon ziemlich laute Formen angenommen.

»Was ist los hier?«

»Mama, Lale geht auf eine Geburtstagsfeier und sie will mich nicht mitnehmen!«

»Will ich auch nicht!«

Mama verzog das Gesicht. Sie wusste, was ihr blühte, sollte Peyda zurückbleiben. Sie würde den ganzen Nachmittag quengeln. »Jetzt stell dich nicht so an, nimm sie schon mit! Aber pass auf sie auf!«

Peng! Da war es schon wieder!

Das Gefühl, auf meine Schwester aufpassen zu müssen, wurde zum selbstverständlichen Teil meines Lebens. Und hielt noch an, nachdem sie längst volljährig war und wir gemeinsam studierten. Eine Zeit lang wohnten wir gemeinsam in einem Studentenwohnheim. Zu dieser Zeit war sie mit einem arroganten Kerlchen befreundet, dessen einziges hervorstechendes Merkmal seine Körpergröße war. An einem Abend stand ich in der Gemeinschaftsküche des Wohnheims, als er hereinkam. Etwas schnippisch grüßte er mich, dann inspizierte er die Kochtöpfe. Nun hatte ich kurz zuvor meine Schwester gesehen, wie sie heulend in ihrem Zimmer lag, weil er sie mal wieder geärgert hatte. Sofort ging ich auf ihn los: »Sag mal, musstest du so gemein zu meiner Schwester sein?«

»Nun« – er zog das »U« lang und länger, wahrscheinlich sollte das weltläufiger klingen –, »ich denke, das geht dich nichts an!« Dabei lachte er gönnerhaft. Ich packte ihn am Kragen seines eleganten Hemdes und zog ihn zu mir herunter. »Und ob es mich was angeht«, brüllte ich, »das ist meine Schwester. Und wenn du sie ärgerst, bekommst du es mit mir zu tun!« So proletarisch hatte wohl noch keiner mit ihm gesprochen. Er nickte, und ich merkte, dass ich ihn noch immer fest im Griff hatte. »Gut«, fauchte ich, »dann sind wir uns ja einig«, und ich ließ ihn los. Angewidert verließ er die Küche. »Mann«, sagte ein Mitbewohner, der mittlerweile in die Küche getreten war, »wie du den mit deiner Größe gepackt hast!« In diesem Moment wurde mir klar: Ich mit meinen ein Meter sechzig hatte diesen Zwei-Meter-Hünen am Kragen gepackt.

»Was hat er denn angestellt, dass du so wütend warst?«, fragte der Mitbewohner interessiert.

»Er hat meine kleine Schwester geärgert.«

»Versteh ich nicht«, sagte der Mitbewohner, »das ist doch nicht dein Problem.«

»Nicht mein Problem, wenn er meine kleine Schwester ärgert? Hast du keine jüngeren Geschwister?«

»Ich habe überhaupt keine Geschwister, ich bin Einzelkind.«

Na, dann ... dann konnte er es auch nicht verstehen ...

Und ich? Man kann sich selbst so schlecht beschreiben, aber als Hinweis taugt allemal das, was einem als Kind immer gesagt wurde, und das, was die eigene Mutter sich über das eigene Kind anhören musste.

Das häufigste, was meiner Mama über mich gesagt wurde, war: »Sie ist ein lebhaftes Kind« oder »Sie ist ein sehr lebhaftes Kind« oder »Sie ist ein äußerst lebhaftes Kind«.

Damit will ich es gut sein lassen, denn die Darstellungsvariationen über meine Lebhaftigkeit waren doch sehr zahlreich. Mama wurde öfter in die Schule bestellt, weil ich wieder einmal »sehr lebhaft« gewesen war. Eines Mittags kam ich nach Hause, und da waren auch andere Kinder sehr lebhaft gewesen. Die Spuren des Nahkampfes waren noch sichtbar: Kratzer im Gesicht, Haarschleifen weg, zerrissene Strumpfhose, das Kleid verdreckt. Nachdem sie in Erfahrung gebracht hatte, was genau passiert war, blitzten Mamas Augen auf.

»Ich rufe jetzt in der Schule an und mache einen Termin mit der Rektorin«, sagte sie, empört, aber nicht unbedingt unglücklich. Ein wenig spürte man ihre Genugtuung, einmal als Mutter eines Opfers in der Schule aufzutreten und nicht immer als die Mutter der Täterin mit gesenktem Kopf.

Schon am nächsten Morgen saßen wir bei der Rektorin. Meine Mutter schilderte in glühenden Farben meinen gestrigen Zustand, als ich nach Hause gekommen war. Die Rektorin hörte sich das Gesagte in aller Ruhe an. Dann meinte sie nur: »Haben Sie Ihre Tochter mal gefragt, in welchem Zustand die Jungen nach Hause gegangen sind, mit denen sich Lale geschlagen hat?« Mama schaute mich an, aber ich tat so, als hätte ich das nicht bemerkt. Ich schaute mir interessiert die Bilder an den Wänden an. Ich kam schließlich nicht alle Tage in das Zimmer der Rektorin. »Ihre Tochter ist kein Engel«, fuhr sie mit sanfter Stimme fort, »ich würde als Pädagogin sogar behaupten ...«

»... dass sie sehr lebhaft ist«, ergänzte meine Mutter den Satz, dann stand sie auf. Noch eine kurze Verabschiedung, die sehr kühl ausfiel, und weg war sie.

Ich schlenderte ins Klassenzimmer. Mama hatte schließlich nur wissen wollen, was passiert war, nicht was *den Jungen* passiert war. Sie hatte nur nach ihren Namen gefragt, außerdem waren sie zu zweit gewesen, was sowieso schon mal gemein war. Zwei gegen einen. Nein! Sogar zwei Jungen gegen ein Mädchen! Vielleicht hätte ich aber Mama doch in alles einweihen sollen, bevor sie sich bei der Rektorin so blamierte. Andererseits: Es hätte gut gehen können, wenn sich zum Beispiel die Jungen oder deren Eltern nicht beschwert hätten, und sie hätte wenigstens ein Mal auftrumpfen können. Im Unterricht konnte ich mich kaum konzentrieren, was eigentlich selten vorkam.

Beim Abendessen gab Mama natürlich die Geschichte zum Besten. »Und dann bin ich mit gesenktem Haupt aus dem Zimmer der Rektorin«, sagte sie zu Papa, »wie immer. Kannst du dir vorstellen, wie ich mich gefühlt habe? Jetzt sag bitte etwas als Vater dazu!«

Papa schaute mich an. Er lächelte ganz unmerklich, ein Mehr an Lächeln hätte Mama falsch interpretieren und als unsolidarisch empfinden können. »Das alles ist ja nicht so schön«, meinte er, »dass du zwei Jungen geschlagen hast, und dass Mama annehmen musste, du seiest ein Opfer männlicher Aggression geworden, wobei« – jetzt schaute er Mama an und nickte ihr freundlich zu –, »wobei du doch hättest wissen müssen, dass ausgerechnet deine Tochter kaum ein

Opfer männlicher Aggression sein kann. Aber eine Sache ist für mich im Dunkeln, und ich würde es furchtbar gern wissen. Wie haben denn nun die Jungen nach diesem Kampf ausgesehen? Wie hast du es überhaupt geschafft, als Mädchen gegen zwei Jungen so anzugehen, dass sie lädierter waren als du?«

Ich holte tief Atem. Jetzt war es an der Zeit zu beichten.

Neben meiner Lebhaftigkeit war Reden die andere Eigenschaft, die mich auszeichnete. Reden war für mich Lebenselixier. So gesehen war ich ein Kind meiner Familie. Reden war für uns der Beweis, dass wir lebten. Bei uns hieß es nicht: »Cogito, ergo sum«, sondern: »Parlo, ergo sum.« Dementsprechend wurde bei uns mit Sprechverbot bestraft!

Wenn ich was anstellte, gab es für mich Redeverbot. Ja doch, Sie haben richtig gelesen. Redeverbot. Ein Beispiel: Wenn ich um 16 Uhr zu Hause sein sollte, aber erst um 18 Uhr eintrudelte, wurde nicht geschimpft oder Stubenarrest verhängt. Diese Strafmaßnahmen hätten bei mir nicht gegriffen. Weder Mamas im elegischen Tonfall vorgetragenes Klagen, das schlechtes Gewissen verursachen und dadurch vor Folgehandlungen bewahren sollte (»Mama ist nicht böse, sie ist nur ganz, ganz, ganz traurig über dein Verhalten«), noch ein entspannter Nachmittag in meinem gemütlichen Zimmer (etwas anderes war ja der Stubenarrest nicht) waren wirkliche Strafen für mich. Bis eines Tages Papa herausbekam, was für mich wirklich eine Strafe war: nämlich schweigen zu müssen. Es war purer Zufall. Aber wirkungsvoll!

Wir hatten Besuch, und wie immer waren wir Kinder dabei. Und wie immer redeten alle durcheinander. Ich war wahrscheinlich ein wenig vorlaut und wollte zu jedem Thema was sagen. War ich an dem Tag noch vorlauter als sonst? War Papa an dem Tag weniger geduldig als sonst? Jedenfalls platzte ihm irgendwann der Kragen, und er sprach ein Machtwort, indem er mich zum Schweigen verdammte. Nur mich. Er sagte, sehr streng: »Lale, hör auf, dauernd den Erwachsenen ins Wort zu fallen. Demokratische Erziehung ist ja eine feine Sache, aber Kinder müssen auch mal den Mund halten. Und du hältst jetzt für zehn Minuten den Mund! Verdammt und zugenäht!«

Ich schaute ihn entsetzt an. Er wollte mich zum Schweigen verdammen? »Papa!« Er grinste mich an. Ich wusste, was das zu bedeuten hatte, und er interpretierte meinen ungläubigen Blick richtig. »Jaja, du hast mich schon richtig verstanden, du wirst mal zehn Minuten nichts sagen.« Ich wollte gerade etwas erwidern, aber er schnitt mir das Wort ab. »Du sollst zehn Minuten ruhig sein, hast du mich nicht verstanden?«

Ich schaute mich um. Niemand protestierte. Niemand sagte so etwas wie: Wie kannst du dem Kind so etwas antun! Niemand solidarisierte sich mit mir. Alle plauderten, als wäre nichts geschehen, als wäre ich nicht gerade ausgeschlossen worden von der Kommunikation in dieser lustigen Runde. Die Vorstellung, zehn Minuten nicht reden zu dürfen, war unerträglich. Ich presste die Lippen zusammen und atmete tief durch. Ich wollte reden, schreien, singen, kurzum, ich wollte mich mitteilen, aber ich durfte nicht. Das war höchst ungewohnt. Die Zeit zog sich. Minute um Minute.

Die nicht gesprochenen Worte blähten sich in meinem Bauch auf und ich hatte das Gefühl, ich würde anschwellen wie ein Luftballon. Ich war kurz vor dem Platzen. »Papa«, flüsterte ich, »darf ich wieder reden?«

Papa unterbrach sein Gespräch, schaute auf die Uhr und sagte kurz und knapp: »Es sind noch nicht mal fünf Minuten vergangen, du wirst noch fünf Minuten schweigen.«

Es war mir aber nicht mehr möglich, weder körperlich noch geistig: »Papa, ich kann nicht mehr schweigen, ich glaube, mir wird schlecht.«

Er war ganz irritiert: »Dir wird schlecht?«

»Ja.« Meine Stimme klang ganz zittrig.

»Weil du nicht reden darfst?«

»Ja.« Ich war kurz vorm Heulen.

Papa schaute mich aufmerksam an. »Es scheint dir wirklich nahezugehen. Unter diesen Umständen geht deine Gesundheit natürlich vor. Ich erlasse dir die letzten fünf Minuten.«

Ich bewegte meinen Mund. Ich durfte wieder reden. Der Wortballon in mir zischte und die Luft war raus. Ich fühlte mich wieder gut.

»Schau mal, sie hat wieder Farbe im Gesicht«, lachte meine Mutter. »Sie darf ja wieder reden!« Ja! Ja! Ja! Ich war wieder unter den Lebenden!

Papa, der nie lange böse sein konnte, wollte mich versöhnt sehen. »Du musstest so lange schweigen, wie kann ich das wiedergutmachen? Willst du vielleicht ein Gedicht vortragen?« Ich nickte. Ich wollte. Ich musste ausprobieren, ob ich überhaupt noch das Reden beherrschte. »Liebe Gäste«, sagte er »Darf ich einen Moment um Ruhe bitten, Lale wird ein Gedicht vortragen.«

Alle schauten erstaunt hoch, es war alles so schnell gegangen, dass sie meine leidvolle Situation gar nicht richtig mitbekommen hatten. Wahrscheinlich waren sie froh gewesen, einige Minuten nichts von mir gehört zu haben. Aber egal. Ich durfte wieder reden. Sogar ganz offiziell ein Gedicht vortragen. »Welches Gedicht möchtest du denn vortragen?«, fragte Papa. Während ich noch überlegte, schlug Mama vor, ich solle doch die Rede Atatürks an die Jugend vortragen. Diese Rede aus dem Jahre 1927, in osmanischer Sprache geschrieben, gespickt mit arabischen und persischen Worten, war für normale Kinder, die in Türkisch sozialisiert waren, kaum verständlich. Ich hatte diese Rede, gut eine Schreibmaschinenseite, auswendig lernen müssen, um sie in der Schule am Nationalfeiertag vorzutragen. Mama war sehr stolz. Erstens, dass ich auserwählt war, diese Rede vorzutragen, und zweitens dass ich sie auch fehlerfrei vortrug. Wahrscheinlich so wie eine erzkatholische Mutter, deren Tochter bei einer wichtigen Messe ellenlange Gebete auf Lateinisch

aufsagen konnte. Nachdem ich den komplizierten Zungen-
brecher vorgetragen hatte, war es wieder gut. Ich hatte meine
Redefertigkeit unter Beweis gestellt Und seit dem Tag wusste
ich, dass ich nicht gut den Mund halten konnte.

Meine Eltern, meine Schwester und ich, das ist
natürlich nur die Kernfamilie. Wie alle ordentlichen Türken haben wir noch ungefähr 1000
Verwandte, die zum engsten Familienkreis zählen und über
die ganze Welt verstreut leben. Manche leben in der Türkei,
manche in Griechenland. Einige hat es nach Kanada verschla-
gen, andere nach Israel oder in die USA. Kein Ozean kann
die Familienbande schwächen, nein: Wir sind eine Familie,
und wir lieben und hassen uns. Und sind jeden Moment bestens über die Ereignisse im Leben der anderen informiert.
Ein wichtiger Stützpunkt war natürlich Deutschland. In
Köln lebte bereits ein Cousin meines Vaters mit Frau und
zwei Töchtern. Gut, Mama konnte Onkel Enver nicht leiden,
aber das war doch kein Grund, nicht nach Deutschland zu
wollen! Erstens konnte Mama sowieso die wenigsten leiden,
und zweitens würde sie es auch in Deutschland verstehen,
sich die bucklige Verwandtschaft vom Leib zu halten.
Ich jedenfalls freute mich auf meine Cousinen.

Aus Bosporus wird Rhein

Der September zeigte sich von seiner schönsten Seite: Die Fahrt durch Bayern mit all den Dörfern wie aus der Puppenstube, die bunten Wälder, dann am Rhein entlang. Deutschland war nicht Istanbul, auch nicht die Ägäis, es sah anders aus, war aber genauso schön. Wir klebten mit der Nase am Abteilfenster und plapperten und staunten. Als wir an eine bestimmte Stelle am Rhein kamen, sagte Papa: »Das ist der Loreleyfelsen, da oben saß die blonde Loreley, die mit ihrem Gesang die Schiffer ins Verderben stürzte. Ja, so ist es«, fügte er mit einem schelmischen Blick auf Mama hinzu, »es gibt böse Frauen, die blond sind, und welche, die dunkelhaarig sind!«

Aber Mama reagierte nicht. Sie saß ruhig neben uns und schien nachzudenken. In Wirklichkeit aber heckte sie etwas aus. »Lale sollte Montag in die Schule gehen«, sagte sie unvermittelt.

»Montag? Das ist doch der 17. und Lales Geburtstag«, warf Papa ein. »Es reicht doch, wenn sie am Dienstag mit der Schule anfängt.«

Ich schaute ihn dankbar an. Ein wenig Bammel hatte ich vor diesem Tag schon. Eine fremde Schule. In einem fremden Land. In einer fremden Sprache. »Vielleicht erst Mittwoch?«, fragte ich vorsichtig, wurde aber von meiner Mutter zurechtgewiesen.

»Nein, je früher, desto besser!«

»Also Dienstag«, sagte Papa. Gut, ein Tag Galgenfrist war besser als nichts.

So kam es, dass ich am 18. September 1962, im zarten Alter von neun Jahren meinen ersten Schultag in der vierten Klasse einer katholischen Schule in Moers hatte. Ich war furchtbar aufgeregt. Wie wohl die neue Schule sein würde? Wie die Kinder und die Lehrer? Papa und ich gingen gemeinsam hin. Papa hatte sich, bevor wir kamen, umgehört und dabei erfahren, dass er die Wahl hatte zwischen katholischen und protestantischen Schulen. Überkonfessionelle Schulen gab es zu der Zeit nicht. Seine Wahl war auf eine katholische Schule gefallen, ganz einfach, weil diese unserem Haus am nächsten war. Vor lauter Aufregung sprach ich kein Wort. »Schauen wir mal, wie du zurechtkommst«, meinte Papa, »ob es dir gefällt, ob es Probleme gibt.«

»Und was machen wir, wenn es Probleme gibt?«

»Och, da werden wir eine Lösung finden, jedenfalls werde ich nicht zulassen, dass du unglücklich bist. Du sagst mir sofort Bescheid, wenn es hakt, einverstanden?« Ich nickte, es war alles nicht mehr so schwer.

Die Schule war in einem alten schwarzen Backsteinhaus untergebracht. Die Lehrerin war jung und hübsch und sie lächelte sehr freundlich. Sie sagte »Fräulein« und zeigte mit dem Finger auf sich. Ich hatte verstanden, ich sollte »Fräulein« zu ihr sagen. Ich nickte, und wir lächelten uns an. Sie setzte mich in die erste Reihe vor sich und gab mir Rechenaufgaben. Pipileicht! Danach hatte ich Zeit, mir das Fräulein aus der Nähe zu betrachten. Eigentlich war sie jünger und erheblich hübscher als meine ehemalige Lehrerin in Istanbul. Und sie gab mir pipileichte Rechenaufgaben. So gesehen war der Tausch nicht schlecht. Bis jetzt. In der nächsten Stunde verließ uns das nette Fräulein, und es kam ein dicker, junger Mann in einem schwarzen Anzug in die Klasse. »Kaplan«, sagte meine Banknachbarin, und zeigte auf ihn. Das war lustig! Kaplan heißt auf Türkisch »Tiger«.

Schnell sollte ich mitbekommen, dass der dicke Mann kein Tiger, sondern ein Priester war, denn wir mussten alle aufstehen und beten. Das war mir neu! Ich hatte noch nie in der Schule gebetet. Der dicke Mann war auch sehr laut und streng. Noch viel strenger als Mama, jedenfalls war der Ton ein anderer. Aber es kam noch schlimmer: Mitten in seinem Vortrag stand er auf einmal von seinem Pult auf, ging nach hinten und drosch auf einen Jungen ein. Ich hatte gar nicht richtig mitbekommen, was der arme Junge ausgefressen hatte. Erstens saß ich ganz vorne, zweitens verstand ich nicht, was gesprochen wurde. Denn während er auf den Jungen einschlug, schimpfte der dicke Mann auch noch. Das war mir neu! Ich hatte noch nie erlebt, dass in unserer Klasse ein Kind geschlagen worden war. Und der dicke Mann war so groß und dick, und er schlug mit viel Kraft. Mir verschlug es den Atem. Ich wagte nicht mehr Luft zu holen. Was, wenn er jetzt das Wort an mich richten würde? Ich würde ihn nicht verstehen, ich könnte nicht antworten, und dann, dann würde es auch bei mir Backpfeifen setzen! Der dicke Kaplan kehrte auf seinen Platz am Pult zurück. Jetzt saß er vis-à-vis vor mir. Ich versuchte mich ganz klein zu machen, damit er mich übersah. Zum Glück läutete es bald und alle standen auf. Ich sprang auch sofort mit auf, schaute aber aus bekannten Gründen nicht hoch. Die Kinder beteten wieder, am lautesten war die Stimme des dicken Kaplans zu hören. Ein dicker Kaplan – nein, Kaplane waren schlank und geschmeidig und hübsch, nicht wie der hier, laut und dick und böse. Amen!

Die Stunde war vorbei, wir durften alle raus. Ich ging mit den anderen Kindern auf den Hof und atmete tief durch. Wo war ich gelandet? Während ich noch meinen Gedanken nachhing, tippte mich ein Junge am Arm und schüttelte den Kopf. Was wollte er? Er zeigte auf den Schulhof, auf dem wir waren, dann auf mich und auf den angrenzenden Schulhof. Ich schaute mich um, auf dem Hof, auf dem anderen Hof … Was wollte er mir sagen? Jetzt machte er eine Bewegung, ich solle rübergehen. Auf einmal ging mir ein

Licht auf. Auf dem Schulhof, auf dem wir uns befanden – er war der nächste zum Klassenzimmer –, waren nur Jungen, und auf dem weiter entfernten nur Mädchen. Was war das? Das kannte ich aus Istanbul nicht. Mädchen und Jungen mussten die Pause auf getrennten Schulhöfen verbringen. Aber warum? Wen konnte ich fragen, vor allem wie? Ich ging langsam hinüber. In was für einem Land war ich gelandet? Ein Pausen-*Harem* für die Mädchen und ein Pausen-*Selam* für die Jungen! Der Rest des Vormittags verging ohne weitere Vorfälle. Ich konnte es nicht abwarten, zu meinen Eltern zurückzukommen.

»Wie war es in der Schule?«, fragte Mama, als ich mittags wieder zu Hause war.

»Du wirst es mir nicht glauben, was ich alles erlebt habe: In der Schule wurde heute zweimal gebetet, und in der Pause mussten die Mädchen und Jungen auf getrennte Höfe. Ich wünschte, ich könnte nach Istanbul und das alles meinen Freunden erzählen, die würden vielleicht Augen machen.«

Vorerst machte Mama große Augen: »Ihr habt in der Schule gebetet?« Für sie, die lupenreine Kemalistin, war das die größte Ungeheuerlichkeit.

»Ja, ja, ich natürlich nicht, ich kann gar nicht beten, schon gar nicht wie die Christen, aber die anderen haben gebetet!«

»Das muss ich heute Abend mit deinem Vater bereden.«

»Was regst du dich so auf?« Der Kommentar meines Vaters am Abend war nicht der, den sich Mama erhofft hatte. »Es ist eine katholische Schule, da wird halt gebetet.«

»Es widerstrebt meinem Verständnis von Laizität! Die Schule ist nicht für die religiöse Erziehung zuständig!«

»Eine katholische Schule anscheinend doch«, erwiderte Papa, »aber reg dich ab, Lale wird schon keinen seelischen Schaden davontragen. Zumal deine Erziehung als Gegengewicht da ist!«

Als Kemalistin interessierte sich Mama überhaupt nicht für religiöse Erziehung, ihr ging es ums Prinzip. In der Schule durfte es keinen Religionsunterricht geben. Punkt. Sie hätte sich genauso – wenn nicht noch mehr – aufgeregt, wenn es sich um islamischen Religionsunterricht gehandelt hätte.

»Mach dir keine Sorgen, Mama«, tröstete ich sie, »ich bete schon nicht mit, ich stehe nur da und schaue auf den Boden.« (Schon sicherheitshalber, damit ich vom dicken Kaplan nicht verprügelt wurde. Aber das sagte ich nicht laut, denn dass es an der Schule auch noch die Prügelstrafe gab, noch dazu vom Kaplan, das hätte das Nervenkostüm meiner Mama zum Platzen gebracht.)

Es blieb trotzdem nicht aus, dass ich als Erstes die Gebete beherrschte, weil das didaktische Programm dafür unschlagbar war. Zweimal am Tag wurde laut gebetet, lernpsychologisch heißt das: repetiert. Nach circa sechs Wochen konnte ich die meisten Gebete auswendig. Das Erfolgsprogramm aller Religionsgemeinschaften, permanent zu wiederholen, und zwar dasselbe zu wiederholen, zeigte auch bei mir Wirkung. Ich verstand zwar nicht, was ich sagte, aber ich konnte es fehlerfrei aufsagen. Das war so ähnlich wie bei der Ansprache Atatürks an die Jugend.

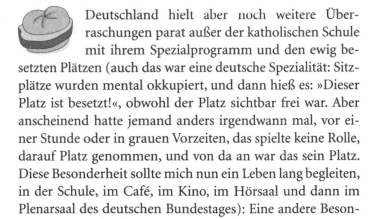 Deutschland hielt aber noch weitere Überraschungen parat außer der katholischen Schule mit ihrem Spezialprogramm und den ewig besetzten Plätzen (auch das war eine deutsche Spezialität: Sitzplätze wurden mental okkupiert, und dann hieß es: »Dieser Platz ist besetzt!«, obwohl der Platz sichtbar frei war. Aber anscheinend hatte jemand anders irgendwann mal, vor einer Stunde oder in grauen Vorzeiten, das spielte keine Rolle, darauf Platz genommen, und von da an war das sein Platz. Diese Besonderheit sollte mich nun ein Leben lang begleiten, in der Schule, im Café, im Kino, im Hörsaal und dann im Plenarsaal des deutschen Bundestages): Eine andere Beson-

derheit, die wir bis dato nicht kannten, die aber heute so gut wie ausgestorben ist, war der Blumenautomat.

Kurze Zeit nach dem Ende des Kongresses, hatte Papa damit angefangen, als Zahnarzt zu arbeiten.

Gleich am ersten Sonntag, nachdem Mama und wir Kinder eingetroffen waren, wurden wir von einem seiner Kollegen zum Kaffeetrinken eingeladen. Zu diesem Zeitpunkt waren wir mit den lokalen Sitten nicht ganz vertraut, dazu zählten auch die Ladenöffnungszeiten in Deutschland. In der Türkei konnte man zu jeder Tages- und Nachtzeit einkaufen. Selbstverständlich auch am Sonntag. Irgendwie hatte Papa in den letzten Wochen nicht das Bedürfnis gehabt, am Sonntag einzukaufen. Jedenfalls war auch ihm nicht bekannt, dass an diesem Tag alles, aber auch alles geschlossen und verrammelt war. Nicht nur, dass alle Geschäfte zu waren, die ganze Stadt war wie ausgestorben.

»Was hast du denn die letzten Sonntage getrieben«, fragte Mama, »dass du nicht gemerkt hast, dass die ganze Stadt wie tot ist!« Ich verstand nicht genau, was sie meinte, aber Papa verschluckte sich vor Lachen und drohte mit dem Finger.

»Ich war in den Museen«, antwortete Papa, »außerdem war ich im Zoo, der ist übrigens wunderschön, da gehen wir nächsten Sonntag hin, der ist geöffnet, genauso wie die Restaurants. Wenn du bestimmte Etablissements meinst«, fuhr er immer noch lachend fort, »deren Öffnungszeiten sind mir nicht bekannt.«

Wir standen also vor dem verschlossenen Blumenladen. »Und was machen wir jetzt? Ich gehe auf keinen Fall mit leeren Händen da hin. Ich sage es dir gleich, der erste Besuch und dann mit leeren Händen ...« Mama redete sich in Rage. Sie, die ohnehin nur höchst ungern zu Besuch war oder welchen empfing, wollte wenigstens nicht mit leeren Händen dastehen. Ihr Ultimatum stand fest: Wir gehen entweder mit Blumen zu der Einladung oder gar nicht, und da die Tür des Blumenladens sich an diesem Sonntagnachmittag offensichtlich nicht mal einen Spalt öffnen würde, nun ja, dann eben nicht.

Papas gute Laune schien gerade ein wenig nachzulassen – er freute sich auf den Besuch –, da entdeckte ich eine Art Kasten an der Hausmauer des Blumenladens. »Da schaut mal«, rief ich, »da ist ein Ding wie bei den Zigaretten, ich glaube, da kann man Blumen ziehen.«

Wir hatten schon in der ersten Woche die Zigarettenautomaten bewundert, die uns allen völlig unbekannt waren. Automaten, aus denen man Zigaretten oder Süßigkeiten ziehen konnte, gab es in Istanbul nicht. Wozu auch? An jeder Ecke war ein kleiner Laden, in dem man alles kaufen konnte. Jetzt also auch noch ein Blumenautomat. Papa schaute mich so dankbar an, als hätte ich gerade den Schatz von Ali Baba und den 40 Räubern gefunden. Wir sahen uns die Konstruktion aus der Nähe an. Tatsächlich, ich hatte recht! In einzelnen Fächern waren säuberlich dünne Blumensträuße untergebracht. Da sie in Zellophan eingewickelt waren, konnte man auch erkennen, welche Blumen sich darin befanden. Viel Auswahl gab es nicht: Es waren Nelken, mal rote, mal weiße, mal rot-weiße Sträuße. Wobei das mit dem Strauß auch ein wenig übertrieben war. »Großartig!«, rief Papa, »fünf Mark, ich brauche nur fünf Mark.« Er kramte schon in seinen Hosentaschen. Er hatte immer die Hosentaschen voller Kleingeld, worüber Mama sich oft beklagte, aber dieses Mal war das doch von Nutzen.

Als die Klappe aufging und er triumphierend den Nelkenstrauß herauszog, schnaubte sie nur verächtlich durch die Nase. »Damit kann man doch nicht einen Antrittsbesuch machen. Wie sieht das Ding denn aus!« So unrecht hatte sie nicht: Der Nelkenstrauß wirkte ein wenig ärmlich.

»Na, dann ziehen wir gleich noch einen«, lachte Papa. Für ihn war das Problem im Prinzip gelöst, man musste nur noch an den Details arbeiten. Er kramte noch ein Fünf-Mark-Stück hervor und zog noch einen Nelkenstrauß. Mama entfernte das Zellophan und packte die beiden Sträuße zusammen. »Noch einen!«, entschied sie.

Der Erwerb des dritten Straußes stellte Papa vor logistische Probleme: Er hatte kein Kleingeld mehr. »Jetzt finde mal an diesem toten Sonntag einen Laden, wo du dein Geld wechseln kannst«, meinte Mama. Aber Papa war wild entschlossen, diesen Besuch nicht an fünf Nelken scheitern zu lassen.

Weiter unten auf der Straße waren wir gerade an einem merkwürdigen Laden vorbeigekommen, in dessen Schaufenster sich Hühner am Spieß drehten. Papa lief zurück und kam mit mehreren Fünf-Mark-Stücken wieder. »Sie sind sehr nett«, sagte er und meinte wohl die Inhaber des Hähnchenladens. »Morgen Abend werden wir mal dort essen.« Nachdem er den Automaten um den dritten Strauß erleichtert hatte, sollte dem Besuch jetzt nichts mehr im Wege stehen.

»Dieses Nelkengebinde sieht nicht gerade schön aus!« Mama verzog das Gesicht.

»Auf solche Petitessen kann ich jetzt keine Rücksicht mehr nehmen. Du wolltest Blumen, hier sind Blumen. Wir sind schon ziemlich spät dran.«

 Eine Viertelstunde später klingelten wir an der Tür eines Bungalows, hinter der uns ein Ehepaar erwartete. Sie waren wohl um die fünfzig. Und sie haben sich über die Blumen gefreut. Oder wenigstens so getan. Sie empfingen uns sehr herzlich, leider, leider sagten sie zu Papa, wären ihre Kinder schon groß, aber nach dem Kaffeetrinken könnten wir mit ihren alten Spielsachen spielen.

Das Ehepaar Breuer sprach Französisch, sodass der Kommunikation mit Mama nichts im Wege stand. Leider war Papa dieser Sprache nicht mächtig, sodass ein flüssiges Gespräch zwischen den Erwachsenen nicht möglich war. Meine Schwester und ich sprachen nur Türkisch, uns blieb nichts anderes übrig, als dem Austausch in den fremden Sprachen mehr oder minder gespannt zuzuhören. Die meiste Zeit wurde Französisch gesprochen, Mama hatte sich durchgesetzt, in der Zwischenzeit redete Papa leise mit uns Türkisch. Frau Breuer hatte – neben dem süßen Kuchen – der Jahreszeit angemessen Zwiebelkuchen vorbereitet. Jedenfalls erzählte sie uns, dass man in Deutschland im Herbst Zwiebelkuchen essen würde.

Gerade war sie dabei, uns die Zubereitung zu erklären, als Mama sie unterbrach. »Quelque chose comme une quiche?« Ja, erwiderte Frau Breuer, es sei so etwas Ähnliches wie Quiche. »Avec du bacon?« Auch da nickte Frau Breuer, es war mit etwas Speck – wie auch bei der Quiche. Mama war nun nicht nur entschlossen, den Zwiebelkuchen nicht zu essen, sie wollte es auch Papa kundtun. Das Ehepaar Breuer verstand offensichtlich kein Türkisch. Es wäre für Mama ein Leichtes gewesen, ihm leise auf Türkisch zuzuflüstern, dass sie den Zwiebelkuchen nicht essen würde. Stattdessen rief sie laut seinen Namen und sicherte sich nicht nur seine, sondern unser aller Aufmerksamkeit. Dann legte sie einen Soloauftritt in Pantomime hin, der Marcel Marceau glatt vor Neid hätte erblassen lassen. Sie zeigte mit dem Finger auf den Zwiebelkuchen, dann auf sich, verzog dabei das Gesicht und hob den Kopf nach oben, so wie das als Zeichen der Verneinung bei den Mittelmeeranrainern üblich ist. Die Breuers, eigentlich nicht eingeweiht in die mediterrane Körpersprache, hatten keine Mühe zu verstehen. was sie meinte, genauso wenig wie meine vierjährige Schwester und ich.

»Mama mag die Pastete nicht«, stellte meine Schwester fest. Sie hatte Pastete gesagt, die Feinheiten der deutschen Küche, inklusive Zwiebelkuchen, waren ihr noch fremd. Sie hatte das natürlich auf Türkisch gesagt, und das hatten die Breuers nicht verstanden.

»Aber, du, du magst ihn, oder?« Papa schmeichelte mit seiner Stimme und versuchte, eine sich möglicherweise aufbauende Front gegen den Zwiebelkuchen aufzuhalten.

»Was erzählt sie denn Hübsches?«, fragte Frau Breuer Papa. Sie lächelte das liebreizende Kind an, das so leicht in einer fremden Sprache parlierte.

Bevor Papa etwas sagen konnte, sprang Mama dazwischen: »Ich esse kein Schweinefleisch, deswegen esse ich auch den Zwiebelkuchen nicht. Und meine Tochter meint, es würde mir nicht schmecken! Das ist natürlich nicht der Fall!« Dabei lächelte sie ganz reizend und entschuldigend.

»Oh, da ist nicht so viel Schweinefleisch drin, nur ein bisschen Speck!«, beeilte sich Frau Breuer zu sagen.

»Es geht nicht um die Menge«, stellte Mama fest, »es geht um eine Grundsatzentscheidung.«

»Aber warum essen Sie kein Schweinefleisch?«

»Sagen wir – aus Tradition? Wie soll ich Ihnen das erklären? Vielleicht mit einem Witz: Ein Rabbi und ein katholischer Priester sind bei einem Festbankett eingeladen. Es gibt Schweinebraten. ›Wann‹, fragt der katholische Geistliche den Rabbi, ›werden Sie diesen herrlichen Braten genießen?‹, während er sich ein Stück Fleisch in den Mund schiebt. Der Rabbi lächelt und antwortet: ›Auf Ihrer Hochzeit, Hochwürden.‹ Verstehen Sie, so wie bei Ihnen katholische Priester nicht heiraten, so essen die Juden und die Muslime kein Schweinefleisch.«

Mama hatte den Nagel auf den Kopf getroffen. »Ja, ja, das verstehen wir«, sagte Frau Breuer, »wir sind katholisch.«

»Ja, dann.« Mama widmete sich dem süßen Kuchen. Ohne Schweinefleisch. Das Ehepaar Breuer schaute ein wenig angestrengt. Herr Breuer sah zu Papa hinüber, der sich gerade ein Stück Zwiebelkuchen schmecken ließ, und sagte unvermittelt: »Mais, votre mari, il mange du porc.« (Aber Ihr Mann, er isst Schweinefleisch.) Mama schaute ihm geradewegs in die Augen, und antwortete klar und deutlich: »Mon mari est un athé.« (Mein Mann ist Atheist.) Papa grinste in seinen Bart. Er verstand kein Französisch, aber ihm war klar, dass mit »mari« nicht irgendeine Marie gemeint war, die des Atheismus bezichtigt wurde, sondern er.

Irgendwie war es plötzlich ganz still im Raum geworden. Hatten die Breuers nicht verstanden? Offensichtlich wussten sie nicht, was »Atheist« bedeutete. Warum erklärte ihnen niemand den Begriff? Also musste ich die Initiative ergreifen, obwohl ich noch ein Kind war: »Es ist so bei uns zu Hause: Mama glaubt an Gott, Papa glaubt nicht an Gott!« Papa übersetzte meine türkischen Worte ins Deutsche. Anscheinend schockte meine Klarstellung das Ehepaar Breuer noch mehr als die bloße Tatsache, dass Mama ihren Zwiebelkuchen wegen eines bestimmten Inhaltsstoffes verschmäht hatte. Sie schauten uns an wie vom Donner gerührt, ihre Augen waren tellergroß geworden. Es war zu viel Kulturschock gewesen für die Breuers. Sie hatten bis dato wohl weder Muslime noch Atheisten gekannt. Mein Versuch, die Unterhaltung wieder in Gang zu bringen, war fehlgeschlagen. Schade.

»Jetzt redet niemand«, krähte meine kleine Schwester. Papa übersetzte nun aber lieber etwas anderes: »Sie freut sich auf die Spielsachen Ihrer Kinder!«

»Ja, natürlich«, antwortete Frau Breuer, wie aus einer Trance erwacht, »die jungen Damen haben genug vom Kaffeetisch.« Dann gab sie uns ein Zeichen, dass wir ihr folgen sollten, und wir trotteten ihr in die ehemaligen Kinderzimmer ihrer mittlerweile entwachsenen Kinder hinterher. Die Stimmung war, dank der freien Übersetzung meines Vaters, fortan gerettet. Wie sagte mein alter Lateinlehrer immer? »Übersetzt so wörtlich wie möglich, aber so frei wie nötig!« In dieser sterilen Kaffeetisch-Situation waren die Worte goldrichtig.

In den folgenden Wochen unserer Anfangszeit in Deutschland warteten etliche Fettnäpfchen auf uns, in die wir des Öfteren sicheren Schrittes stapften. Da war zum Beispiel unser Briefträger. Ein Mann, den wir erst als Postboten wahrnahmen, als die ersten Briefe aus der Türkei ankamen. Eines Tages wollte uns der gute Mann einen Brief persönlich zustellen, der so dick war, dass er nicht durch den Postkastenschlitz passte. Also klingelte er, Mama öffnete ihm die Tür, neben ihr stand meine Schwester: »Mama, wieso hat der Mann nur einen Arm?« Mama überhörte die Frage geflissentlich. Doch meine Schwester ließ nicht locker: »Mama, hörst du nicht? Warum hat der Mann nur einen Arm?« Jetzt wurde meine Schwester deutlicher und zeigte auf den zusammengenähten Ärmel. »Mama, guck doch mal!« Mama versuchte, genau dies nicht zu tun.

Der Briefträger sagte etwas auf Deutsch. In diesem Moment dankte Mama dem Himmel, dass sie noch kein Deutsch konnte. Sie lächelte freundlich, legte den Kopf zur Seite, und machte eine Bewegung, die andeuten sollte, dass sie leider, leider nichts verstand.

»Parlez-vous français?« Mist! Der Briefträger sprach Französisch. Einem inneren Automatismus folgend, nickte Mama, ihrem Schicksal ergeben.

»Die Kleine fragt nach meinem Arm, nicht wahr?«

»Hmm, nein, ja, ich meine, welcher Arm?«

»Na, der Arm, der nicht mehr da ist, der amputierte Arm. Ich habe ihn im Krieg verloren, in Frankreich. Sagen Sie das ruhig Ihrer Tochter, ist doch Ihre Tochter, oder?«

»Ach, deswegen können Sie so gut Französisch?«, sagte Mama und ergänzte: »Pardon, ich wollte Sie nicht brüskieren.«

»Nein, nein, Sie brüskieren mich nicht. Es stimmt. Kriegsgefangenschaft, wissen Sie.«

Mama erklärte meiner Schwester, warum der Mann keinen Arm mehr hatte und beruhigte sie.

»Was ist Krieg?«

»Das erkläre ich dir später.«

»Wo kommen Sie denn her?«, fragte der Briefträger.

»Aus der Türkei, aus Istanbul.«

»Habe ich mir schon gedacht, wegen des Umschlags. Kann ich die Briefmarken haben?«

»Aber selbstverständlich, mit dem größten Vergnügen. Wir bekommen Post aus vielen Ländern, Sie können alle Briefmarken abmachen, bevor Sie die Briefe in den Briefkasten einwerfen!«

»Vielen Dank, das tue ich gern!«

Am Abend erzählte Mama von der Begegnung. »Ich bin beeindruckt«, sagte sie immer wieder. »Mit welcher Contenance dieser Mann von seinem Schicksal erzählt hat, obwohl er im Krieg seinen Arm verloren hat. Unglaublich! Das mit den Briefmarken ... das war das wenigste, was ich für ihn habe tun können.«

So kam es, dass in den folgenden Jahren an all unseren Briefen der halbe Umschlag fehlte. Mit der Zeit wurde unser Briefträger wählerischer, er nahm nicht mehr alle Marken. »Ach, die Marken hat er wohl schon!«, kommentierte Mama, wenn ausnahmsweise ein unversehrter Umschlag im Briefkasten lag.

Wenig später lag ein Brief mit einem halben Umschlag, aber schwerem Inhalt im Kasten. Mama hatte diesen Umzug nach Deutschland zwar überflüssig wie einen Kropf gefunden und wäre viel lieber in Istanbul geblieben. Aber ein Gutes hatte die Sache doch in ihren Augen: Man war weit weg von der buckligen Verwandtschaft, die dauernd zu Besuch kam. Aber da hatte sie die Rechnung ohne die Verwandtschaft gemacht. Jedenfalls ohne unsere Verwandtschaft; die ließ sich von Kleinigkeiten wie 3000 oder 4000 Kilometern Entfernung nicht abschrecken. Also kündigte eines Tages unsere Tante Semra ihren Besuch an. In einem dicken, wortreichen Brief: »Die Sehnsucht nach meinen kleinen Lieblingen wiegt viel schwerer als jede Reise. Um euch zu sehen, würde ich bis ans Ende der Welt fahren – da ist doch Deutschland gar nichts«, schrieb sie poetisch. Die Gute war in dem Glauben, dass wir sie alle genauso vermissen würden wie sie uns, und ich betone: alle!

»Ihr ist öde«, meinte Mama, »keine Kinder, dafür umso mehr Geld und nichts zu tun, und deswegen will sie uns besuchen!«

»Ich glaube schon, dass sie die Kinder vermisst«, erwiderte Papa. »Dich gerade ja nicht«, fügte er lachend hinzu, »aber die Kinder. Schließlich war sie in Istanbul alle naselang bei uns.«

»Das kannst du wohl laut sagen«, schnaufte Mama, »sie war dauernd bei uns, und jetzt wird sie die nächsten Wochen ganz bei uns wohnen!«

Mama mochte gar nicht daran denken. Tantchen hatte aber schon gebucht. »Du wirst es überleben«, sagte Papa.

Am nächsten Abend besuchte uns der Deutschlehrer, ein freundlicher Mann, dessen Gang uns Kinder belustigte: Er hinkte. Als er zur Tür hereinkam, begrüßte er uns alle, indem er sich vor Mama und uns ganz tief verbeugte. Herr Dober, so hieß der Lehrer, nahm seine Aufgabe sehr ernst: Neben den Grundkenntnissen in deutscher Sprache wollte er uns auch in die Geheimnisse der deutschen Kinderstube einführen. »So begrüßen in Deutschland die Herren die Damen«, sagte er lachend, »das ist ein Diener!« Papa übersetzte.

»Wieso Diener?«, fragte ich.

»Die Männer sind die Diener der Frauen.« Aha.

Dann ging er federnd in die Knie. »Und die jungen Damen machen einen Knicks.« Papa übersetzte.

»Wieso Knicks?«

»Als Zeichen der Ehrerbietung.«

Mama rollte mit den Augen. »Das sind irgendwelche höfischen Restverhalten«, sagte sie ungehalten. »Armselige Bürger imitieren das höfische Gebaren und meinen, dass sie dann besonders vornehm sind. Diener, Knicks, sag Herrn Dober, dass ich so etwas nicht mag. Er soll uns lieber Deutsch beibringen.

Herr Dober sollte fortan viermal in der Woche kommen und uns jeweils eine Stunde unterrichten. Schon ein paar Wochen später konnten wir uns mit ihm auf einfachem Niveau verständigen. Und endlich war es mir möglich, ihn zu fragen, warum er hinke: »Es ist im Krieg passiert.«

»Dann sprechen Sie bestimmt auch gut Französisch, oder?«

Herr Dober blickte etwas ratlos ob meiner Bemerkung. »Wieso?«

Ich erzählte ihm die Begegnung mit unserem Briefträger, und Herr Dober begriff: »Nein, nein, ich war an der russischen Front, aber zum Glück nicht bis zum Schluss, wegen meines Beines, weißt du? Leider kann ich weder Russisch noch Französisch. Dafür aber Deutsch, lass uns nun weiter deklinieren!«

Für mich war diese Episode wie eine offene Tür: Endlich konnte ich mit Deutschen ein wenig sprechen, sie verstehen und vor allem: selbst reden. Das war für mich wichtig, denn ich konnte wie gesagt nur sehr schlecht den Mund halten.

Deswegen waren die ersten Wochen in der Schule auch eine Tortur für mich gewesen. Immer nur dabeisitzen und zuhören, ohne mitreden zu können. Ich war sehr froh, als sich der Zustand langsam änderte. Mein Wortschatz wuchs von Tag zu Tag, nicht nur mit Hilfe von Herrn Dober, natürlich auch in Relation zu den in der Schule benutzten Wörtern. Ich kannte zum Beispiel inzwischen das schöne, am Niederrhein überaus beliebte Wort »lecker«. »Lecker Botteram« war eine Brotscheibe, bestrichen mit »Butter« (das war Margarine) oder mit »guter Butter« (das war aus Kuhmilch hergestellte echte Butter), belegt mit Käse oder Wurst. (»Wurst« war ein Universalbegriff für alles mit oder aus Fleisch. Es konnte tatsächlich Wurst bedeuten, was das auch immer sein mochte, aber auch Schinken oder Salami oder eine Art Pastete, Leberwurst genannt.)

Wenn es zur großen Pause klingelte, holten wir alle unsere leckeren Botteram aus dem Tornister und aßen sie ohne Anmerkungen oder Kommentare auf. Mit einer Ausnahme: Nach einigen Wochen machte ich die Erfahrung, dass meine Klassenkameraden immer Wurst auf der Brotscheibe hatten, wenn sie kicherten. Ja, sie teilten das gar den anderen mit. Verschwörerisch wurde das Botteram aufgeklappt und mit den Worten »Wurst« dem Nachbarn gezeigt, bevor man hineinbiss. Zuerst hatte ich nicht ganz verstanden, worum es ging. Musste man das Botteram immer dann aufklappen und dem Nachbarn zeigen, wenn etwas Fleischiges drauf war? Warum dann bei Käse nicht? Weitere Wochen später bekam ich die Systematik mit: Dieses Ritual wurde nicht jeden Tag praktiziert, sondern immer nur am Freitag. Dann, und nur dann wurden die Botterams aufgeklappt und die Wurst den anderen gezeigt. Anscheinend war das Usus an meiner neuen Schule. Die Lehrerin, die sonst bei allem gern mitmachte und immer ihren Kommentar zu den Interaktionen in der Klasse abgab, mischte sich bei der Botteram-Aufklapp-und-Zeige-Aktion nicht ein. Nie klappte sie ihr Botteram auf, um dann »Wurst« zu sagen. Sie aß stattdessen still und ignorierte dieses Ritual. Das war anscheinend eine reine Schüleraktion.

Das Wort »Integration« war zwar damals unbekannt, aber ich war wild entschlossen mitzumachen und mich der Klassengemeinschaft anzupassen. Über den Grund hatte ich mir ehrlicherweise keine Gedanken gemacht; wichtig war für mich schlicht und einfach das Machen. Also sorgte ich dafür, dass ich am folgenden Freitag auch irgendetwas aus der Familie der Würste auf meinem Botteram hatte, und ging voller Vorfreude in die Schule. Da es das erste Mal wäre, dass ich mein Botteram aufklappen würde, wollte ich es nicht ganz so dezent machen wie die anderen. Man sollte schon merken, dass ich dazugehörte. Ich konnte es bis zur großen Pause kaum aushalten. Es klingelte, zwei Jungen trugen den Kasten mit den Milch- und Kakaoflaschen in die Klasse, und wir durften unseren Proviant auspacken. Ich holte mein Botteram heraus, klappte es auf, hielt es meiner Nachbarin unter die Nase und rief in dem gleichen aufgeregten Ton wie die anderen: »Wurst!« Die Fräulein hatte das gehört (ich wusste inzwischen von Herrn Dober, dass es »das Fräulein« hieß, aber die Lehrerin in der Schule wurde merkwürdigerweise immer »die Fräulein« genannt), sie hatte meine Aktion also mitbekommen. Statt mich für mein Engagement um die Eingliederung zu loben, brach sie in schallendes Gelächter aus: »Aber Lale! Du brauchst doch nicht zu trompeten, dass du am Freitag Fleisch isst, das ist doch nur für die Katholiken verboten!« Verboten? Wurst am Freitag war verboten? So wie für Mama das Schweinefleisch? Mama durfte alle Tage Fleisch essen, außer Schweinefleisch, das durfte sie nicht essen, und meine Klassenkameraden durften alle Fleischsorten essen, aber am Freitag keine Wurst. Das heißt, sie durften überhaupt kein Fleisch essen und folglich auch keine Wurst.

Das musste ich Papa erzählen, mal sehen, was er dazu sagen würde. Aber ganz gleich, wie er diese Verbotsvariation bezüglich Fleischverzehr kommentieren würde: Meine Eingliederungsversuche in den Klassenverband waren von dem Fräulein schmählich zurückgestoßen worden. Ich musste auf andere Rituale ausweichen.

Tante Semras Sehnsucht

Tante Semra, genannt Tantchen, die uns Anfang September so liebevoll am Bahnhof von Istanbul verabschiedet hatte, gehörte jenseits der 1000 engsten Familienmitglieder ganz besonders zur Familie. Eigentlich war sie eine Tante zweiten Grades, eine Nichte meines Großvaters. Für uns Kinder aber war sie ganz klar ersten Ranges. Sie war unsere Tante, zumal weder Vater noch Mutter eine Schwester hatten (gemäß den türkischen Familienbanden war sie quasi eine Schwester meines Vaters. Den dazugehörigen Mann, Onkel Ismail, nannten wir »Onkelchen«, weil er so groß und dick war – sozusagen als verfremdete Analogie zum Tantchen.)

Diese lieben Menschen hatten keine Kinder, was für sie traurig, für meine Schwester und mich jedoch schön war: Wir schlugen Profit daraus. Sie verwöhnten uns, hätschelten und tätschelten uns, als seien wir ihre eigenen Kinder. Mama aber war streng und missbilligte die Gönnerlaunen der beiden. Immer, wenn mein Tantchen zu Besuch kam und uns Geschenke mitbrachte, verzog Mama das Gesicht, derweil Tantchen zu beschwichtigen versuchte: »Sieh mir doch diese Gefälligkeiten nach, schließlich habe ich keine eigenen!« Mama schließlich willigte mit einem schiefen Lächeln ein, denn das war in der türkischen Gesellschaft ein Totschlagargument: Wer ein Leben ohne eigene Kinder lebt, ist ohnehin ein äußerst bedauernswerter Zeitgenosse. Also bekamen wir Spielsachen, Schminke, Klamotten und allerlei Zeugs, welches in den Augen unserer Mutter unseren Charakter verdarb.

Klein und zierlich, war Semra nicht nur auf diesem Feld das krasse Gegenteil meiner Mutter. Ja, geradezu der diametrale Gegenentwurf: Sie liebte schöne Kleider, Modeschmuck, schminkte sich; sie war lustig, erzählte deftige und obszöne Witze, und – für uns das Allerwichtigste – sie liebte uns. Weder die Sticheleien noch das unfreundliche Wesen meiner Mutter konnten verhindern, dass uns die Tante regelmäßig besuchte. Semra war der Meinung, dass sich Blutsverwandte tunlichst jeden Tag sehen müssen. Mama freilich war anderer Meinung, die Tante aber scherte sich, wie üblich, nicht um das, was Mama dachte oder sagte.

Wie die Lene Finch in William Somerset Maughams »Die drei dicken Damen von Antibes« konnte sie essen, was sie wollte, ohne dicker zu werden. Und genau wie Lene Finch ernährte sie sich ohne Scheu und Scham von Sahne, Brot und Schokolade. In ihrer Handtasche trug sie immer eine Tafel Schokolade mit sich herum, »gegen aufkommende Übelkeit«, wie sie stets betonte. In all den Jahrzehnten habe ich sie zwar nie über Übelkeit klagen hören, aber ich habe sie eine Menge Schokolade verdrücken sehen.

Ihr Mann war durch ordentliche Arbeit zu viel Geld gekommen. Mama schalt ihn einen »Parvenü«, obwohl er weder einen aufwendigen Lebensstil hatte noch irgendwie mit seinem Geld angab. Zwar war er kein Intellektueller (was nur Mama störte), jedoch ein liebenswürdiger Mensch, der ganz besonders nett zu uns war.

Tantchen hingegen gab mir gute Tipps fürs Leben. Zum Beispiel lernte ich von ihr, wie man mit Männern umgeht – da kannte sie sich aus. Wenn sie gut drauf war, schmetterte sie das Lied aus dem Marlene-Dietrich-Klassiker »Der blaue Engel«. Sie musste es irgendwo aufgeschnappt haben. Und es hatte was, wie sie es mit schwerem Augenaufschlag und türkischem Akzent sang. Wir Kinder brüllten vor Lachen, vielleicht auch wegen der Reaktion meiner Mutter, die – wie üblich – nur ihre Augenbrauen ins Unendliche nach oben zog.

Anfang Dezember kam Semra zu uns. Wir hatten uns knapp drei Monate nicht gesehen, für die Tante war das eine Ewigkeit. Als sie am Flughafen ankam, schwer bepackt mit Koffern, schrie und lachte sie schon von Weitem gut hörbar. Sie wusste nicht, wen sie zuerst umarmen sollte. »Lasst euch anschauen. Was seid ihr in den letzten Monaten doch groß geworden. Keine Widerrede: Ihr seid gewachsen.« Wir schleppten gemeinsam ihre Koffer zum Auto. »Keine Angst, ich bleibe kein ganzes Jahr, auch wenn ich so viele Koffer bei mir habe!« Sie prüfte den Blick meiner Mutter und fuhr fort: »Da sind lauter Geschenke drin.«

»Andere haben eine reiche Tante in Amerika, wir eben in Istanbul«, stellte Papa trocken fest.

Und sie hatte wirklich die Koffer voller Geschenke. »Semra«, tadelte Mama, »das ist doch rausgeschmissenes Geld. Die Kinder wachsen doch so schnell raus aus diesen teuren Klamotten.«

»Sollen sie doch«, antworte die Tante, »dann kaufe ich ihnen neue!«

Mama fand das weniger lustig, weil man Kinder ihrer Ansicht nach nicht derart verwöhnen dürfe. Aber was sollte sie schon einwenden? Ihre Schwägerin war nun einmal aus der Türkei wieder aufgetaucht. Gut gelaunt wie immer. Unverbesserlich wie immer. Und unpädagogisch wie immer.

Und die Tante war von Deutschland begeistert. Vor allem, weil Weihnachtszeit war und sie die Beleuchtung und Dekoration so »herzallerliebst« fand (wenngleich die Dekoration 1962 im Vergleich zu heute eher bescheiden ausfiel). Sie liebte all die Tannenzweige und Tannenzapfen und die Lichterketten ganz besonders. »Bis jetzt hat euer Onkel immer Geschäfte mit England gemacht. Ich werde darauf drängen, dass er seine Fühler auch nach Deutschland ausstreckt. Dann kann ich die deutsche Filiale übernehmen und wäre ganz häufig bei euch.« Bei dem Gedanken wurde Mama ganz blass um die Nase. Zu ihrem Glück war der Gedanke (Tantchen als Filialleiterin) völlig abwegig, und keiner musste sich Sorgen machen.

Jetzt genossen wir Kinder die Zeit mit der Tante aber erst einmal. Eines Tages wollten wir ins Kino gehen. Ich jubelte: »O ja, wie früher in Istanbul!« Oft war Semra mit mir damals ins Kino gegangen.

»Aber dieses Mal«, sagte Tantchen, »nehmen wir deine Mama mit. Sie kann ein wenig Abwechslung vertragen, nicht wahr, liebe Schwägerin?« Natürlich war ihr aufgegangen, dass Mama immer noch keine Begeisterung für Deutschland zeigte.

»Prima Idee«, antworte diese trocken, »bis auf die Kleinigkeit, dass die Filme hier wohl nicht auf Türkisch laufen.«

»Das macht doch nichts, wir suchen uns einen amerikanischen Film mit Untertiteln!«

»Schön, schön«, ätzte Mama, »weder Lale noch ich können Englisch.«

»Dann suchen wir uns einen französischen Film mit Untertiteln, den du verstehst, und für Lale ist das dann eine schöne Übung in Deutsch.«

»Und du?«, fragte Mama, denn die Tante konnte weder Französisch noch Deutsch.

»Mach dir um mich mal keine Sorgen! Ich bin so intelligent, ich verstehe den Film auch so!« Eins zu null für die Tante!

Gleich am nächsten Tag zogen wir los auf der Suche nach einem jugendfreien französischen Film mit deutschen Untertiteln. Wir fuhren mit dem Bus in die Stadtmitte und schlenderten die Straßen entlang und hielten Ausschau nach Kinos. Der Plan, so einfach wie genial, hatte einen kleinen Haken: Die Deutschen – möglicherweise genauso verrückt nach Kinos wie die Türken – zeigten diese Liebe nicht ganz so offen. Hier waren viel weniger Kinos als in Istanbul. Jedenfalls nicht sichtbar. Nachdem wir eine halbe Stunde wahllos durch die Stadt gelaufen waren, entschied Tantchen, einen Passanten zu fragen: »Excuse me, I'm looking for a cinema«, sprach sie die erstbeste Person auf Englisch an. Die Resonanz jedoch war ernüchternd: Die meisten Leute verstanden kein Englisch, schüttelten den Kopf und liefen weiter. »Die Menschen wissen offenbar nicht, wo in ihrer Stadt ein Kino ist«, stellte sie fest. »Wir gehen jetzt in ein Café und essen erst einmal Kuchen, ich muss einen neuen Plan aushecken!« Ich führte sie in unser Café. Dort bat sie die Kellnerin um das Telefonbuch und suchte unter dem Stichwort »Cinema« – natürlich vergebens. Wieder winkte sie die Kellnerin heran, die aber auch kein Wort Englisch verstand und den Besitzer holen musste. Der sprach nicht nur gut Englisch, nein, durch unsere häufigen Besuche – vor allem in den ersten Wochen, als wir noch im Hotel wohnten – waren wir zu Stammgästen geworden, die er pflegen wollte.

Als er von Semras Bemühung hörte, im Telefonbuch unter »Cinema« fündig zu werden, brach er in schallendes Gelächter aus: »Madame, im Deutschen werden Sie vergebens nach dem Wort ›Cinema‹ suchen, es heißt hier ›Lichtspielhaus‹.«

»Wie heißt das?«, fragte Tantchen nach: »Leet-speel-house?«

»Jaja, das Wort ist eingedeutscht.«

»Ich verstehe«, sagte die Tante, »in meinem Land werden die Worte nicht inhaltlich ins Türkische übertragen, dafür aber an die Rechtschreibung des Türkischen angepasst. Das ist für Ausländer manchmal auch sehr lustig, wenn sie ›pikap‹ für ›Pick-up‹ lesen.« Das wiederum fand Herr Anton – so hieß der Cafébesitzer – sehr lustig.

Herr Anton und Tantchen vertieften sich daraufhin in ein Gespräch über linguistische Feinheiten von Fremdwörtern und ihren Eingang in ihre jeweiligen Muttersprachen. Ich begann mich zu langweilen. »Was ist nun mit unserem Kinobesuch?«, nörgelte ich. Ich puffte die Tante in die Seite:

»Fragst du ihn jetzt endlich nach einem Kino?« Das hatte sie mittlerweile vergessen. Sie wandte sich wieder an Herrn Anton:

»Mister Anton, meine Nichte möchte wissen, wo denn nun das schönste Leet-speel-house in Ihrer Stadt ist?«

Herr Anton lachte: »Ich werde Sie dorthin begleiten.«

»Können Sie mir bitte die Rechnung bringen?«

»Aber nein«, antwortete Herr Anton, »heute sind Sie meine Gäste.« Mit seiner Hilfe fanden wir alsbald das »Lichtspielhaus«. »Bisschen mickrig«, stellte die Tante fest. Auch war das Projekt Kino offensichtlich vom Pech verfolgt: Erstens wurden schon damals die allermeisten Filme synchronisiert, und zweitens waren sie meist erst ab zwölf Jahren freigegeben. Also verabschiedeten wir uns von Herrn Anton und trotteten wieder nach Hause.

»Lale und ich gehen am Sonntagmorgen um elf Uhr in die Kindervorstellung«, kündigte die Tante wenig später an. »Wir können sogar die Kleine mitnehmen, weil es in der Kindervorstellung keine Altersbeschränkung gibt. Es ist gut für das Deutsch der Kinder.« Dann fügte sie hinzu: »Im Übrigen, auch ich habe beschlossen, Deutsch zu lernen.«

»Warum das denn?«, fragte Papa.

»Weißt du, Bruder, die Deutschen sind sehr nett, aber mit den Fremdsprachen haben sie es nicht so. Heute Nachmittag war es wirklich unangenehm, weil die Leute uns helfen wollten, aber nicht mit uns sprechen konnten. Ein Glück für uns, dass Herr Anton da war.« Mit einer weichen Stimme ergänzte sie: »Was für ein charmanter Mann!«

»Na, na«, Papa drohte lachend mit dem Finger, »denk an deinen netten Mann in Istanbul!«

»Das tue ich, ansonsten könnte ich schwach werden …« Auch in diesem Fall war sie mal wieder die Fleischwerdung der Ehrlichkeit.

»Verstehe«, sagte Papa, »um dich mit diesem Herrn Anton unterhalten zu können, willst du Deutsch lernen.«

»Nein nein«, beschwichtigte Tantchen, »das könnten wir auch in Englisch, ich will mich doch mit *allen* Menschen unterhalten können.«

Da nickte Papa. »Jaja, bei dem Rededrang, den ihr alle an den Tag legt, wird Herr Dober nicht lange sein Geld bei uns verdienen. Ich wette, in einem halben Jahr seid ihr alle fit im Deutschen!«

»Ja, du vielleicht nicht?«, fragte Tantchen. »Tu jetzt nicht, als wärest du im Orden der schweigenden Derwische.«

»Na ja«, gab Papa zu, »ich rede ja auch gerne.«

»Apropos reden«, sagte Mama. »Wir müssen die Breuers zu einem Gegenbesuch einladen. Unser Antrittsbesuch ist nicht gerade optimal verlaufen. Ich finde, wir sollten sie einladen, solange Semra da ist.«

»Wenn du meinst, dass die Stimmung besser ist, wenn ich da bin«, meinte meine Tante fröhlich, »dann lade sie ruhig bald ein, denn ich feiere noch Silvester mit euch, dann bin ich weg. Leider, aber der Onkel ist so alleine.«

»Was? Du fährst nach Silvester schon?« Mamas Stimme klang erstaunt.

»Jetzt tu nicht so, als würdest du das bedauern«, entgegnete Tantchen, »außerdem habe ich ja gesagt, dass ich nur vier Wochen bleibe. Habt ihr mir das etwa nicht geglaubt?«

Mama ging darauf nicht ein. »Was machen wir jetzt mit den Breuers?«

»Die Breuers«, meinte Tantchen, »die lädtst du ein, wenn ich das nächste Mal da bin!«

Für Mama war das ein tröstlicher Gedanke. So schnell würde Tantchen nicht wiederkommen, und jetzt hatte sie auch kein schlechtes Gewissen mehr wegen des Gegenbesuchs.

Doch da sollte sie sich irren. Tantchen reiste zwar Anfang Januar wie geplant ab, aber irgendwie hatte sie ihren gutmütigen Mann davon überzeugt, dass es an der Zeit war, Geschäfte mit Deutschland zu machen. Bis jetzt hatte er sein Obst und Gemüse als Großhändler nach Großbritannien verkauft. Was bei ihm nahe lag, da er Zypriote war. Wir waren im Jahr 1963 und Zypern war bis 1960 englische Kolonie gewesen. Aber warum nicht auch nach Deutschland? Schließlich aßen Deutsche genauso gern Orangen, Melonen, Tomaten, Paprika und so ein Zeug.

Anfang März ereilte uns ein Brief, der Mama an den Rand des Nervenzusammenbruchs brachte. In diesem Brief kündigte Tantchen ihren baldigen Besuch an, diesmal mit Ehemann. »Wir werden natürlich im Hotel wohnen«, schrieb sie, »weil wir euch zu zweit doch sehr stören würden.«

»Jedenfalls sieht sie ein, dass sie stören würde«, stellte Mama mit Genugtuung fest.

»Nein«, quengelte ich, »Tantchen soll bei uns wohnen, das ist viel schöner.«

»Mach dir keine Sorgen«, sagte Papa und lachte dabei, »sie wird sowieso spätestens um neun Uhr hier auftauchen, und dann erst wieder zum Schlafen ins Hotel gehen.«

Wieder waren wir am Flughafen und holten diesmal Tantchen und Onkelchen ab. Der Onkel war ein cleverer Geschäftsmann, auch wenn er für sein Leben gern einen auf Pantoffelhelden machte. »Semra kam nach Istanbul zurück und sagte, Ismail, du wirst Geschäfte mit Deutschland machen! Ich antwortete, wenn du meinst, Chefin, sofort!« Dabei knallte er vor Tantchen mit den Hacken und führte die Hand zu der imaginären Mützenkappe. Der halbe Flughafen schaute diesem Schauspiel zu, wir Kinder lagen vor Lachen am Boden, Mama schluckte angesichts der Entwicklungen, die verwandtschaftlicher Art auf sie zukamen, und Papa grinste, während er Mama beobachtete.

»Was hast du uns mitgebracht?«, fragte meine Schwester, die die Ausbeute des letzten Besuches noch gut in Erinnerung hatte. Mama, auf gute Manieren stets bedacht, versuchte zu intervenieren. »Lass sie doch«, sagte Tantchen, »wunderschöne Geschenke, mein Schatz.«

»Jetzt wollen wir mal Sondierungsgespräche führen«, meinte Onkel Ismail, als wir später im Auto saßen, »mal sehen, ob Deutschland Obst und Gemüse braucht. Semra hat ja nicht lockergelassen, sie will sogar die Geschäfte hier führen, aber ich habe gesagt, das brauchst du nicht, das machst du doch nur, um öfter bei deinen Nichten zu sein. Dafür musst du nicht die Geschäftsführerin machen. Wir stellen eine ordentliche Kraft ein, und du kannst deine Nichten so oft besuchen, wie du willst.« Er strahlte. Tantchen strahlte. Wir strahlten auch. Wir waren Familie Sonnenschein, Mama machte die Kumuluswolken.

Mama wollte aus Semras Besuch, den sie so nicht erwartet hatte, wenigstens den größten Nutzen ziehen. Der Gegenbesuch der Breuers war immer noch nicht erfolgt. Noch im Auto erinnerte sie daran, dass wir sie doch jetzt endlich einladen könnten.

»Ihr habt mit diesem Besuch auf mich gewartet?«, stellte Tantchen befriedigt fest. Wie unangenehm für Mama! Gab sie damit doch zu, dass Tantchen irgendwie unentbehrlich war. Aber was sollte es! Sie war in dem Dilemma, dass sie jeden Besuch vermeiden wollte, ihre gute Erziehung ihr aber sagte, dass man, wenn man eingeladen war, auch eine Gegeneinladung aussprechen musste. Abgesehen davon, dass Tantchen begnadet kochen konnte, ihre geschwätzige Schwägerin würde auch diese Leute unterhalten, ohne dass wieder so merkwürdige Gesprächslücken entstünden. Sie konnte Tantchen nicht leiden und die Breuers auch nicht. Aber als Mathematikerin verließ sie sich auf die Formel, dass Minus mal Minus Plus ergeben würde. Wenigstens für sie.

»Wir sollten auch Herrn Anton, den Cafébesitzer, einladen.« Das war Tantchen. »Schließlich hat er uns auch eingeladen.«

Unter Gelächter wurde beschlossen, auch Herrn Anton einzuladen, damit Onkelchen auch die »deutsche Konkurrenz« kennenlernen konnte. Mama war kurz vor dem Nervenzusammenbruch. Wahrscheinlich verfluchte sie zum vierten Mal an diesem Tag, in diese Familie eingeheiratet zu haben.

»Ja, laden wir jetzt auch irgendwelche Wirte zu uns nach Hause ein?«, fragte sie pikiert.

»Herr Anton ist ein Freund von uns«, sagte ich, »er hat uns das Kino gezeigt.«

»Tja, meine Liebe«, meinte Papa an Mama gewandt, »meine Kinder lieben Besuch, diese Vorliebe haben sie wohl von mir geerbt!«

Eine Woche später war es so weit, Punkt acht Uhr klingelte es. Die Breuers und Herr Anton waren ganz pünktlich gekommen. »Also, das können wir von den Deutschen lernen«, flüsterte Onkelchen, während Mama die Tür aufmachte, »diese Pünktlichkeit! So pünktlich sind bei uns nicht einmal die Acht-Uhr-Nachrichten!« Tatsächlich schaffte es damals die staatliche Radiostation nie, die Acht-Uhr-Nachrichten pünktlich zu bringen. Es war immer entweder zwei Minuten vor oder drei Minuten nach acht, aber eben nie pünktlich. Im Gegensatz zu Herrn Anton und dem Ehepaar Breuer.

»Kommen Sie rein, fühlen Sie sich wie zu Hause«, rief Papa. Meine Schwester und ich liefen schnell zur Tür, um die Gäste zu begrüßen.

»Was? Die Kinder sind noch auf?« Frau Breuer war sehr erstaunt, als sie uns herumwieseln sah. »Da kann ich den beiden die Schokolade persönlich geben, bevor sie ins Bett gehen.«

»Aber wir gehen noch gar nicht ins Bett«, rief ich, »wir werden doch noch gemeinsam zu Abend essen. Meine Tante hat extra leckere Sachen für uns gekocht!«

In der Zwischenzeit waren alle ins Esszimmer gegangen, und Frau Breuers Irritation wuchs sichtbar, als sie sah, dass tatsächlich für neun Leute gedeckt war. »Ihr sitzt ja beide wirklich am Tisch.«

»Na, klar!« Wie zur Bestätigung kletterte meine Schwester auf ihren Kinderstuhl.

»Die Erziehungsmethoden der mediterranen Länder unterscheiden sich doch sehr von den unsrigen«, sagte Frau Breuer, und lächelte dabei etwas gezwungen, »als wir letztes Jahr in Griechenland waren, waren wir sehr erstaunt zu sehen, dass die Kinder bis tief in die Nacht noch auf der Straße waren.«

»Es ist ja noch nicht tief in der Nacht«, erwiderte Papa, »außerdem ist morgen Sonntag, da können die Kinder ausschlafen. Warum sollen sie dann nicht mit uns essen?«

»Wir haben es immer so gehalten, dass bei uns um acht Uhr der Elternabend anfing«, meinte Frau Breuer, »da mussten die Kinder im Bett sein.«

Jetzt mischte sich Onkelchen ins Gespräch. »Ich bewundere Ihr Land«, sagte er, »Sie sind so pünktlich, Sie kommen Punkt acht, Sie legen die Kinder Punkt acht ins Bett. Ich freue mich, dass ich mit Ihrem Land Geschäfte machen werde. Ich denke, die Geschäftspartner werden auch pünktlich zahlen!« Das war typisch Onkelchen. Der dachte sofort an die Zahlungsmoral.

Inzwischen waren wir dabei, uns an den Tisch zu setzen. Herr Anton, Tantchens und mein Freund, enttäuschte uns nicht. Er war galant wie immer. »Wenn Sie erlauben«, meinte er, »würde ich gern als Lales Tischherr fungieren.« Er reichte mir den Arm. »Darf ich bitten, junge Dame?« Ich schaute triumphierend zu Frau Breuer, die mich gerade hatte ins Bett schicken wollen. Jetzt hatte ich sogar einen Tischherrn. Ich schaute auch triumphierend zu Mama, die den charmanten Herrn Anton als »Wirt« tituliert hatte, und es auch herablassend gemeint hatte. Dann schaute ich zu Tantchen.

»Ja, dann wollen wir uns mal hinsetzen«, sagte sie, »mal sehen, ob es Ihnen allen schmeckt. Ich habe heute Spezialitäten aus der Heimat meines Mannes gekocht. Das musste ich ja auch lernen, aber ich sage immer, wenn man eine gute Köchin ist, kann man alles kochen.«

»Ja, sind Sie denn kein Türke?«, fragte Herr Breuer Onkelchen.

»Onkelchen ist ein nachgemachter Türke«, sagte ich vorlaut. Onkelchen lachte.

»Das sagt diese Familie immer zu mir, weil ich Zypriot bin. Türkischer Zypriot zwar, aber eben Zypriot.

Am Gesichtsausdruck des Ehepaares Breuer war zu erkennen, dass sie mit geopolitischen Verhältnissen im östlichen Mittelmeer nicht ganz vertraut waren. »Wo leben Sie denn?«, fragte Herr Breuer vorsichtig.

»In Istanbul«, erwiderte Onkelchen, »aber wir sind oft auf Zypern. Schon wegen der Zitrusfrüchte. Die wollen sie alle in England essen. Und ich hoffe, Sie bald auch.«

Hmm. Anscheinend war Familie Breuer auch nicht darüber informiert, dass Zypern und England koloniale Beziehungen pflegten. Das Gespräch schien zu verstummen, als Herr Breuer das Wort ergriff und an der Stelle ansetzte, wo er glaubte, Bescheid zu wissen und sympathiemäßig punkten zu können.

»Wir waren schon immer Freunde«, setzte Herr Breuer an, »nicht wahr?« Er schaute im Kreis herum. Onkelchen fühlte sich angesprochen. Als Geschäftsmann war er es gewohnt, auf Dinge einzugehen, auch wenn sie merkwürdig oder distanzlos daherkamen.

»Ja, natürlich«, beeilte sich Onkelchen zu sagen, »obwohl wir uns ja erst heute Abend kennengelernt haben, ist es doch so, dass die Freunde unseres Schwagers auch unsere Freunde sind.« Er lächelte, aber nach seinem Gesichtsausdruck zu urteilen, wunderte er sich doch ein wenig über das forsche Vorgehen des Herrn Breuer. Mann, der legte ja schneller los als jeder Festlandtürke, der bei jedem Kennenlernen sofort ewige Freundschaft versprach.

»Aber nein. Ich meine, ja doch. Aber nicht persönlich mit Ihnen.« Herr Breuer fühlte sich missverstanden. »Ich meine die Waffenbrüderschaft zwischen dem deutschen Kaiserreich und dem Osmanischen Reich im Ersten Weltkrieg.«

»Kein Ruhmesblatt für beide Seiten«, murmelte Onkelchen. Herr Breuer konnte ja nicht ahnen, dass sich Onkelchen viel eher der sozialistischen Internationale verpflichtet fühlte als irgendwelchen Waffenbrüderschaften während des Ersten Weltkrieges. Das war blöd! Da wollte er gute Stimmung machen und hatte irgendwie nicht das richtige Thema erwischt.

Aber Brüderschaft musste jetzt sein. Wenn diesem dicken Zyprioten die Waffenbrüderschaft nicht passte, dann … Unvermittelt sagte Herr Breuer: »Dann schlage ich vor, dass wir jetzt Brüderschaft schließen und auf ›Du‹ trinken. Ich heiße Rüdiger und meine Frau Anneliese«, und mit diesen Worten erhob er sein Weinglas. Den anderen, die mit dem deutschen Kulturgut nicht so vertraut waren, war das alles zu schnell gegangen, bis auf Herrn Anton natürlich, der sofort sein Glas hob mit den Worten: »Ich heiße Peter.« Daraufhin fiel auch bei den anderen der Groschen.

Für Türken, die sich sowieso mit Vornamen anreden, war dieser Vorgang nicht wirklich ein Paradigmenwechsel in der Intimität mit den Breuers und Herrn Anton. Sie konnten gar nicht schätzen, welchen Quantensprung Herr Breuer gerade hingelegt hatte. Bei so viel kulturellem Entgegenkommen wollte Papa auch nicht zurückstehen und den Breuers bei ihren Vorstellungen zur Kindererziehung entgegenkommen. Auf meine Kosten. Nachdem sich alle bei den Vornamen genannt und angestoßen hatten, drehte er sich zu mir um: «Es wird Zeit, dass ihr ins Bett kommt. Nimm deine Schwester und dann sagt ihr ›Gute Nacht‹.«

Bevor ich empört widersprechen konnte, mischte sich Tantchen ein: »Aber erst, nachdem die Kinder meinen Kebab gegessen haben!«

Als Tantchen ihren Kebab servierte, meinte ich: »Es ist doch ein Glück, dass heute nicht Freitag ist.« Alle schauten mich an. »Frau Breuer hat doch gesagt, dass sie Katholiken sind, und wenn heute Freitag wäre, könnten sie den Braten nicht essen. Katholiken dürfen am Freitag doch kein Fleisch essen! Das habe ich in der Schule gelernt!« Ich verriet natürlich nicht, mit welchen schmerzlichen Erfahrungen.

Frau Breuer lachte. »Ja, sicher sind wir Katholiken, aber wir nehmen das nicht ganz so streng!«

»Haben Sie dann auch am Freitag Ihr Botteram aufgeklappt und ›Wurst‹ gerufen, bevor Sie hineingebissen haben?«

»Nein«, sagte Frau Breuer, »erstens heiße ich Anneliese, auch für euch Kinder, wir duzen uns doch jetzt, und zweitens bekamen wir zu meiner Kindheit am Freitag keine Wurstbrote mit in die Schule. Unsere Gesellschaft hat sich in der Hinsicht doch sehr liberalisiert.«

Wir schrieben das Jahr 1963, und Anneliese hätte bestimmt den Abend nicht so gut geschlafen, wenn sie gewusst hätte, was das Jahr 1968 noch alles an Veränderung bringen würde. Ja, dann: »Gute Nacht, Anneliese!«

Zarte Bande

Nachbarschaft in der Türkei bedeutet praktizierte Distanz-
losigkeit. Nachbarn kommen und gehen, wie es ihnen gerade
passt. Die Türen stehen offen, und niemand kommt auch nur
auf die Idee, dass ein unangemeldeter Besuch stören könnte.
Oder nicht erwünscht wäre. Folglich schauen Nachbarn ab
und an herein; sie wollen eben »nur mal Hallo sagen«, »eine
Tasse Tee trinken«, »Zwiebeln leihen« oder die neuesten
Problemchen diskutieren. Als wir nach Deutschland über-
siedelten, freute sich meine Mutter, weil sie ja dachte, diesem
Problem entronnen zu sein. Sie ging davon aus, dass die
berühmten Kulturunterschiede dazu führen würden, dass in
Deutschland eine andere Art von Nachbarschaft praktiziert
würde. Jedenfalls hoffte sie es. Leider blieb (wieder einmal)
die erhoffte Wirkung der Kulturunterschiede aus. Wir hatten Nachbarn. Und der Nachbarschaftsmechanismus funktionierte wie in der Türkei.

Die ersten Nachbarn, die zarte Bande zu uns knüpften,
waren Inge und Waldemar. Und beinahe, aber nur beinahe
wäre Mamas Wunsch von den Kulturunterschieden bei den
Nachbarschaftskontakten in Erfüllung gegangen. Es gibt
nämlich tatsächlich einen Unterschied zwischen der Türkei
und Deutschland, was die erste Kontaktaufnahme angeht.
Während bei den Türken die bereits Ansässigen den Neuen
den ersten Besuch abstatten, um sie willkommen zu heißen, ist es in Deutschland so, dass die Neuen sich vorstellen
müssen. Da bei uns niemand aus der Nachbarschaft vorbei-

schaute, schien es Mama klar, dass in Deutschland eine distanzierte Nachbarschaft praktiziert würde.

Die frohe Botschaft

Nun war es zwar so gewesen, dass das Ehepaar Bootz, Inge und Waldemar, wie wir sie später nennen durften, ihrerseits drauf gewartet hatten, dass Mama und Papa vorbeikämen. Als sie es aber nicht taten, in der ersten Woche nicht und in der zweiten Woche nicht, beschlossen sie in der dritten Woche, ihren neugierigen Trieben nachzugeben und uns einen Besuch abzustatten. Und so klingelten sie eines Abends. Mit Blumen in der Hand. Wie wir später feststellen sollten, auch nicht ganz ohne Hintergedanken.

Das Ehepaar Bootz kam nicht nur mit Blumen, sondern gleich mit einer Einladung. Wir seien ja neu in Deutschland und in der Nachbarschaft, und sie würden uns gern mit anderen netten Menschen bekannt machen. Es würden am nächsten Donnerstagabend ein paar Leute zu ihnen kommen und ob Mama und Papa nicht Lust hätten, dazuzustoßen. Es würde schon um 18 Uhr losgehen, die Kinder wären auch herzlich eingeladen. Papa schaute Mama an. Die hatte zwar keine große Lust, nette Leute kennenzulernen, aber Papa und wir Kinder. Und sie musste mit.

Also machten wir uns alle am späten Nachmittag jenes Donnerstags fertig und gingen rüber. Tatsächlich waren im Wohnzimmer der Familie Bootz an die 20 Leute versammelt. »Herzlich willkommen«, sagte Frau Bootz, »kommen Sie rein, nehmen Sie sich was zu trinken.« Die meisten Leute standen herum, aber es waren Stühle und Sessel herbeigeschleppt worden, sodass auch alle sitzen konnten.

Die Bewirtung war eher bescheiden, es gab Wasser, Apfelsaft und ein bisschen was zu Knabbern. Auch die Kleidung der Gäste war eher Alltagskluft denn einladungsgemäß.

»Eine Cocktailparty ist das hier nicht gerade«, flüsterte Mama.

»Das habe ich dir gleich gesagt«, antwortete Papa, »ich habe von Herrn Bootz auch nichts dergleichen gehört.«

»Ja, aber was ist das dann für eine Einladung, um diese Zeit? Nie fragst du nach, immer sagst du gleich zu!« Mama war sauer, weil sie eindeutig »overdressed« war in ihrem schicken schwarzen Cocktailkleid. Sogar Handschuhe hatte sie an. Die anderen Frauen waren in Rock und Bluse erschienen. Papa war angemessen angezogen, es hatten fast alle Männer eine Krawatte an. Nachdem alle sich mit einem Glas bewaffnet hatten, begrüßte Herr Bootz die Gäste, uns ganz besonders, weil wir ja das erste Mal dabei waren. Dann nahmen alle Platz, und Herr Bootz sagte: »Lasset uns beten!«

Nun wurde es ganz still im Wohnzimmer der Bootzens, und Herr Bootz betete etwas vor, die anderen murmelten mit. Dann zog er ein Büchlein aus der Tasche und alle anderen taten es ihm nach. »Heute wollen wir die Bibelstelle Johannes 4, Vers 1 bis 26 lesen«, sagte Herr Bootz, und er las etwas aus dem Büchlein vor. Diejenigen, die auch ein Büchlein hatten, verfolgten es mit. Das waren praktisch alle, bis auf uns vier. Da meine Schwester noch nicht lesen konnte, eigentlich wir drei. Papa schlug sich leicht mit der Hand auf die Stirn und schaute Mama an, dabei grinste er wie ein Honigkuchenpferd. Bei ihm war der Groschen gefallen.

»Das ist keine Cocktailparty«, flüsterte er auf Türkisch zu Mama, »das ist ein Bibelkreis, und wir sind die Neuen. Mama schaute mit aufgerissenen Augen völlig entgeistert Papa an, der sich jetzt auf die Lippen biss, um nicht loszulachen.

In der Zwischenzeit hatte Herr Bootz das Büchlein zugeklappt und erzählte irgendetwas. Mama war jetzt aus ihrer Lethargie erwacht, das heißt, auch bei ihr war der Groschen gefallen.

»Tu was«, zischte sie Papa zu, »tu irgendwas! Na los!«

»Ja, was soll ich denn tun?«, zischte Papa zurück, »sei jetzt still und hör zu, vielleicht kannst du ja noch was lernen!«

Dann wurde noch mehr gebetet und noch mehr geredet und wieder aus dem Büchlein gelesen, von dem wir jetzt definitiv wussten, dass es die Bibel war. Mama war in einem Zustand der Katatonie angekommen, Papa machte ein interessiertes Gesicht, und mir war totlangweilig. Diese Bibelstunde nahm kein Ende. Aber irgendwann erbarmte sich die Uhr, und der Abend ging zu Ende.

Halb acht war Schluss. Herr und Frau Bootz verabschiedeten uns an der Tür. »Hoffentlich hat es Ihnen gefallen«, sagte Herr Bootz, »wir treffen uns einmal im Monat hier bei uns, Sie sind immer herzlich willkommen.« Papa bedankte sich artig, sagte etwas Belangloses und zog uns aus dem Haus. Es waren ja nur ein paar Schritte bis zu uns.

Kaum waren wir in unserer Wohnung, warf sich Papa auf die Couch und lachte und lachte. »Das letzte Mal, als ich einem solchen Missverständnis zum Opfer gefallen bin, war ich ein Student«, sagte er, »die Türkei war zwar nicht beteiligt am Zweiten Weltkrieg, aber sie war im Kriegszustand, alles war knapp, und wir hatten alle Hunger. Ein Freund von mir hatte eine Einladung ergattert, auf der stand: Einladung zur Gala der Sinne für zwei Personen. Wir dachten, es gibt was Gutes zu essen. Wir haben das Essen im Studentenwohnheim ausfallen lassen und sind mit knurrendem Magen da hin. Und was war? Die Gala der Sinne war ein Konzert mit klassischer Musik! Es war der Gehörsinn gemeint gewesen, nicht der Geschmackssinn!« Und wieder lachte er: »Und eure Mutter war so schick heute Abend, sie sah aus wie Audrey Hepburn in ›Frühstück bei Tiffany‹! Im Cocktailkleid zur Bibelstunde!«

Mama lachte mit. Sie, die sich sonst über alles aufregte, reagierte ganz anders als gewohnt, fast erleichtert. »Was war das denn jetzt?«, fragte sie, »war das nur nett gemeint oder wollten sie uns missionieren?«

»Sie wollten uns missionieren«, sagte Papa mit gespielt ernstem Gesicht, »aber nachdem sie das Partygirl ›Holly Golightly‹ gesehen haben, sind sie von ihren Plänen abgerückt. Deine Aufmachung hat uns gerettet. Weißt du was, ich schenke dir morgen noch so ein Kleid!«

Mit dem Ehepaar Bootz blieben wir im nachbarschaftlichen Kontakt, aber eine Bibelstunde haben wir nicht mehr besucht. Papa indes konnte sich jahrelang nicht verkneifen, immer wenn Mama sich in Schale geworfen hatte, sie zu fragen: »Was hast du heute vor? Gehst du zu einer Bibelstunde?«

Unter dem Christbaum

Ein anderes Hochamt der Deutschen, die deutsche Weihnacht, ging all die Jahre mehr oder weniger an uns vorbei, da wir aus verständlichen Gründen kein Weihnachten feierten.

Ich erinnere mich an das Jahr 1962: Wir waren September nach Deutschland gekommen, und Weihnachten war uns theoretisch als das Fest zur Geburt Christi und praktisch aus ausländischen Kinofilmen bekannt. Anfang Dezember setzten überall Veränderungen ein, eine im Vergleich zu heute äußerst bescheidene Dekoration auf den Straßen, Spezialgebäck in den Bäckereien, Singen in der Schule.

»Die fangen aber früh an«, sagte Papa, Weihnachten ist doch erst am 25. Dezember.« Ihm waren weder die Adventszeit noch der Heilige Abend bekannt. Deswegen bekamen wir auch einen Heidenschreck, als am 24. Dezember am späten Nachmittag aus der Nachbarwohnung laute Musik erklang.

»So geht das aber nicht«, sagte Mama streng zu meinem Vater, »geh rüber und bitte sie, die Musik leiser zu stellen.« Da Mama keinen Widerspruch duldete, ging Papa nolens volens rüber. Aber er kam und kam nicht wieder und die Musik wurde auch nicht leiser. »Was macht der so lange da?«, schimpfte Mama, »wie lange verhandelt er mit denen um die Lautstärke der Musik?«

Als Papa nach gut einer halben Stunde wiederkam, war er bestens gelaunt. Seine Augen leuchteten, und in der Hand schwenkte er eine kleine Tüte. Bevor Mama den Mund aufmachen konnte, platzte er mit der Neuigkeit heraus: »Die Leute feiern das Weihnachtsfest!«, teilte er uns mit.

»Wieso das?«, fragte Mama, die hinter diesen Worten eine handfeste Ausrede meines Vaters vermutete, »Weihnachten ist doch erst morgen!«

»Wenn ich es euch doch sage«, entgegnete Papa, »ich klingele an der Tür, die Leute machen mir auf, sie sind alle festlich gekleidet, ich musste mit reingehen, da drin sah es aus, überall Kerzen, ein geschmückter Tannenbaum, Geschenkpakete. Die Nachbarn haben gedacht, ich wäre gekommen, um ihnen ein gesegnetes Weihnachten zu wünschen, ich habe es dabei bewenden lassen. Ich konnte ihnen doch nicht sagen, ich bin gekommen, weil die Musik meine Frau gestört hat. Übrigens, es waren Weihnachtschoräle.« Mama schaute ihn mit offenem Mund an. »Und dann?«, fragte sie.

»Na ja, wir haben ein wenig geplaudert über unterschiedliche Festbräuche, dann musste ich mit ihnen anstoßen. Ach ja, die Kekse hier – er schwenkte die Tüte in der Hand – sind für die Kinder.« Dann wandte er sich an uns: »Ihr seid übrigens eingeladen, euch den Tannenbaum anzuschauen und noch mehr Kekse zu essen, wenn die euch schmecken sollten.«

Meine kleine Schwester nahm ihm die Kekstüte ab, um schon mal zu kosten und zu entscheiden, ob es sich lohnen würde, der freundlichen Einladung zu folgen.

»Und?«, fragte ich meine Schwester.

»Wir gehen sie morgen besuchen«, entschied sie mit vollem Mund.

Diese erste Erfahrung war exemplarisch für die Beziehung unserer Familie zum Weihnachtsfest. Wir lernten, dass in Deutschland Weihnachten schon am 24. Dezember anfängt, dass bei diesem Fest Hausmusik gemacht wird, in welcher Form auch immer, es einen geschmückten Tannenbaum gibt und haufenweise Plätzchen, so viel, dass wir als Nachbarn immer etwas abbekamen. Das war die positive Seite, die wir Kinder neidlos akzeptieren konnten. Was bei uns Neidgefühle erweckte, war die Tatsache, dass alle Kinder Geschenke bekamen, ja, sie durften sogar einen Wunschzettel schreiben. In der orientalischen Kultur bekam man Geschenke und hatte sich dafür zu bedanken, hier in Deutschland konnte man sich die Geschenke wünschen. Das gefiel mir sehr. Ich beschloss: Diese Tradition musste in unsere Familienkultur integriert werden.

Nun kannten wir die deutsche Variante der Weihnachtsfeier. Wahrscheinlich wären wir der selektiven Wahrnehmung, nämlich der Vorstellung, dass alle Welt so Weihnachten feiert wie die Deutschen, zum Opfer gefallen, wenn nicht in den folgenden Jahren in unsere nächste Nachbarschaft zuerst eine amerikanische, sehr bald danach eine griechische Familie eingezogen wären. Durch die Amerikaner konnten wir erfahren, dass wir mit dem 25. Dezember doch nicht so falsch lagen. An einem 25. Dezember klingelte es an der Tür. Vor der Tür stand das junge Ehepaar. Sie strahlten uns an: »Merry Christmas«, sagte die junge Frau und packte etwas aus. Es war ein Wandteppich mit Jesus am Kreuz mit Dornenkrone. »Your present«, sagte sie zu meinem Vater, der die Tür aufgemacht hatte. Und weil er wohl etwas verständnislos geblickt hatte, zeigte sie auf Jesus und fügte hinzu: »This is Christ, you know.« Sie lächelte.

Papa, der kein Englisch sprach, lächelte zurück. Er drehte sich zu uns, dann sagte er ganz freundlich auf Türkisch: »Wenn eine von euch jetzt lacht oder eine dumme Bemerkung macht, kann sie davon ausgehen, dass das für die Betroffene fürchterliche Folgen haben wird.« Er lächelte immer noch. Das Ganze war so schnell vor sich gegangen, dass die amerikanischen Nachbarn die Situation nicht ganz erfasst hatten. Danach machte er den jungen Leuten ein Zeichen, dass sie eintreten sollten. Jetzt bewirteten wir unsere amerikanischen Nachbarn mit deutschen Weihnachtsplätzchen. Der Wandteppich wurde zwar nicht aufgehängt, aber er wurde auch nicht entsorgt. Sogar nach dem Tode meines Vaters brachte ich es nicht übers Herz, das scheußliche Ding wegzuschmeißen.

Viel weniger sentimental ging es mit den griechischen Nachbarn zu: Zwei Tage vor Weihnachten kamen sie rüber, um uns für Weihnachten einzuladen. »Wir feiern natürlich zusammen«, sagte Barbara. Griechische Weihnachten waren in dem Sinne kein Weihnachten, es war, wie immer, deftig und lustig. Wir aßen und tranken, wir tanzten und wurden eingeladen, am nächsten Tag wiederzukommen, zum Kartenspielen. »Nein«, sagte Papa, »jetzt sind wir dran. Morgen kommt ihr zu uns! Dann kochen wir etwas, nicht wahr?« Fragend blickte er Mama an. Die war zwar angesichts der Arbeit, die auf sie zukam, nicht begeistert, aber sie war überrumpelt. »Natürlich«, sagte sie zuckersüß, »dann kochen wir etwas.« Also feierten wir griechische Weihnachten bei uns. Warum nicht?

Papas Klassenkampf

Neben den nachbarschaftlichen Beziehungen zu Menschen aus aller Welt hatte sich unser Haus zu einem Treffpunkt für türkische Landsleute entwickelt, daran war Papa schuld. Ihm hatte am Anfang eine Art sozialistische Kaderschmiede vorgeschwebt, allerdings mündete sein Engagement in eine Art sozialarbeiterische Beratungs- und Unterstützungsstelle.

Papa war ja bekanntlich ein bekennender Sozialist, und er hatte in den ersten Jahren die politischen Diskussionen vermisst. Doch mit den Jahren kamen immer mehr Türken nach Deutschland, sodass er seinen pädagogischen Sozialismus immer besser anwenden konnte. Eigentlich besser als in der Türkei, dort hatte er mit seinen Genossen über den wahren Weg in den Sozialismus nur diskutiert und als Erziehungsobjekte lediglich uns gehabt.

Mama nannte ihn einen »Salonsozialisten«. »Ihr sitzt in euren Cafés und redet darüber, wie ihr die Welt verbessern könnt«, sagte sie, »dabei lebt ihr gut, ihr esst und trinkt von Feinstem, reist erster Klasse und redet vom Klassenkampf.«

»Meine Aufgabe als Sozialist ist es nicht, zweiter Klasse zu reisen«, erwiderte Papa, »meine Aufgabe ist es, dafür zu sorgen, dass alle erster Klasse reisen können.«

»Und wie das bitte?« Indem ihr in euren Cafés sitzt und darüber sinniert?«

»Nein, durch Aufklärung und Bildung der arbeitenden Klasse!«

»Na, dann macht mal«, sagte Mama, die lieber über Kurven diskutierte als über die klassenlose Gesellschaft.

Ihr Pragmatismus kam auch bei der Zielgruppe besser an. Wir hatten in Istanbul ein Faktotum, einen Mann, der vorbeikam, wenn es im Haus oder Garten etwas zu tun gab. »Ein ruhiger, fleißiger Mann«, sagte Mama und gab ihm immer reichlich Geld. Papa fand das in Ordnung, wollte aber sicherstellen, dass mit dem Geld auch das richtige Bewusstsein mitgegeben wurde.

»Machst du ihm klar, dass das kein Almosen ist, sondern der Gegenwert seiner Arbeit?«, fragte er Mama. »Ich meine, ist ihm klar, dass er sich bei dir nicht bedanken muss?«

Mama schaute ihn an wie ein Auto. »Vahid (so hieß er) ist ein wohlerzogener Mann, er bedankt sich immer.«

»Das soll er eben nicht!«, rief Papa aus, »er bekommt den Lohn, der ihm zusteht.«

»Ja und? Deswegen wird der Mann doch nicht unhöflich!«
Mama schüttelte den Kopf.

Manchmal kam Vahid auch sonntags. Dann konnte er
nicht so viel arbeiten, weil sich Papa immer mit ihm unterhalten wollte. Vahid hörte dann geduldig zu, und Papa gab
ihm auch reichlich Geld, reichlicher noch als Mama, und bestand darauf, dass Vahid sich nicht bedankte. Dann wurde
der arme Vahid ganz rot, stotterte etwas und verschwand.

Vahid war wirklich nett. Wenn er den Garten machte,
gesellten wir uns oft zu ihm, und er erzählte dann ganz viel
über die Pflanzen und die Bäume im Garten. Er stammte aus
Mittelanatolien und war vor zwei Jahren mit seiner Familie
nach Istanbul gekommen.

»Zum *Bayram* (Fest zum Ende des Ramadan) kommen
Sie mal mit den Kindern zu uns«, sagte Mama, als wir zusammen zu Mittag aßen, und Vahid willigte freudig ein, und
dabei wirkte er nicht wirklich ausgebeutet, wie Papa immer
behauptete.

»Ich werde heute mit dem Garten nicht fertig«, sagte
Vahid, »wann soll ich denn wiederkommen?«

»Ja, am besten doch morgen«, sagte Mama.

Vahid schluckte, der Mann hatte kein Pokerface, ihm
konnte man alles vom Gesicht ablesen. Jetzt hatte er sichtbar
ein Problem. »Ist Ihr Mann morgen zu Hause?«

Der nächste Tag war ein Samstag. Mama dachte nach. »Ich
glaube ja, wenigstens am Vormittag.«

»Wenn Sie nichts dagegen haben, komme ich dann am
Nachmittag. Ich bleibe dann auch, bis alles fertig ist.«

Vahid war ein einfacher Mann, aber er sah ein, dass nach
dieser Aussage eine Erklärung notwendig war: »Ihr Mann
ist ein sehr gebildeter Mann«, schob er leise nach, »aber die
Sachen, die er erzählt, verstehe ich nicht immer, und ich
komme nicht zum Arbeiten, weil ich ihm zuhören muss, und
dann gibt er mir trotzdem Geld, was ich eigentlich nicht annehmen kann, weil ich nichts gemacht habe, aber er besteht

darauf und bedanken darf ich mich auch nicht. Deswegen komme ich lieber, wenn er nicht da ist.«

Ich sah, wie Mama sich auf die Lippen biss, um nicht loslachen zu müssen. Ich wusste auch, was sie dachte! Ich hatte ja Papa oft genug mit, nein eigentlich vor Vahid reden hören! Der arme Papa! Jetzt gab er sich so viel Mühe, um das Proletariat aufzuklären, und das Proletariat fand seine Aufklärungsarbeit so anstrengend, dass es lieber wegblieb.

»Ist in Ordnung, Vahid«, sagte Mama, »kommen Sie morgen nur am Nachmittag, und wenn Sie nicht fertig werden, dann kommen Sie am Montag noch einmal!«

Aber hier und jetzt hatte Papas Stunde geschlagen. Nach all den aufklärerischen Rückschlägen in der Türkei war in Deutschland eine unglaubliche Situation eingetreten. Es kamen immer mehr arme Bauern und Landflüchtige als Industriearbeiter nach Deutschland. Sie alle waren alleinstehend, hatten außerhalb ihrer Arbeit viel Zeit. Und sie alle hatten revolutionären Lernbedarf, oder? Was lag näher, als sich dieser Menschen politisch anzunehmen?

»Was hältst du davon, wenn ich so eine Art politischen Zirkel aufbaue?«, fragte er Mama.

»Nichts«, antwortete sie, »ich sehe zwar, dass du dich wie im sozialistischen Schlaraffenland fühlst, bei so vielen Proletariern, die du missionieren willst, aber denk daran, die Leute sind nach Deutschland gekommen, um Geld zu verdienen, nicht um Klassenbewusstsein zu entwickeln.«

»Ich mache es trotzdem«, sagte Papa, »es ist eine einmalige Chance für diese jungen Menschen, sie sind in der Heimat von Marx und Engels!«

Mama rollte mit den Augen, aber sie wusste, dass sich Papa nicht davon abbringen lassen würde. Papa sprach zuerst einen jungen Mann an, der bei ihm in der Praxis gewesen war wegen Zahnschmerzen, lud ihn zu uns nach Hause ein, und schärfte ihm ein, er solle ruhig weitere Kollegen mitbringen.

Es musste sich schnell herumgesprochen haben, dass der türkische Zahnarzt einen Nachmittag für seine Landsleute organisieren wolle, jedenfalls rief der junge Patient Papa an und teilte mit, dass am Samstag an die zehn Leute um fünfzehn Uhr bei uns eintreffen würden.

Nicht schlecht für den Anfang! Da Papa wusste, was Mama von seiner Idee hielt, sorgte er allein für die Bewirtung. Am besagten Samstag stand er früh auf, ging einkaufen und hatte eine Stunde vor Beginn alles so weit fertig.

Mama beobachtete das Ganze mit einem Grinsen. »Soll ich mit den Kindern spazieren gehen oder an deinem Jour fixe teilnehmen?«, fragte sie.

»Also, ich würde mich sehr freuen, wenn du bliebest«, sagte Papa. »Ich halte das Vorbild der gleichberechtigten Teilhabe von Mann und Frau am politischen Diskurs für außerordentlich wichtig!«

»Was meint Papa?«, fragte ich, »warum freut er sich, wenn du bleibst?«

»Damit die Männer sehen, dass ich auch was zu sagen habe.«

»Kommen nur Männer?«

»Es sieht so aus.«

»Und warum sollen die sehen, dass du was zu sagen hast? Kennen die das nicht?«

»Nicht alle wohl.«

Ich war sehr neugierig. »Papa, darf ich auch teilnehmen am politischen Diskurs?«

»Ja, natürlich, mein Lämmchen, du musst sogar. Du musst dich in die politischen Fragen einarbeiten. An wen soll ich eines Tages die Fackel der Aufklärung weitergeben, wenn nicht an meine Tochter?«

»Na, das hat wohl noch Zeit«, meinte Mama, »du lebst ja noch ein Weilchen.«

Es stimmt nicht, dass die Türken *prinzipiell* unpünktlich sind. Wenn sie einer Sache einen gewissen Wert beimessen, können sie sogar *sehr* pünktlich sein. Jedenfalls standen an dem betreffenden Nachmittag die Gäste Punkt 15 Uhr vor der Tür. Papa bat sie rein und stellte uns vor. Sie hatten sich alle fein gemacht, waren frisch rasiert und hatten sich Krawatten umgebunden. Nachdem sie Platz genommen hatten und von Papa persönlich mit Tee und Gebäck bedient worden waren (nicht von Mama, wohlgemerkt, was sie sich erstens verbeten hätte, aber zweitens vor allem der Vorbildfunktion von der Gleichberechtigung von Mann und Frau diente), ergriff Papa das Wort:

»Liebe Freunde«, sagte er, »ich freue mich, dass wir heute einen Anfang machen. Ihr seid hier in Deutschland, weil es euch nicht mehr möglich war, in der patriarchalisch geprägten Welt mit den Produktionsmitteln, die euch in den agrarischen Strukturen zur Verfügung standen, euren Lebensunterhalt zu verdienen. Ihr seid jetzt hier in der Industriegesellschaft angelangt. Der Kapitalismus in Deutschland zeichnet sich durch eine besondere soziale Komponente aus. Deswegen spricht man auch vom rheinischen Kapitalismus. Die Produktionsmittel gehören euch nicht mehr, ihr könnt nur noch eure Arbeitskraft zur Verfügung stellen, trotzdem ist euer Einkommen höher und ihr habt die Chance, von der sozialen Errungenschaft der Absicherung der privaten Lebensrisiken, wie Krankheit, Unfall oder Arbeitslosigkeit zu profitieren.«

Papa redete immer weiter, nach dem Gesichtsausdruck der Anwesenden zu urteilen, verstanden sie hauptsächlich Bahnhof und Gepäckträger. Aber trotzdem: In unserem Wohnzimmer war es mucksmäuschenstill. Sogar Peyda war ganz still, kein Wunder: Sie war eingeschlafen. Die gleichmäßige Stimme ihres Vaters hatte sie in ein Mittagsschläfchen hineingesungen. Mama machte ein interessiertes Gesicht, ich war mir aber nicht sicher, ob sie zuhörte, denn sie kannte ja bereits den Inhalt von Papas Rede.

Jetzt war Papa bei den Gewerkschaften angelangt und der Wichtigkeit der gewerkschaftlichen Organisation: »Deswegen, liebe Freunde, solltet ihr euch alle bei den Gewerkschaften organisieren. Die Arbeiterbewegung in Europa hat ihre Kraft aus der Gewerkschaftsorganisation bezogen, auch ihr seid ab jetzt ein Teil dieser Bewegung und müsst euch solidarisch der Gewerkschaft anschließen, die eure Interessen vertritt.«

Papa redete immer weiter, niemand unterbrach ihn. Nach einer guten Stunde kam er dann zum Ende. »Und deswegen schlage ich vor, dass wir uns in regelmäßigen Abständen zu einem Jour fixe bei mir treffen, um eure neue Lebenssituation auch theoretisch aufzuarbeiten. Noch sind wir ja nur zehn und können uns in unserem Wohnzimmer treffen, sollten wir mehr werden, was ich doch sehr hoffe, werden wir auch andere Lösungen überlegen. So, jetzt darf ich euch frischen Tee bringen.« Alle klatschten, Peyda wachte von dem Lärm auf.

Papa holte den Tee und sagte, dass hiermit die Diskussion eröffnet sei. Alle schlürften artig den Tee, aber niemand meldete sich zu Wort. »Nun, meine Freunde«, sagte Papa aufmunternd, »bitte frisch von der Leber weg, ich freue mich auf eure Fragen und Kommentare.« Aber es kam nichts. Jetzt hatte mein armer Papa eine Stunde lang den Arbeitern goldene Brücken zur proletarischen Bewusstseinsbildung gebaut – und niemand ging darüber. Die Leute hatten sich einfach gefreut, einen geselligen Nachmittag zu verbringen, der allerdings im Moment drohte, eher ungesellig zu werden. Die Stille im Raum war für Türken ziemlich ungewöhnlich und außerdem sehr ungemütlich. Endlich erbarmte sich jemand Papas. Ich glaubte es nicht: Es war … Mama!!!

Sie hatte, während Papa voller Überzeugung sprach, diese einfachen Menschen beobachtet, und es war ihr klar geworden, dass sie das meiste von dem, was Papa gesagt hatte, gar nicht verstanden hatten. Außerdem trauten sie sich nicht, weil sie Angst hatten, etwas Falsches zu sagen und sich zu blamieren.

»Vielen Dank für deine Rede, Burhan«, sagte sie, »du hast uns viele wichtige Sachen gesagt, aber bevor wir diese Dinge diskutieren, sollten wir uns näher kennenlernen. Deswegen schlage ich vor, dass wir jetzt eine Vorstellungsrunde machen, bei der alle Anwesenden mal erzählen, wo sie herkommen und vor allem welcher Teufel sie geritten hat, dass sie nach Deutschland gekommen sind.« Es ging ein Gelächter der Erleichterung durch die Reihen der Männer. »Wenn ihr erlaubt, fange ich an.«

Mamas unbefangene Art hatte das Eis gebrochen. Nach und nach erzählten die Männer von ihrem Leben vor Deutschland und ihren Alltagssorgen in Deutschland. Sie hörten einander zu, gaben Ratschläge, das Ganze war nicht besonders klassenbewusst und es erinnerte eher an eine Selbsthilfegruppe. Gegen 19 Uhr verabschiedete Papa die Gäste, nicht ohne ihnen Zeitungsartikel mitzugeben, die er vorher extra fotokopiert hatte. Die »Sitzung« sollte in 14 Tagen fortgesetzt werden, und die Teilnehmer sollten bis dahin die Zeitungsartikel gelesen haben, damit man darüber diskutieren konnte.

Nachdem die Tür hinter dem letzten Besucher ins Schloss gefallen war, lehnte sich Papa zufrieden zurück. »Was meinst du fragte er Mama, »das war doch ein voller Erfolg!« Mama machte ein vielsagendes Gesicht und grinste dabei, Papa sah das und fügte etwas, aber nur »etwas« schuldbewusst hinzu: »Ich danke dir nochmal dafür, dass du so eingesprungen bist, als die Stille eintrat. Du hast mit deiner Intervention wirklich das Bewusstsein der Männer erreicht. Woher wusstest du eigentlich, was die Männer bewegt?«

Mama grinste immer weiter: »Ich sage nur Vahid! Erinnerst du dich an den netten Kerl in Istanbul?«

»Aber natürlich, was war mit ihm?«

»Burhan«, Mama seufzte, »deine Ansätze sind sehr löblich; humanistisch, sozialistisch, marxistisch und wer weiß was noch. Aber der Witz ist, die Männer wollen Geld verdienen und ein gutes Leben führen, das war übrigens bei Vahid genauso, dem du das Ohr abgequatscht hast.«

»Hat er sich etwa bei dir beschwert?« Papa wollte nicht glauben, dass seine guten Ansätze erfolglos bleiben sollten.

»Aber nein, ich sah nur, wie er unter deinen Vorträgen litt!«

Papa dachte nach: »Du, diesmal ist es was ganz anderes. Wir werden ein Gruppenbewusstsein *und* darüber ein Klassenbewusstsein schaffen, ich freue mich schon auf die nächste Sitzung!«

»Ich auch«, antwortete Mama.

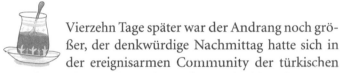 Vierzehn Tage später war der Andrang noch größer, der denkwürdige Nachmittag hatte sich in der ereignisarmen Community der türkischen Gastarbeiter herumgesprochen. Ab 15 Uhr klingelte es ununterbrochen, es kamen an die 20 sauber angezogene Männer, Papa war in freudiger Erregung, zumal unsere Stühle nicht reichten. Nachdem er alle begrüßt hatte (diesmal hielt er keine Grundsatzrede), stieg er gleich in medias res.

»Habt ihr alle die Zeitungsartikel gelesen?«, fragte er, »und hat jemand dazu eine Frage?« Es war zuerst wieder sehr still. Dann meldete sich leise ein freundlicher Mann mittleren Alters. Er war auch vorletzte Woche dabei gewesen.

»Nun, Bruder, erst mal Gottes Segen über dich, dass du dich hier in der Fremde so um uns kümmerst!«

Ups! Da lag ein kleines Missverständnis vor! An Gottes Segen war es Papa am wenigsten gelegen! Aber, egal, sei's drum, der Zweck heiligte schließlich die Mittel. Papa nickte zustimmend!

»Es war ziemlich schwierig, den Artikel zu lesen«, fuhr der Mann fort, »ich bin dabei immerzu eingeschlafen, vielleicht lag es ja daran, dass ich die Fabrikarbeit und die Schichtarbeit nicht so gewohnt bin und dadurch nach der Arbeit so müde, aber wie auch immer, ich habe es nicht geschafft, die Artikel, die du uns so schön gegeben hast, zu lesen.«

»Ging es anderen auch so?«, fragte Papa. Es stellte sich heraus, dass zwar alle guten Willens gewesen waren, aber leider, leider war das Fleisch zu schwach gewesen.

»Nun«, so schnell gab Papa nicht auf, »dann werden wir die Artikel heute zusammen lesen, und damit ihr dabei nicht einschlaft, schlage ich vor, dass wir alle aufstehen und dem Vorleser im Stehen zuhören!«

Mama schaute Papa ungläubig an. »Das ist doch nicht dein Ernst?«, zischte sie.

»Untergrabe bitte jetzt nicht meine Autorität, indem du dich als Erste weigerst aufzustehen!«, zischte er zurück. Alle standen auf, Mama auch. Das war deswegen gar nicht so schlecht, weil, wie schon erwähnt, unsere Stühle nicht ausgereicht hatten, und ein Teil der Leute hatte auf dem Boden sitzen müssen.

»Ich schlage vor, dass der Freund, der so mutig war, von seinen Schwierigkeiten mit dem Text zu berichten, anfängt zu lesen«, sagte Papa. Niemand hatte Einwände.

Nach über einer Stunde waren die Texte von mehreren Anwesenden vorgelesen. Da sie in einem verquasten Soziologentürkisch verfasst waren, hatten die Männer schon wieder das meiste nicht verstanden. Auch wenn sie dabei gestanden hatten und dadurch das Einschlafen verhindert wurde. Sie blickten ein wenig unglücklich. »Ja, dann nehmen wir doch wieder Platz«, sagte Mama, die es hasste zu stehen. »Ich verordne uns jetzt eine Pause mit Kuchen und Tee.« Die Gesichter der Männer entspannten sich. Die folgende Diskussion brachte für Papa nicht den ersehnten Durchbruch, was das Klassenbewusstsein der Männer anging. Aber sie bedankten sich ganz herzlich für den »wunderschönen« Nachmittag.

Bei der Verabschiedung gab Papa den Männern den guten Rat, auch daheim die wertvollen Artikel im Stehen zu lesen, wenn sie das Gefühl bekamen, dass sie dabei einschlafen würden.

Papas Engagement war nicht zu bremsen. Über Monate setzte er seine Kurse fort. Die Männer kamen auch brav. Allerdings waren sie weniger an klassenkämpferischen Ideen interessiert als an Unterstützung für ihren Alltag. Papas Jour fixe im Dienste des Sozialismus mutierte zum Jour fixe im Dienste der Sozialarbeit. Mit der Zeit hielten sich die Leute auch nicht mehr an den Jour fixe, sie kamen immer dann, wenn sie Sorgen und Probleme hatten. Papa merkte das natürlich auch, fand das aber nicht so schlimm.

»Es scheint so zu sein«, sagte er zu Mama, »dass der Zugang zur Bewusstseinsänderung über die Änderung der reellen Lebensverhältnisse stattfinden muss. Deswegen akzeptiere ich diese Vorgehensweise, die sich aus den materiellen Produktionsverhältnissen der Menschen ergibt.«

»Hast du eine Alternative?«, fragte Mama. »Sie kommen, um ein bisschen zu reden, einen Tee zu trinken und sich einen guten Rat zu holen. Deine Reden und deine Pamphlete nehmen sie notgedrungen in Kauf! Nicht umgekehrt! Kapier das endlich!«

Ein Sommer wie früher

Wir schrieben das Jahr 1964, die zwei Jahre in Deutschland, von denen Papa gesprochen hatte, waren um. Mama schaute quasi auf die Uhr. Immer wieder fing sie davon an, dass es jetzt an der Zeit wäre, wieder die Koffer zu packen.

Koffer packen ja, aber was danach? Papa hatte wohl andere Pläne als die, die sich Mama im Traum vorgestellt hätte. Es war ein Samstagnachmittag im Sommer. Wir saßen alle im Wohnzimmer und lasen, bis auf meine Schwester. Die konnte ja noch nicht lesen. Papa las in der Zeitschrift »Zahnärztliche Mitteilungen«, der Zeitung der Zahnärztekammer Nordrhein. Mama las einen Roman und ich ein Kinderbuch. Es war ganz still im Zimmer.

»Hört mal, ihr Kinderchen«, hörten wir Papa auf einmal, »wollt ihr Pony-Pferde haben?« Ich schaute auf. Hatte ich richtig gehört?

»Meinst du echte Ponys, Papa?«

»Ja, natürlich, Ponys zum Reiten. Island-Ponys halt.«

»O ja«, schrie ich, »klar will ich ein Pony!«

»Ich auch«, rief Peyda. »Ich will auch ein Pony!«

»Wie kommst du jetzt auf Ponys für die Mädchen?« Mama blickte neugierig von ihrem Roman auf.

»Oh«, sagte Papa betont lässig, »ich lese gerade ein Stellenangebot in Reykjavík, ein wirklich attraktives Angebot. Ich dachte, vielleicht haben die Kinder ja Lust …«

»Moment«, unterbrach ihn Mama, »habe ich richtig gehört? Du willst eine Stelle in Reykjavík annehmen?«

»Ja, was spricht denn dagegen?« Papa lächelte treuherzig. »So für zwei Jahre.«

»O nein, keine zwei Jahre mehr, nicht in Reykjavík, nicht in Paris, ich will nach Istanbul zurück.«

»Dein Istanbul läuft doch nicht weg«, murrte Papa, »unser Haus ist da, die Praxis, irgendwann kehren wir sowieso nach Istanbul zurück. Aber jetzt, wo wir noch jung sind, sollten wir was von der Welt sehen, und Island ist attraktiv, mit den Geysiren und den Ponys.«

»O ja, Ponys«, schrie ich, »bitte Mama, lass uns nach Island ziehen!«

Mama schaute Papa ganz giftig an. »Und diese Bestechungsangebote an die Kinder finde ich einfach primitiv.«

»Du willst nicht nach Reykjavík«, stellte Papa betrübt fest.

Mama nickte, befriedigt und entschlossen. »Du hast es erfasst, ich will nicht nach Reykjavík, ich will nach Istanbul.«

Es war aber so, dass Papa noch keine große Lust verspürte, seine gerade begonnene Welttournee vorzeitig zu beenden. »Ich verstehe, dass du Heimweh hast«, sagte er listig zu Mama, »ich finde, wir sollten einen längeren Urlaub in Istanbul machen. Danach besprechen wir, wann wir endgültig zurückkehren.«

So kam es, dass wir wenige Wochen später zu einem sechswöchigen Urlaub nach Istanbul aufbrachen. Wir waren alle sehr aufgeregt. Was hatte sich in den letzten zwei Jahren verändert? Wie ging es der lieben Verwandtschaft? Alle hatten wir in der Zwischenzeit nicht sehen können, nicht alle hatten uns in Deutschland besucht.

Mitten im heißen Juli landeten wir. »Wir haben keine tolle Zeit erwischt«, sagte Mama, »Istanbul ist wie leer gefegt, die meisten Leute sind in der Sommerfrische am Meer.«

»Das ist doch kein Problem«, erwiderte Papa, »die meisten haben ihre Sommerhäuser am Marmarameer, die sind schnell besucht.«

So richtig zufrieden war Mama nicht. »Jetzt sind auch die Theater zu«, meinte sie, »vom Kulturleben werden wir auch nichts mitbekommen.«

»Wir schauen mal«, sagte Papa, »wie wir uns die sechs Wochen schön machen. Jetzt sollen alle erzählen, was sie gern machen und wen sie besuchen wollen, und dann machen wir eine Liste, die wir abarbeiten.«

Die Wünsche der einzelnen Familienmitglieder, oder besser gesagt ihre »To-do-Liste« läpperte sich auf ein Zeitvolumen, das in den sechs Wochen kaum zu bewältigen war. Papa sah ziemlich ratlos aus. Um Zeit zu gewinnen, fragte er mich: »Und was willst du?« Ich dachte nach. Was hatte ich im letzten Sommer, den wir in Deutschland verbracht hatten, am meisten vermisst? »Ich will tagsüber schwimmen gehen am Strand von Fenerbahce«, sagte ich, »und abends ins Freiluftkino und in die Teegärten mit den bunten Glühbirnenketten und dem Samowar auf dem Tisch, wo sie ›sweet music‹ machen.«

Den Ausdruck »sweet music« hatte ich von Tante Semra, die diese sommerlichen Teegärten und die Musik, die dort gespielt wurde, liebte. Es waren meistens Drei-Mann-Kapellen, die sanfte Mainstreammusik machten.

»Ich auch, ich auch«, rief Peyda, die alles machen wollte, was die große Schwester vorschlug.

Mein Vorschlag war ein echtes Alternativprogramm, ich wollte keine Leute besuchen, ich wollte den Sommer so verbringen, wie ich ihn in Istanbul immer verbracht hatte.

»Das geht leider nicht«, sagte jetzt Mama, »wir haben so viel zu tun, wir können die Tage nicht am Strand verbringen.«

»Was hast du denn zu tun?«, schrie ich, »du willst nur deine blöde Verwandtschaft besuchen, und das eine sage ich dir, ich werde bestimmt nicht mitkommen. Ich habe keine Lust auf deine alten Onkel und Tanten.« Die Vorstellung, den Sommer mit knutschenden Großtanten und besserwisserischen Großonkeln zu verbringen, war wenig verlockend. Mama schaute sehr streng, gerade als sie den Mund aufmachen wollte, legte ich nach: »Und wenn du mich trotzdem mitnimmst, dann benehme ich mich schlecht!«

Papa gab ein Geräusch von sich, von dem ich nicht genau einordnen konnte, ob es ein unterdrücktes Lachen oder Stöhnen war, weil auch er sich bei Mamas feiner Familie gut benehmen musste. »Ich auch«, sagte Peyda, weil sie spürte, dass Widerstand angesagt war.

Mama schaute mich immer noch sehr streng an. »*Ein* Besuch bei Tante Beria«, sagte sie, »danach werde ich Tante Semra fragen, ob sie mit euch ein Extraprogramm macht.«

Da musste ich nicht lange nachdenken. Ein annehmbarer Kompromissvorschlag. »Also gut, ich gehe zu Tante Beria, aber nur zu Tante Beria.«

»Ich auch«, sagte Peyda.

Tante Beria war Mamas Lieblingstante und die Mutter ihres Lieblingscousins, Onkel Baha. Onkel Baha war ein Schürzenjäger, und seine Lebensführung entsprach überhaupt nicht den Vorstellungen meiner Mama. Aber egal. Wo die Liebe hinfällt, wirkt sie wie ein Weichzeichner. Und so war das auch zwischen Mama und Onkel Baha. Wenn Groß-Tante Beria über ihren Sohn schimpfte, nahm Mama ihn in Schutz. Mal sehen, ob es bei dem obligatorischen Besuch wieder so ablaufen würde.

 Mama nahm die Besuche bei Tante Beria ganz wichtig. Tante Beria war nämlich der lebende Beweis dafür, dass Mama aus einer alten osmanischen Familie stammte. Darauf war Mama sehr stolz. Papa fand das ziemlich unwichtig, manchmal nervte es ihn sogar. »Du mit deinen Grabsteinen«, sagte er dann, »wie kann man auf irgendwelche toten Paschas stolz sein? Weißt du, wie ungerecht und ausbeuterisch das System deiner osmanischen Vorfahren war?«

»Du weißt genau, dass ich eine überzeugte Kemalistin bin«, antwortete Mama, »und das republikanische Denken ist Teil meiner politischen Überzeugung. Ich verteidige doch nicht das Osmanische Reich!« Das klang wieder stolz und kokett: »Ich stehe zu meinen familiären Wurzeln, und die meiner Mutter reichen eben bis zum Hof des Sultans!«

»Ist in Ordnung«, sagte mein Vater, »solange es nur diese schrecklichen Bilder sind, die im Wohnzimmer hängen, kann ich damit leben.« Damit meinte er die alten Ölschinken, die die Wohnzimmerwände schmückten und alte Paschas aus Mamas Familie zeigten.

Und Tante Beria war sozusagen der Rest aus osmanischem Bestand und dementsprechend pfleglich zu behandeln.

Trotz der sommerlichen Hitze hatte Mama dafür gesorgt, dass an diesem Nachmittag zum Besuch bei Tante Beria der Dresscode eingehalten wurde: Papa in Schlips und Kragen, sie selbst natürlich auch dementsprechend gekleidet, in einem seidenen Nachmittagskleid mit passendem Mantel. Wir Kinder hatten Puppenkleider an, mit weißen Söckchen und Lackschuhen. Très chic, très élégant.

Tante Beria stammte aus einer anderen Zeit und ihre Wohnung ebenfalls: eine riesige Altbauwohnung mit zwei Eingängen, einem Eingang für die Besucher und einem Lieferanteneingang. Wir klingelten am Besuchereingang und wurden von ihrem Mädchen hereingelassen. Keinen Moment zu früh, denn es war draußen richtig heiß, und wir liefen Gefahr, in unseren schicken Klamotten einen Hitzschlag zu erleiden.

»Die gnädige Frau ist im Salon«, sagte das Mädchen, »Sie kennen sich ja aus.« Mama nickte ihr zu und schaute uns an, bevor sie vorging. Dieser Blick sollte uns klarmachen, dass ab sofort gutes Benehmen angesagt war. Auch für Papa. Während der allerdings keinerlei Beschränkungen am Tisch unterworfen war, mussten wir Kinder beim Essen mit Mama in Blickkontakt bleiben. Ihre Augenbrauen waren eine Art Korrektor: Wenn sie sich nicht bewegten, war an unserem Benehmen nichts auszusetzen, leichtes Senken der Augenlider signalisierte sogar Zustimmung. Aber wenn sich die Augenbrauen gen Stirn erhoben, war das wie das Springen der Ampel auf Gelb, und wenn sich die Augenbrauen zusammenzogen, dann war es endgültig an der Zeit, das momentane Verhalten einer sofortigen Überprüfung zu unterziehen und in Habtachtstellung zu gehen. Natürlich war das Ganze nicht so holzschnittartig wie das Verkehrsampelsystem, sondern es entsprach mehr der orientalischen Tonleiter mit vielen Halbtonschritten. Es hört sich jetzt vielleicht ein wenig kompliziert an, da aber Peyda und ich das System quasi mit der Muttermilch aufgesogen hatten, kannten wir diese orientalische Klaviatur, und das Zusammenspiel funktionierte tadellos, wenn, ja wenn wir das Spiel mitspielten. Immerhin hatte es Mama geschafft, uns mit diesem Leitsystem bei Tisch so zu dirigieren, dass wir mit fünf Jahren an jedem Festbankett hätten teilnehmen können. Bei Boykott waren die Sanktionen nicht besonders aufregend: Mama war dann unglücklich und bekam Kopfschmerzen.

Gutes Benehmen hieß weiterhin, dass wir als Kinder nicht ungefragt reden durften, für Papa hieß es, dass er kein dummes Zeug reden durfte. Dazu zählten auch Diskussionen über den Sozialismus und die Existenz von Gott, Papas Lieblingsthemen.

Wir gingen durch in den Salon. Dieser war ziemlich vollgestellt mit all dem Krimskrams, den die Tante liebte. Der Albtraum einer jeden Putzfrau.

Tante Beria stand auf, als wir eintraten. Sie hatte ein blaues Kleid an und blaue Haare, die sie zu einem Dutt gebunden hatte. Tante Beria hatte wirklich blaue Haare, nicht dunkelblau, aber zart hellblau. Sie wusch ihre weißen Haare mit irgendwas Blauem. Ich verstand, dass Mama so an ihr hing.

Abgesehen davon, dass Mama sehr früh ihre eigene Mutter verloren hatte, hatte niemand eine Tante mit blauen Haaren. Jedenfalls niemand, den ich kannte. Nur Mama.

»Wie schön, dass ihr an eine alte Frau denkt und mich besucht«, sagte sie und umarmte uns alle.

»Aber, verehrte liebe Tante, wie könnten wir Sie vergessen?« Das war nicht etwa Mama, das war Papa, dabei lächelte er so treuselig, dass Tante Beria ganz geschmeichelt war.

»Ich denke auch seit 14 Tagen Tag und Nacht an dich«, sagte sie zu Papa, »ich habe nämlich Zahnschmerzen und keine Lust, zu einem fremden Zahnarzt zu gehen. Und jeden Tag ärgere ich mich aufs Neue, dass du nach Deutschland gegangen bist.«

Mama regte sich sofort furchtbar auf und tat so, als würde ihre Tante im nächsten Moment tot umfallen. »Tante, Sie müssen sofort zu einem Arzt, vielleicht haben Sie einen vereiterten Zahn, und das kann böse Folgen haben. Burhan, sag doch etwas, sie muss sofort zu einem Zahnarzt.«

Mamas Stimme erhob sich in schwindelerregende Sopranhöhen. Tante Beria schüttelte den Kopf. »Geh ich nicht! Ich bin eine alte Frau, und ich habe keine Lust, mich umzugewöhnen. Nachdem du Burhan geheiratet hattest, hatte ich mich an ihn gewöhnt, dabei soll es bleiben!«

Wir setzten uns an den Teetisch, das Mädchen servierte den Tee und den Kuchen. Mama war nicht richtig bei der Sache. Sie war so mit den Zahnschmerzen ihrer Tante beschäftigt, dass sie unser gutes Benehmen vernachlässigte. Von ihren Augenbrauen kamen kaum irgendwelche Hinweise, sodass wir bei dem Kuchen nach Herzenslust zuschlagen konnten. Normalerweise hoben sich die Augenbrauen bereits beim zweiten Stück in die Höhe, und wir mussten artig ablehnen.

Tante Beria griff auch tüchtig zu, kein Wunder, sie hatte auch keine Mutter, bei der sich die Augenbrauen in die Höhe hoben.

»Welches Musikinstrument spielst du jetzt?«, fragte sie mich unvermittelt.

»Gitarre.« Mehr brachte ich nicht raus, weil ich den Mund voll hatte.

»Gitarre?« Jetzt zogen sich Tante Berias Augenbrauen in die Höhe, und sie schaute Mama strafend an.

»Latife, warum spielt das Kind kein Klavier? So etwas ist wichtig, das darf man bei der Erziehung eines Mädchens nicht vernachlässigen. Sogar dir haben wir den Klavierunterricht zukommen lassen, dabei warst du sehr unmusikalisch, soweit ich mich erinnern kann. Oder habt ihr kein Geld für ein Instrument? Dann nimmt doch die Kiste da mit!«

Sie deutete mit dem Kopf in Richtung des Salons, in dem ein alter Flügel sich breitgemacht hatte, einer von der Sorte, dessen Deckel seit Jahren nicht aufgeschlagen worden war, und der mehr als Ablage für irgendwelche Nippes diente. Mama war ganz rot geworden, erstens weil ihre Tante sie tadelte, obwohl sie versuchte, in deren Gegenwart alles richtig zu machen, und zweitens weil ihre Tante sie vor uns Kindern tadelte.

»Sie will nicht, Tante«, sagte sie mit erstickter Stimme, »sie will lieber Gitarre spielen.«

»Dagegen ist ja auch nichts einzuwenden«, sagte Tante Beria weise, »sie kann ja weiter Gitarre spielen, aber sie muss Klavier spielen. Wollt ihr jetzt die Kiste?«, fragte sie Papa, »könnt ihr das Ding nach Deutschland verschiffen lassen oder kommt ihr sowieso bald zurück? Die zwei Jahre sind ja gleich vorbei!«

Damit hatte sie den schlafenden Hund geweckt, der sich zwischen Mama und Papa breitgemacht hatte und schnarchte, wie Papa hoffte, oder der sich nur schlafend stellte, wie Mama hoffte. Jetzt wurde Mama noch viel roter, und sie schaute Papa sehr aufmerksam an.

»Vielen Dank, liebe Tante«, sagte Papa, »wir schauen mal, wie sich unsere Pläne entwickeln, und dann kommen wir auf Ihr Angebot zurück.« Das von Tante Beria angebotene Klavier war ein altes, verrottetes Ding, das kaum den Umzug innerhalb von Istanbul überlebt hätte, geschweige denn eine Fahrt nach Deutschland. Das sagte Papa natürlich nicht.

»Was machen wir jetzt mit Ihren Zahnschmerzen, liebe Tante«, sagte Papa lieb und strahlte Tante Beria an. Ich war ganz froh, dass das Thema Klavierunterricht vom Tisch war.

Papa war noch voll auf dem Benimm-Trip. »Soll ich Sie zu einem Kollegen hier in Istanbul begleiten? Sodass Sie keine Angst haben? Es wäre ein Vergnügen für mich!« Papa nickte vertrauenerweckend in Richtung Tante Beria. »Was meinen Sie, verehrte Tante, sollen wir zusammen zu einem Freund von mir fahren?«

»Verdammt nochmal, ich habe keine Angst! Du sollst mich nicht zu einem Kollegen begleiten, du sollst meine Zähne behandeln«, Tante Berias Stimme klang sehr energisch.

Auf einmal leuchteten ihre Augen. »Sag mal, können wir nicht zu einem Kollegen von dir fahren, und du behandelst mich dort? Was meinst du? Lässt sich so etwas machen?«

Papa nickte. »Auch das dürfte kein Problem sein, da hat doch jeder Kollege Verständnis, dass die verehrte Tante nur von dem Ehemann der Nichte behandelt werden möchte.«

»Ehemann der Nichte!« Tante Beria schnaufte. »Du bist wie ein Sohn für mich, mein eigener könnte mir nicht näher sein! Übrigens«, fuhr sie fort, »da fällt mir ein, haben die beiden euch überhaupt eingeladen?«

Mit die »beiden« waren ihr Sohn Baha und seine dritte Ehefrau gemeint. Mama sprang sofort in die Bresche. »Aber natürlich«, sagte sie, »Baha hat uns angerufen, wir werden gemeinsam mit den Kindern eine Bootstour über den Bosporus machen.«

»Haben die beiden euch nicht nach Hause eingeladen?«

Mama sprang noch einmal in die Bresche. »Es ist Sommer, da hat Baha diesen Vorschlag gemacht, den ich viel schöner finde als ein Abendessen bei ihnen zu Hause, vor allem für die Kinder.«

»Na ja.« Tante Beria war sehr skeptisch. »Wahrscheinlich war meine liebe Schwiegertochter Nummer drei zu faul zum Kochen, jetzt laden sie euch in ein Restaurant am Bosporus und schieben die Kinder vor.«

»Magst du deine Schwiegertochter Nummer drei nicht?«, fragte Peyda neugierig. Mamas Augenbrauen hoben sich bis zum Haaransatz, dabei wuchsen sie gefährlich zusammen, sodass sich über der Nase zwei Zornesfalten bildeten. Diese Doppelbewegung kannte ich noch nicht, ich beschloss sie vor dem Spiegel zu üben. Aber es war zu spät, Peyda hatte die Frage schon gestellt, und erstaunlicherweise erzeugte sie bei Tante Beria im Gegensatz zu Mama keinerlei Reaktion, jedenfalls keine gegen Peyda gerichtete.

»Nein«, sagte Tante Beria mit fester Stimme, »du hast es richtig erraten, meine Süße, ich kann Schwiegertochter Nummer drei nicht leiden, ich kann aber auch diese ganzen Weibergeschichten deines Onkels nicht leiden. Die Kriterien, nach denen er seine Ehefrauen aussucht, entsprechen nicht den Grundsätzen unserer Familie! Seine Frauen müssen nur dicke Titten und hübsche Beine haben.« Kurze Pause. »Darauf kann man doch keine Ehe aufbauen!«

Mama versuchte zu intervenieren: »Liebe Tante, die Kinder sind vielleicht zu jung, um solchen Gedanken folgen zu können!«

»Warum?«, fragte Tante Beria, »sie sollen wissen, was wichtig und was unwichtig ist im Leben, und vor allem sollen sie später mehr Verstand einsetzen bei der Wahl ihrer Ehepartner als ihr Onkel. Wenn ich dran denke, wie sich sein Vater, mein seliger Ehemann, über ihn geärgert hat, und wie viel Geld das alles gekostet hat …«

Tante Beria war jetzt in voller Fahrt, Mama versuchte mehrfach, das Gespräch umzulenken, aber sie war erfolglos.

Wir lauschten jetzt Tante Beria, die uns vorrechnete, wie

viel Gutes man mit dem Geld hätte tun können, das Onkel Bahas Scheidungen gekostet hatten. »Man hätte zwei Waisenhäuser finanzieren können oder einmal um die Welt reisen, wenn man das gewollt hätte, gereicht hätte das Geld allemal.«

Mama setzte noch einmal an: »Apropos Reisen: Wann kommen Sie uns denn in Deutschland besuchen, liebe Tante, aber beeilen Sie sich, denn so lange sind wir nicht mehr da!«

»Ach ja?« Dieses Ablenkungsmanöver schien zu gelingen. »Ja, wann kommt Ihr denn zurück? Ich frage nicht wegen des Besuches, ich habe keine Lust mehr, größere Reisen zu machen, ich fahre nur noch nach Bursa zu den Heilquellen, sondern wegen des Klaviers. Soll die Kiste jetzt nach Deutschland oder kommt ihr wieder hierher?« Das Thema gefiel weder mir noch Papa, wobei ich immer nur Klavier hörte und er immerzu Rückkehr. Aber es schien für uns beide kein Entrinnen zu geben.

»Wir geben dir Bescheid«, sagte Papa schnell, »aber erst kümmere ich mich morgen um deine Zähne!«

Großtante Berias Augen leuchteten. »Du bist ein prima Junge, Burhan«, sagte sie, und zu Mama gewandt: »Siehst du, diesen Ehemann nenne ich eine gute Wahl.«

Papa versprach am nächsten Tag anzurufen, und wir gingen hinaus in die Wärme des späten Nachmittags. »Sag mal, machst du das mit dem Kollegen?«, fragte Mama, »oder hast du das nur gesagt, um von dem Thema Rückkehr abzulenken?«

»Ich bitte dich«, sagte Papa, und zwinkerte Mama zu, »natürlich mache ich das, ich rufe gleich einen Kollegen hier in der Nähe an, und morgen fahre ich mit ihr in die Praxis. Auf die Macken alter Damen muss man Rücksicht nehmen, noch dazu, wo sie mich als gute Wahl bezeichnet, obwohl ich mich deiner Meinung nach in ihrer Gegenwart immer schlecht benehme.«

Mama ging gar nicht darauf ein. Diese Baustelle interessierte sie im Moment nicht. Papa konnte sich so schlecht benehmen, wie er wollte, die sie wirklich interessierende Frage war die der Rückkehr. »Und was ist mit unserem Problem?«

»Haben wir ein Problem?« Papa grinste, als hätte er Mama nicht verstanden, was sie auf die Palme brachte.

»Tu nicht so blöd, wann ziehen wir nach Istanbul zurück?«

»Ich schlage vor«, sagte er ganz sanft, »wir bringen jetzt die Kinder zu Semra, dann gehen wir beide heute Abend schick essen, nur wir zwei, und dann entscheiden wir diese Frage!«

Tante Semra war entzückt gewesen, als Mama sie gefragt hatte, ob sie mit uns »das Kinderprogramm« durchziehen könne. »Aber mit dem größten Vergnügen«, hatte sie gesagt, »gibt es denn was Schöneres als den ganzen Tag am Strand von Fenerbahce zu liegen und abends auszugehen? Das ist kein Kinderprogramm, das ist ein Vergnügungsprogramm vom Feinsten. Und es wäre doch viel praktischer, wenn meine beiden Hübschen die nächsten Wochen bei uns wohnen würden.«

 Das Leben bei Tante Semra war höchst vergnüglich. Wie der Besuch bei Telli Baba.

Telli Baba war und ist der zuständige Heilige für Frauen, die einen Ehemann suchen – und zwar in Istanbul und näherer Umgebung. Das war vor 40 Jahren so, das ist auch heute noch so. Tantchen war der Meinung, dass Telli Baba eine Erfolgsquote von 100 Prozent habe. Papa vertrat die Ansicht, dass die von Tantchen gefühlte Erfolgsquote deswegen so hoch sei, weil Tantchen solche Kandidatinnen bevorzuge, die auch ohne Telli Baba einen Mann finden würden. Sie müsse mal mit einer 80-Jährigen zu Telli Baba gehen, ätzte Papa. Tantchen riet nämlich allen jungen Frauen, die einen Mann suchten, zu einem Besuch an seiner Grabstätte am Bosporus, fast schon am Schwarzen Meer, wunderschön gelegen. Und weil Tantchen das Leben von der heiteren Seite nahm, bot sie den jungen Damen auch gleich an, sie zu begleiten.

Es war wieder einmal so weit. Ausgerechnet während unseres Besuches in Istanbul! Eine Nachbarin hatte bei einem Besuch meiner Tante fallen lassen, dass ihre Tochter, schon über 30, bei keinem Mann Interesse zu wecken schien. Sofort hatte Tantchen ihre Hilfe angeboten.

»Ich muss aber erst eure Eltern fragen, ob ihr mitfahren dürft«, sagte Tantchen, die wusste, was Mama und Papa von Heiligen hielten, die als Heiratsvermittler daherkamen. Nämlich nichts.

»Ungern«, sagte Mama sofort »ich will nicht, dass die Kinder den Quatsch dort miterleben.«

»Was für einen Quatsch?«, fragte Tantchen erstaunt, »wir werden von Eminönü aus den Dampfer nehmen, bei Telli Baba ein kleines Bittgebet verrichten, und dann gehen wir essen und fahren mit dem Dampfer zurück.«

Die Aussicht war zu verlockend. »Bitte, Mama, bitte, lass uns doch fahren!«

Mama schnaubte ein wenig verächtlich, brachte noch einige Gegenargumente, aber dann durften wir doch mitfahren.

Sommer 1964, es war ein wunderschöner Tag: Der Bosporus war an seinen Ufern herrlich grün, wir fuhren mit dem Dampfer an Fischerdörfern vorbei, Menschen winkten uns zu. »Es ist so gut, dass die junge Dame, derentwegen wir diesen Ausflug unternehmen, keinen Mann gefunden hat«, dachte ich. Ich schaute sie mir von der Seite an, eigentlich sah sie nett aus. Wieso sie wohl bislang keinen abbekommen hatte und jetzt mit uns zum Telli Baba fahren musste? Von Mama hatte ich die strikte Anweisung, keinerlei Fragen in dieser Richtung zu stellen.

Als wir ankamen, wurde mir klar, dass es in Istanbul viele junge Damen gab, die heiraten wollten. Am Grab von Telli Baba war der Teufel los. Neben den direkt und indirekt Betroffenen waren auch viele Straßenhändler da. Sie verkauften Kerzen, Limonade, Sandwiches. Die Betroffenen konnte man in zwei Parteien unterteilen: einmal diejenigen, die um einen Mann baten, und dann die andere Gruppe, deren Wunsch in Erfüllung gegangen war. Die zweite Gruppe, also diejenigen, die mit Telli Babas Hilfe einen Mann ergattert hatten, hatten den gleich mitgebracht. Das war auch die lustigere Gruppe. Sie redeten laut, lachten und sie ließen sich fotografieren. Man erkannte sie einerseits an ihrer Fröhlichkeit, zum anderen brachten sie als Dankeschön eine Art goldenes Lametta mit, als symbolische Geste sozusagen, denn dieses goldene Lametta befestigten Bräute in grauen Vorzeiten an ihrem Haar. Und Telli Baba schien wirklich erfolgreich zu sein, warum sollte sonst an seinem Grab tonnenweise Lametta liegen? Manche hatten auch gleich das Hochzeitskleid dort liegen lassen, warum auch immer. Gruppe eins hingegen, zu der auch wir gehörten, war nachdenklicher. In dieser Gruppe waren auch ausschließlich Frauen. Sie benahmen sich viel diskreter.

Tantchen nahm ihre Nachbarstochter am Arm, und wir gingen in die Gruft. Dort war es kühl und ein bisschen unheimlich. Die Frauen kramten in ihren Handtaschen und holten irgendwelche Kopftücher hervor, um vor Telli Baba ordentlich bedeckt zu sein. Das gab der ganzen Prozedur mehr Seriosität. Dann betete Tantchen, und als sie »Amen« sagte, forderte sie uns auf, auch »Amen« zu sagen. Ich tat das sehr gerne, weil ich mir dabei so wichtig vorkam. »Dann wollen wir mal hoffen, dass Telli Baba einen passenden Mann für unser Schätzchen findet«, sagte Tantchen vergnügt. Damit war das Pflichtprogramm erledigt, und wir wandten uns den weltlichen Dingen zu.

Am Abend, als wir wieder zu Hause waren, fragte Mama,

wie es gewesen war. »Wunderschön«, sagte ich und erzählte ihr von diesem aufregenden Tag.

»Na, dann wollen wir alle hoffen, dass eure Operation von Erfolg gekrönt wird«, erklärte Mama und lachte.

»Bestimmt«, erwiderte ich mit Überzeugung, »da war so viel Lametta von so vielen Frauen, die einen Mann gefunden haben ...«

»Ach«, warf Papa ein, »erzähl mir lieber, ob das Opfer deiner Tante hübsch war, dann findet sie sowieso einen!«

Mama lächelte ihr nachsichtiges Lächeln. Beim Aberglauben waren sie sich einig: Das ist etwas für Dummköpfe.

»Du wirst dich noch wundern, Burhan«, sagte Tantchen, »wie schnell Telli Baba unsere Bittgebete erhören wird, und die Nachbarstocher eine ansehnliche Partie macht!«

»Semra«, sagte Papa zu meiner Tante und zog dabei seine Augenbrauen bedrohlich zusammen, »ein für alle Mal, es besteht nicht der geringste Zusammenhang zwischen eurem Ausflug (er wollte nicht mal Telli Baba sagen) und den Heiratsaussichten deiner Nachbarstochter, und rede das den Kindern nicht ein!«

Tantchen ließ sich nicht ins Bockshorn jagen und blieb ganz gelassen: »Das ist deine Meinung, lieber Cousin, ich habe eine andere«, und dabei zwinkerte sie mir fröhlich zu. Ich zwinkerte zurück. Telli Baba, auf deine Erfolge lassen wir nichts kommen!

Peyda und ich genossen den Sommer. »Es ist so, als wäre ich nie weg gewesen«, sagte ich zu Tante Semra, als wir wieder einmal im Rahmen des »Kinderprogramms« auf die große Prinzeninsel gefahren waren und im Strandcafé saßen. »Ich fühle mich hier wie immer.«

»So soll es auch sein, mein Schätzchen«, antwortete Tantchen, »wenn du in Deutschland bist, sollst du das Gefühl haben, als wärst du schon immer da gewesen, und wenn du hier bist das Gefühl, als wärest du nie weg gewesen.«

»Wie meinst du das?«

»Wir fremdeln nicht. Schau dein Onkel und ich, wir sind auf Zypern zu Hause, in Istanbul, in London, und neuerdings auch in Deutschland, das mit Deutschland haben wir euch zu verdanken.« Sie lächelte mich an. »Und genauso müsst ihr auch sein, ihr fremdelt nicht in Deutschland, und ihr fremdelt nicht in der Türkei und in der restlichen Welt fremdelt ihr auch nicht. Ihr seid Kosmopoliten.« Kosmopoliten!! Das hörte sich gut an, obwohl … »Hat das was mit Politiker zu tun?«, fragte ich, »auf die schimpft Mama immer.«

Tantchen lachte sich kaputt. »Nein«, sagte sie, »das hat damit nichts zu tun, du bist keine Politikerin, du bist eine Kosmopolitin! Aber wer weiß? Vielleicht wirst du mal eine Politikerin, vielleicht sogar in Deutschland!«

»Das will Mama bestimmt nicht«, antwortete ich.

»Ach«, sagte sie ganz lässig, »wenn es mal so weit kommen sollte, dann rede ich mit Mama ein ernstes Wörtchen. So«, fügte sie hinzu, »genug der schweren Gedanken, jetzt gehen wir erst einmal shoppen!«

Als am Abend Onkel Ismail nach Hause kam, war er ordentlich beeindruckt von dem, was er sah. »Komm rein«, rief Tante Semra, als sie den Schlüssel sich im Schloss drehen hörte, »aber halt dich fest, damit du bei unserem Anblick nicht umfällst! Und was sagst du jetzt? The Beach-girls from Istanbul!!« Tante Semra schaute erwartungsvoll ihren Ehemann an.

Wir drei standen vor ihm, in den gleichen Badeanzügen. Na ja, fast gleich, schließlich war Peyda sechs Jahre alt, ich elf und Tantchen 34. Aber alle drei Badeanzüge hatten das gleiche Design. Onkel Ismail blieb die Spucke weg, als er uns sah: Tantchen pink-weiß gestreift, ich rot-weiß gestreift und Peyda hatte sich für froschgrün-weiße Streifen entschieden.

Onkelchen schaute ein wenig irritiert. »Da guckst du, was?«, sagte Tantchen fröhlich. »Sind wir nicht der Knaller? Du brauchst übrigens nicht so neidisch zu gucken, wir haben auch was für dich!« Bevor Onkel Ismail noch etwas sagen konnte, holte sie schnell eine Tüte, aus der sie das gleiche Modell als Badehose in dunkelblau-weiß gestreift zog.

»Für dich«, sagte sie strahlend. »Zieh doch mal an, ich will sehen, wie es aussieht, und am Sonntag kommst du mit uns an den Strand, das wird bestimmt lustig!«

In der Tat erzeugten wir mit unserem Auftritt eine Bombenstimmung. Wir waren, wie man heute sagen würde, echte »Hingucker«. Lachten uns die Leute an oder aus? Gerade am Sonntag, weil der Strand richtig voll war und Onkelchen trotz seines dicken Bauches ebenfalls mit gestreifter Badehose mit uns kam. Bade-Outfit mit Corporate Identity, aber Onkel Ismail konnte Tantchen eben nichts abschlagen.

»Ich finde die Idee grandios«, sagte eine Frau zu Tantchen, »Sie wissen immer, wo die Kinder sich aufhalten, und wenn was passiert, wissen die Leute, zu wem die Kinder gehören, und können Sie sofort ansprechen.«

»Aus der Warte hatte ich das noch nicht betrachtet«, sagte Tantchen, »ich fand es nur lustig. Aber Sie haben recht, der Sicherheitsaspekt ist nicht zu vernachlässigen.«

Doch dann wurde es ernst. Wir lagen alle im Sand, als Mama das Wort ergriff: »Papa und ich hatten gestern ein längeres Gespräch«, setzte sie an. Wir spitzten alle die Ohren, einschließlich Tante Semra. »Bezüglich der Frage der Rückkehr haben wir uns auf einen Kompromiss geeinigt.« Sie machte eine kurze Pause. So war Mama eben. Immer wenn sie besonders betroffen war, wurde sie sehr ruhig und sprach wie ein Buch. Nach ihrer Sprache zu urteilen, hatte sie den Kürzeren gezogen, das hieß, wir blieben in Deutschland. »Papa und ich haben beschlossen, dass wir vorerst in Deutschland bleiben.« Soso, und was hatte sie wohl als Kompensation bekommen? »Ich werde anfangen zu studieren,

ihr wisst ja, dass ich damals das Studium des Bauingenieur-
wesens zugunsten von Mathematik abgebrochen habe, und
jetzt will ich doch noch Ingenieurin werden, und wenn ich
das Studium beendet habe, können wir zurück.«

»Das ist aber schön«, sagte Tante Semra, »dann wirst du
endlich deinen Jugendtraum erfüllen! Wie lange, meinst du,
dauert dein Studium?«

»Ich schätze mal, höchstens sechs Semester«, antwortete
Mama, »je nachdem, wie viel sie mir von meinem Studium
in Istanbul anrechnen.«

»Danach kommt ihr zurück nach Istanbul? Burhan hat
dir versprochen, dass ihr danach zurückkehrt?«, fragte Tante
Semra mit einem skeptischen Gesicht.

»Ja, natürlich«, antwortete Mama, »in drei Jahren.«

Tante Semra schaute erst zu Papa, dann zu Mama: »Eure
Geschichte erinnert mich an die vom Sultan, der wissen
wollte, ob ein Esel lesen lernen kann, und Nasreddin Hodscha, der die Situation weidlich ausnutzte.« Sie grinste »Wollt
ihr die Geschichte hören?«

»Jaaaa«, schrien wir Kinder. Papa schwieg, ich glaube, er
kannte sie.

Tante Semra legte los: »Ein Sultan wollte also wissen, ob
es jemanden auf der Welt gäbe, der einem Esel das Lesen beibringen könnte. Wer es schaffte, sollte einen Sack Gold bekommen, wer es aber versprach und nicht schaffte, dem sollte
der Kopf abgeschlagen werden. Nasreddin Hodscha meldete
sich beim Palast. ›Bringt den Mann zu mir‹, sprach der Sultan,
so brachten die Diener Nasreddin Hodscha zum Sultan.

›Du behauptest also‹, sprach der Sultan, ›du kannst einem
Esel das Lesen beibringen?‹

›Ja, mein Sultan.‹

›Du weißt, was passiert, wenn du es nicht schaffst?‹

›Ja, mein Sultan‹, antwortete Nasreddin Hodscha, und
fuhr fort: ›Mein Sultan, ich brauche drei Jahre Zeit, einen
Esel und als Vorschuss drei Beutel Gold.‹

›Sollst du haben‹, sprach der Sultan, ›aber denk daran, meine Leute werden dich und den Esel in drei Jahren wieder hierher holen, und dann wird abgerechnet.‹

›Ich weiß, mein Sultan.‹

Nasreddin Hodscha bekam den Esel und das Gold und ging fröhlich nach Hause. Seine Frau wartete schon am Hauseingang, die Geschichte hatte sich wie ein Lauffeuer herumgesprochen.

›Hodscha, was hast du gemacht!‹, jammerte sie, ›ein Esel kann doch nicht lesen lernen, jetzt wird dir in drei Jahren der Kopf abgeschlagen!‹

›Gemach, Frau, gemach‹, sagte der Hodscha ganz gelassen, ›in drei Jahren kann so viel passieren. In der Zeit könnte der Sultan sterben oder der Esel oder ich!‹«

Tante Semra lachte. »In drei Jahren kann so viel passieren, Latife! Vielleicht stirbt der Traum von der Rückkehr, vielleicht dein Studium, vielleicht eure Ehe!«

Es wurde ganz still in unserer Runde. Man hörte nur noch den Lärm der anderen.

»Lasst ihr euch jetzt scheiden?«, fragte meine Schwester.

»In drei Jahren wissen wir mehr«, sagte Mama.

Ich hatte andere Sorgen. »Was ist jetzt mit dem Klavier?«

»Mit welchem Klavier?« Mama hatte es schon vergessen.

»Na, das Klavier von Tante Beria! Muss es jetzt nach Deutschland oder kann ich mit dem Klavierspielenlernen warten, bis wir wieder in Istanbul sind?« Wer weiß, vielleicht ging ja der Kelch an mir vorüber wie an Nasreddin Hodscha! Wenn das Klavier in Istanbul blieb, weil wir ja sowieso in drei Jahren zurückkommen wollten, und sollten wir doch nicht zurück, wie es Tantchen andeutete, dann wäre es zu spät für das Erlernen des Klavierspielens.

»Der Transport von dem ollen Ding kostet mehr, als es wert ist«, entgegnete Papa, »ich kaufe dir in Deutschland ein neues Klavier.«

Aha. Für mich gab es also keine Galgenfrist. Ich musste

mich an das verhasste Instrument setzen. Egal ob in Istanbul oder in Moers.

»Gehen wir schwimmen«, schlug Papa vor, »das Wasser ist heute so schön warm, und es sind die letzten Tage unserer Ferien.«

Wir sprangen alle ins Wasser. Papa hatte uns zu viel versprochen. Das Wasser war kalt. Und auch sonst kam alles anders, als an diesem Nachmittag verabredet: Das Schicksal entwickelte seine eigene Dynamik.

Ich bekam zwar das Klavier, lernte aber nie richtig spielen

Mama fing zwar an zu studieren, mutierte aber zur ewigen Studentin, was ihr so gut gefiel, dass sie aufhörte, wegen der Rückkehr zu nörgeln.

Papa blieb zwar unternehmungslustig, suchte sich aber andere Hobbys und wollte nicht mehr weiterziehen.

So blieben wir in Deutschland. Aus drei weiteren Jahren wurden zehn, 20, 40 und mehr. Diejenigen, die nicht mehr da sind, sind in Deutschland gestorben, und die, die nicht gestorben sind, leben noch heute hier.

Auf gute Nachbarschaft

Zehn Jahre nach diesem denkwürdigen Nachmittag im Strandbad von Fenerbahce – wir lebten bereits in Köln –, waren wir in der Nachbarschaft höchst beliebt und für alles zuständig, was mit der Türkei oder den Türken zusammenhing. Wir hatten quasi den Job eines Orientalisten, den Job eines Politikwissenschaftlers, den Job des Ethnologen und vor allem hatten wir den Job des Botschafters, der immer und überall sein Land verteidigen muss, und das alles in Personalunion. Eine sehr anspruchsvolle und vor allem eine sehr anstrengende Tätigkeit. Allzeit bereit, allwissend, höflich wie die Auskunft der Deutschen Bundesbahn.

Mama ging das Ganze schon nach kürzester Zeit auf den Geist. Eine »Unart« gewöhnte sie näheren Bekannten bald ab. Wenn nämlich die Vorstellungsrunde von Seiten der Gastgeber mit den Worten: »Darf ich vorstellen, unsere türkischen Freunde« begann, setzte Mama sofort zum Angriff an. »Darf ich dann auch wissen, wo Sie herkommen?« Die Gäste waren zumeist irritiert.

»Ja, wie meinen Sie das?«

»Ganz einfach, wir sind Ihnen als die türkischen Freunde vorgestellt worden, darf ich wissen, woher Sie kommen?«

»Ja, hmm, aus Deutschland!«

Nach dieser – natürlich von ihr erwarteten – Antwort drehte sich Mama in gespielter Erbostheit zum Gastgeber und fragte: »Warum stellst du die anderen nicht mit korrekter Abstammung vor? Sie sind also die deutschen Freunde?

Ich freue mich, die deutschen Freunde unseres Gastgebers kennenzulernen.«

Auch auf einige sehr beliebte Fragen reagierte sie abweisend, ja fast grob, was ihr glücklicherweise nicht besonders schwerfiel. Auf die freundliche Frage: »Was halten Sie von der Umsetzung der Frauenrechte in der Türkei?«, antwortete sie kurz und bündig: »Entschuldigen Sie, davon habe ich keine Ahnung, ich bin keine Soziologin, ich bin Mathematikerin. Mein Spezialgebiet ist die Analysis. Fragen Sie mich nach Funktionstheorien, da könnte ich Ihnen was erzählen, aber zu Frauenrechten? Sorry.«

Wenn Mama jemanden besonders unsympathisch fand und noch eins draufsetzen wollte, dann sagte sie zusätzlich: »Ich könnte Ihnen ja was zu Funktionstheorien erzählen, aber Sie sehen mir nicht so aus, als könnten Sie was damit anfangen.« Dann fing sie trotzdem an zu erzählen, und sie geriet schier in Entzücken über die Wunderwelt der Mathematik, wohl wissend, dass ihr Gegenüber nicht einmal zehn Prozent von dem verstand, was sie erzählte.

»Warum machst du das?«, fragte Papa. »Warum stellst du alle Leute bloß?«

»Ganz einfach«, grinste Mama, »das ist die Rache des kleinen Mannes, in meinem Fall der kleinen Frau. Ich mache das, weil sie mich bloßstellen wollen. Merkst du nicht diese dumm-dreiste Annäherung« – dabei verstellte sie ihre Stimme und imitierte ihren letzten Gesprächspartner, und das gar nicht so schlecht: »›Wir müssen uns über die Frauenrechte in der Türkei unterhalten!‹ Ja, und da denke ich, müssen wir eben nicht, warum sollen immer die anderen das – mir inzwischen aus dem Hals hängende – Thema vorgeben? Ich, Latife, gebe das Thema vor, dann wollen wir mal sehen, wer wen vorführt!«

»Also, ich glaube nicht, dass die Leute dich vorführen wollen«, entgegnete Papa, »es ist vielmehr so, dass sie sich freuen, endlich mal jemanden als Gesprächspartner zu haben, der sie über die wirklichen Verhältnisse in der Türkei aufklären kann!«

»Dann kläre du sie doch auf!«

Das tat Papa auch mit dem größten Vergnügen. Im Gegensatz zu Mama blieb er immer freundlich und erlebte die übliche Fragerei nicht als Angriff, sondern als ein Vergnügen. Das gleiche Thema, an ihn gerichtet – wir reden immer noch von den Frauenrechten in der Türkei –, gab ihm nämlich die Gelegenheit, auch einem deutschen Publikum, die ultimative Wahrheit über die Herrschaftsverhältnisse in der Türkei zu erzählen und ein Grundsatzreferat zu halten.

»Wissen Sie, es ist so: Die feudalen Besitzverhältnisse in der Türkei, gepaart mit einem männlich-dominierten Verständnis über die Frauenfrage, führt dazu, dass Frauen als Teil des männlichen Besitzverhältnisses gesehen werden. Die Frage der Geschlechtergerechtigkeit ist also eng verknüpft mit der Frage der sozialen Gerechtigkeit. Zuallererst muss also die Frage der sozialen Gerechtigkeit angegangen werden. Schauen Sie, die Großgrundbesitzer im Osten Anatoliens hintertreiben seit Jahrzehnten die Landreform und beuten die Kleinbauern aus, nebst ihren Frauen natürlich, die Besitzverhältnisse berühren im Grunde genommen die Frage der Subjektwerdung, werden doch alle Menschen als Objekte behandelt, sie sind Eigentum des Großgrundbesitzers, da muss Politik ansetzen …« usw. usw.

Papa erzählte und erzählte, sein intellektueller deutscher Gesprächspartner hatte es längst bedauert, ihm die Frage überhaupt gestellt zu haben. Er hätte doch so gern mit ihm über den geheimnisvollen Orient mit den dazugehörigen Kulturdifferenzen, wie zum Beispiel den Harem und andere aufregende Sachen diskutiert. Stattdessen lieferte ihm Papa eine sauber marxistisch fundierte Erklärung. Und wenn Papa anfing zu dozieren, duldete er keine Unterbrechungen. Mit den Worten »Lassen Sie mich den Gedanken zu Ende führen«, unterband er jeden Versuch, dazwischenzugehen.

Es war aber kein Ende des Gedankens in Sicht. Nach gefühlten 45 Minuten Vortrag entfernte sich dann der Gesprächspartner unter einem fadenscheinigen Vorwand aus Papas Wirkungskreis.

»Schade, dass Sie schon gehen müssen«, rief Papa den Leuten noch nach, und man sah seinem Gesicht an, dass er es aufrichtig bedauerte, »wir waren gerade dabei, das Thema anzureißen.«

Jedoch hatte Papa gar nicht so viel Zeit, diesem überaus interessanten, aber leider abgebrochenen Gespräch nachzutrauern. Denn das nächste Opfer näherte sich schon ahnungslos und war bereits in Sichtweite: ein wohlmeinender interessierter Intellektueller, der Papa gleich die Frage stellen würde: »Was halten Sie von der Umsetzung der Frauenrechte in der Türkei?«

Wenn wir eingeladen wurden, schlossen wir im Vorfeld Wetten ab, mit welcher Frage der Abend beginnen würde. Während wir uns alle in Schale warfen, überlegten wir, welche Anliegen unsere deutschen Freunde haben würden. Peyda und ich kicherten bei der Vorstellung, welcher Ahnungslose heute Abend Papa ins Netz gehen würde oder von Mama eins vor den Latz geknallt bekommen würde.

Die Tausendsassa von nebenan

Und dann zogen Karin und Hans-Peter in das Haus neben uns. Durch Karin bekam das Wort »aktive Nachbarschaft« einen neuen Sinn, denn Karin war nicht nur sehr aktiv, sondern auch willens, uns in diese Aktivitäten mit einzubeziehen.

Karin war wirklich immer auf der Höhe der Zeit oder auf der Suche, wonach auch immer. Wie man es halt deuten mochte. Also war sie bei allem dabei, was ihrer Meinung nach zurzeit angesagt war. Das sah dann so aus, dass sie Partys veranstaltete, Spielenachmittage organisierte und diejenige Sportart bevorzugte, die »man« gerade trieb.

Das alles wäre nicht so schlimm gewesen, wenn Karin uns nicht zu »ihren« Türken erklärt hätte, die sie an all diesen Herrlichkeiten teilhaben lassen wollte. Denn sie war felsenfest davon überzeugt, dass die Kultur, aus der unsere Familie stammte, uns diese Herrlichkeiten der postmodernen Welt verwehrte. Sie war eine Missionarin, auch in diesem Zusammenhang – nicht im religiösen Sinne (auch wenn sie in allen Dingen, die ihr wichtig waren, nahezu religiöse Züge an den Tag legte) –, nein, Karin hat uns zu echten Deutschen gemacht. Sie wollte alles, was in ihren Augen schön war, auch ihren ausländischen Mitmenschen zukommen lassen, die davon so fern schienen. Nachdem wir ihre Nachbarn geworden waren, hatten wir diese schwere Prüfung zu bestehen.

Ihr Ehemann Hans-Peter war ein eher blasser Mensch, er machte alles mit, was Karin vorschlug, aber irgendwie wirkte der gute Hans-Peter immer ein bisschen depressiv. Vielleicht eine Reaktion auf seine hyperaktive Frau? Vielleicht hatte er sie ja nur geheiratet, damit sie ihn aus seiner Depression herauszog?

Zum Beispiel Ökologie: Karin wollte die Überfluss- und Wegwerfgesellschaft von unten her austrocknen wie einen alten Sumpf, indem sie alles selbst fertigte. Sie war überzeugt, dass selbstgebackenes Brot viel gesünder sei, und buk auch gleich noch alle Kuchen selbst, ebenso kochte sie alle Marmeladen, Obst und Gemüse selbst ein und erzählte von ihrem Wunsch, einen kompletten Ökohaushalt auf die Beine zu stellen. Sie konnte nicht verstehen, dass wir, die wir, wie sie glaubte, aus dem fernen Anatolien eingewandert waren (zu Fuß – an geographischen Details hielt sie sich gar nicht erst auf), nicht auch als Jäger und Sammler leben wollten.

Das Zeug, was sie in der Küche unter »gesunden« Gesichtspunkten herstellte, war meistens halb roh, ungewürzt und schmeckte richtig schlecht. Allein der orientalischen Höflichkeit hatte es Karin zu verdanken, dass wir freundlich und lächelnd alles verzehrten, was sie uns vorsetzte.

Eines Tages stieß Karin in einem Ökoladen auf Bulgur – das ist türkische Weizengrütze. Für sie kam es der Entdeckung der Quantenlehre gleich, sodass sie das Zeug erst mal ausgiebig verarbeiten, verbacken musste.

»Karin«, sagte Mama, als sie von ihrer neuen Entdeckung erzählte, »du musst Bulgur anders verarbeiten, sonst macht das Bauchschmerzen.« Mama sagte sehr vornehm »Bauchschmerzen«, aber es war eine Warnung, dass Bulgur außerordentliche Blähungen hervorrufen könne.

»Aber nein«, erwiderte Karin, und mit den Worten: »Wenn man es zerkocht, dann sind doch die Vitamine weg«, schlug sie Mamas Warnungen in den Wind – und das mit für sie schmerzhaften und peinlichen Folgen.

Wenigstens in diesem einen Fall wären wir die »anatolischen Experten« gewesen, aber auch jetzt wusste es Karin wie immer besser.

Zum Beispiel Sport: Für Karin war Sport vornehmlicher Lebensinhalt. Wie alle Menschen, die von einer Sache durch und durch ergriffen sind, wollte sie auch immer und immer wieder missionieren. Und zwar uns. Wir sollten den großen Sportsmann anbeten. Sie war der Ansicht, dass Sport unser Leben erfüllter, sinnvoller und besser gestalten würde, ja endlich würde unsere Existenz komplettiert.

»Es ist ein tolles Gefühl«, rief sie beispielsweise einmal aus, als sie nach einem Asphaltlauf in aller Herrgottsfrühe im Regen bei uns vorbeischaute, klitschnass bis auf die Knochen war sie. Ihr Auftritt in schicken Joggingklamotten sollte uns ihrer Absicht nach überzeugen, ebenfalls die Schuhe zu schnüren, um den Tag mit Sport zu beginnen. Am besten auch zu beschließen. Und mittendrin auch noch.

»Was ist ein tolles Gefühl?«, fragte Papa, der Karin von oben bis unten skeptisch musterte. Ihre nasse Kleidung, ihr erschöpfter Blick: Sie sah aus wie ein gerupftes Hühnchen, aber nicht wie die strahlende Siegerin, die sich »toll fühlte«.

»Jetzt die nassen Klamotten runter, dann unter die heiße Dusche«, erzählte sie meinem verdutzten Vater, »dann bist du so ausgepowert ... und es stellt sich ein richtig tolles Gefühl ein.«

Papa war wenig überzeugt: »Du machst das alles, damit du hinterher erschöpft bist?« So früh am Morgen? Musst du nicht zur Arbeit?«

Karin räumte an diesem Tag zwar das Feld. Aber wie alle Missionare ließ sie in der nächsten Zeit nicht locker. Sie ließ sich nicht mehr abschütteln und klingelte regelmäßig an unserer Tür. Wie die Zeugen Jehovas war sie keineswegs böse, wenn man sie abwies. Nein, sie verstand das nicht als Kränkung, sondern als Unwissenheit ihres Gegenübers. Erwachet! Ihre Pflicht schien ihr glanzvoll, sie wollte den Menschen, sie wollte uns den rechten Weg weisen, damit wir vor ewiger Verdammnis im Höllenfeuer der Unsportlichkeit gerettet würden. Für sie war die Finsternis eine Welt ohne Sport, ein bewegungsarmes Diesseits. Ich bin mir nicht sicher, ob es nicht zu weit geht, wenn ich ihr tägliches Fitnessprogramm mit Gottesdiensten vergleiche. Aber ihre Unruhe, ihr schlechtes Gewissen, das sich sofort einstellte, wenn sie einen Tag die Übungen schwänzte, hatte für mich etwas Pseudo-Religiöses an sich, etwas, das sich ihrer ganz und gar annahm. Sie war eingenommen, nun versuchte der Sport auch auf uns überzuspringen ...

Neben Jogging gehörte Fahrradfahren zu Karins Basisprogramm. Übrigens: Ich kann kein Fahrrad fahren. Als Kind habe ich es nicht gelernt, und später sah ich keine Veranlassung dazu. Karin aber fuhr Rad und legte ordentliche Strecken zurück.

»An diesem Wochenende bin ich fast 250 Kilometer gefahren«, sagte sie erschöpft, offensichtlich aber glücklich. »Ich finde es echt nicht gut, dass du kein Rad fahren kannst. Wenn du willst, bringe ich es dir bei. Dann können wir am Wochenende zusammen Radtouren unternehmen.«

Meine Eltern waren ihr zu alt, um eine Lektion in mitteleuropäischer Körperertüchtigung zu bekommen, aber ich war in ihren Augen noch formbar. Nur: Mir alleine war die Vorstellung ein Graus, am Wochenende 250 Kilometer auf dem harten Sattel eines Drahtesels zu verbringen (noch dazu mit Karin), und mich dabei ausschließlich von Äpfeln und Wasser zu ernähren.

»Ich glaube, ich bin zu alt«, schwindelte ich ein wenig. »Aber danke für das Angebot.« Nein, niemals würde ich das Radfahren lernen, wenn der Preis dafür »Fahrradtouren mit Karin« heißen sollte.

Gefährlich war beispielsweise die Sache mit dem Sattel: Eines schönen Sommerabends kam Karin unüberhörbar hechelnd von einer längeren Fahrradtour zurück und schaute bei uns vorbei. Sichtbar bedrückt war sie: »Kann ich dich mal kurz sprechen?«, fragte sie meinen Vater. »Ich benötige dringend eine Salbe.«

»Wofür denn?«, entgegnete Papa.

Es war für ihr Hinterteil, der Sattel hatte nämlich schwer gedrückt, und nach ihrer Aussage sichtbare Spuren hinterlassen. Zwar war Papa eigentlich Zahnarzt und kein Facharzt für wunde Hintern, aber an diesem Sonntagabend war das egal.

»Karin, du übertreibst«, sagte Papa, nachdem er sich das Desaster in vivo angeschaut hatte. Er fühlte sich dennoch bestätigt: »Das menschliche Gesäß ist nicht gemacht für lange Radtouren«, war sein lapidarer Kommentar.

Überhaupt waren Karins und Papas Vorstellungen von

Gesundheit und Schönheit sehr konträr. Von dem Tag an, an dem wir Karin kennenlernten, war ihr ewig wiederkehrendes Credo: »Ich muss abnehmen!« Dabei war sie überhaupt nicht dick, eher stabil. Ihrer Figur sah man die Torturen des ewigen Hungerns und des Sportes an. Papa, der nie hungerte und auch keinen Sport trieb, war natürlich viel dicker. Und jeden zweiten Tag saß Karin in der Küche, sah Papa an und sagte aus tiefstem Herzen: »Ich muss abnehmen!«

Papa sagte nichts, Mama sagte so etwas wie: »Das musst du doch nicht, Karin, du bist doch schlank!« Was man halt sagt in so einer Situation.

So vergingen Wochen und Monate. Wieder saß Karin in der Küche und sagte ihr Sprüchlein auf: »Ich muss abnehmen!«

Diesmal reagierte Papa: »Warum, Karin?«, fragte er ganz freundlich. »Warum musst du abnehmen?«

»Ich bin zu dick!«

»Nein, Karin«, sagte Papa, »du bist nicht zu dick, du bist stabil gebaut, das hat die Natur so eingerichtet. Es gibt dünne Menschen, dicke Menschen, große Menschen, kleine Menschen. Warum willst du anders sein, als du bist? Hast du das Bewusstsein einer Konservenbüchse?«

Karin wurde blass. »Was meinst du damit?«

»Na ja, alle Konserven sehen gleich aus, sie sind genormt. Ist das dein höchstes Ziel? Genormt zu sein und auszusehen wie alle anderen?«

Karin schaute Papa lange böse an. »Du solltest auch abnehmen«, sagte sie schließlich.

»Nein, Karin«, sagte Papa, »das ist die Figur, die die Natur für mich vorgesehen hat. Es bleibt dabei: Ich bin klein und dick!«

Karin gab trotz der Kritik nicht auf, uns glücklich machen zu wollen.

Irgendwann entdeckte sie das Surfen. Da sie an bleibende Eigenschaften von Völkern glaubte und daran, dass diese sich von Generation zu Generation vererben, war sie sich dieses Mal ganz sicher, die richtige Sportart für uns gefunden zu haben. (Sie glaubte übrigens auch, dass wir Hitze besser ertrügen als eingeborene Deutsche. Immer wenn es heiß wurde, rief sie uns zu: »Ich beneide euch, ihr könnt dieses Wetter viel besser ertragen als wir!« Ach, Karin, ich wünschte, es wäre so.) Jedenfalls war sie von der Überzeugung nicht abzubringen, dass wir als Türkischstämmige geradezu am Wasser geboren seien und deswegen aus der Wiege heraus surfen könnten. Was sie nicht wusste: Die Menschen der mediterranen Kultur, in der ich groß geworden bin, schauen gerne aufs Wasser, lieben die Sonnenuntergänge und sitzen gerne am Strand – aber sie gehen nur äußerst widerwillig ins Wasser.

Das alles war Karin nicht bekannt. Surfen sei genau das Richtige für uns, meinte sie, auch wenn wir in Ermangelung eines Meeres am Mittelrhein mit Baggerseen hätten vorliebnehmen müssen. Wir wollten aber nicht. Die Vorstellung, in einem Gummianzug auf einem Brett auf der Wasseroberfläche eines kühlen Baggersees zu stehen, auf Wind zu warten, damit sich das Brett ein paar Meter über den See bewegt, schien mir wenig verlockend. Auch die Wahrscheinlichkeit, am Anfang zigmal ins kühle Nass zu plumpsen – wie der berühmte Sack Steine –, machte mich eher unwillig.

Überhaupt: Fallen missfiel mir! Als Rollschuhe in Mode kamen, besuchte Karin einen Kurs, um fallen zu lernen. »Es ist nämlich so«, dozierte sie, »ganz wichtig ist es, das Fallen richtig zu beherrschen, damit du die Verletzungsgefahr minimieren kannst.« Sie hielt das Inlinefahren für so essenziell, dass sie schwerere Verletzungen riskierte, die sie durch bestimmte Falltechniken zu minimieren suchte. Ich für meinen

Teil wollte lieber die Verletzungsgefahr reduzieren, indem ich ganz von Inlinern ließ. Sollten sich doch andere daran versuchen. Aber diese Inliner waren eben nun mal angesagt, und Karin war dabei.

Im Laufe der Jahre spürte Karin, dass bei uns in Sachen Sport Hopfen und Malz verloren war. Sie ärgerte sich unentwegt, weil wir uns kein bisschen anstrengten, es ihr nachzutun. Wir ließen uns von ihr nicht retten. Auf der anderen Seite hatte sie sicher auch wenig Mitleid mit uns, da wir ihrer Auffassung nach ein »Unsportlichkeitsgen« in uns trugen (wann wird dieses Gen endlich entdeckt?). Wer weiß, vielleicht bewahrte uns auch unser kollektiv unbewusster Widerwille gegen sinnlose Bewegung und kaltes Meerwasser.

Zu der Zeit kamen auch Einladungen zum Brunch in Mode. Karin liebte Brunches und lud uns alle naselang ein. Also mussten wir hin. Sie hatte sich dann meist maßlos überanstrengt, tausend Sachen vorbereitet und alle möglichen Leute eingeladen, »alles gute Freunde«, wie sie sagte. Man sah aber diese »guten Freunde« bei der nächsten Einladung nicht mehr.

Mama hasste Einladungen zum Brunch. »Was für eine blöde Sitte«, schimpfte sie, »diese Einladungen am Sonntagmorgen, wenn man gegen elf Uhr mit leerem Magen zu Leuten muss, wo einem eine kuriose Mischung aus Frühstück und Mittagessen angeboten wird, mit Wein und Prosecco schon um ein Uhr mittags, dann steht man um drei Uhr auf der Straße, irgendwie ist der Sonntag angebrochen, aber nicht richtig rum, man ist vollgefressen und hat leichte Kopfschmerzen, weil man zur ungewohnten Zeit Alkohol getrunken hat.«

Nachdem sie ihre Philippika gegen Bruncheinladungen losgelassen hatte, ging es ihr schon wieder besser, und wir gingen rüber zu Karin und ihrem Brunch. Mama war ja schon missmutig, aber dadurch, dass die Leute kleckerweise eintrafen und Karin, die großen Wert auf Etikette legte, das Buffet nicht eher freigab, bis alle da waren, wurde sie noch viel missmutiger. Der Koffeinentzug machte ihr zu schaffen. Um die Zeit bis zur Freigabe des Buffets totzuschlagen, hatte sie sich eine Tasse Orangensaft genommen, wohlgemerkt eine Tasse. Karin hatte das sofort bemerkt. »Liebe Latife, ich habe auch Saftgläser hingestellt«, sagte sie zu Mama.

Hatte Mama vergessen, wie wichtig der lieben Karin formale Dinge waren?

Mama schaute erst zu Karin, dann auf die Tasse in ihrer Hand, dann wieder zu Karin. »Sag mal«, sagte sie kampflustig zu Karin, die noch nicht gemerkt hatte, dass sie einen entscheidenden strategischen Fehler gemacht hatte, denn sie hatte Mama zur gänzlich falschen Zeit zum falschen Thema erwischt, »bietest du deinen Gästen Orangensaft an, damit sie was trinken, oder setzt du den Saft als Erziehungsmittel ein? Was geht es dich an, aus welchem Gefäß sie den Saft trinken? Bist du Gastgeberin oder Gouvernante?« Unsere überaus laute Mama drängte die sonst vorlaute Karin in die Verteidigungsecke. Karin murmelte etwas von den richtigen Gläsern für Saft, da legte Mama nach. »Du entscheidest, welches Glas richtig ist?«, donnerte sie. Die Situation war deswegen so komisch, weil Mama selbst sonst auch sehr an formalen Dingen hing. Aber Hunger und Durst hatten aus ihr eine Anarchistin gemacht.

 Mama und Karin sollten in den folgenden Jahren immer wieder aneinandergeraten, was gutes Benehmen anging.

Karin buk sehr gern Kuchen, und sie fror diese Kuchen dann ein. Darauf war sie sehr stolz: Sie hatte immer Kuchen zur Hand, und wenn sie eingeladen war, brachte sie immer

Kuchen mit, die sie gern in extra dafür erfundenen Transportern von Tupperware mit sich trug.

Mama hatte neben einigen anderen Leuten auch Karin zum Kaffeetrinken eingeladen, Karin hatte sofort angeboten, zwei Sorten Kuchen mitzubringen, trotz des Widerspruchs von Mama.

»Ich backe doch so viel vor«, sagte sie, »da ist es ja gut, wenn die Tiefkühltruhe ab und zu leer geräumt wird.«

Das missfiel Mama schon mal. »Karin will am Sonntag Kuchen mitbringen«, sagte sie, »aber nicht, damit wir was davon haben, sondern damit wieder Platz in der Tiefkühltruhe ist. Nach dem Motto: Der Kuchen hat bald das Verfallsdatum erreicht, aber er ist zu schade zum Wegschmeißen, dann könnt ihr ihn ja essen.«

»Sei doch nicht so empfindlich«, sagte Papa, »ich glaube nicht, dass sie es böse meint.«

»Wenn es nicht Bösartigkeit ist«, meinte Mama, »dann ist es schlechte Kinderstube.«

Tatsächlich brachte Karin am Sonntag zwei ihrer »berühmten« Kuchen mit, einen schweren Walnusskuchen und einen Käsekuchen. Natürlich hatte Mama noch ganz viel Kuchen besorgt (sie war eine bekennende Nicht-Bäckerin, außerdem studierte sie ja offiziell seit mehreren Jahrzehnten und hatte folglich keine Zeit zum Backen), sodass schön viel übrig blieb.

Gegen sechs Uhr wollten Karin und ihr Mann aufbrechen, Karin schaute sich auf dem Tisch um. »Der Walnusskuchen ist für euch doch relativ schwer«, sagte sie plötzlich.

»Wie meinst du das?«

»Na ja, das ist ein Ökokuchen mit vielen guten Nüssen und Honig und dadurch sehr gehaltvoll. So was esst ihr doch gar nicht, oder?«

»Willst du den Rest wieder mitnehmen?«, fragte Papa, der sich am besten in Karin hineinversetzen konnte, warum auch immer.

»Eigentlich ja.«

Ich schaute unwillkürlich zu Mama. Ihrem Gesichtsausdruck nach zu urteilen ging der Dialog zwischen Papa und Karin gerade an ihrem Fassungsvermögen vorbei. »Komm, dann pack ich euch den Kuchen wieder ein, und den Käsekuchen auch, es ist zu viel übrig.«

»Ich nehme die Reste morgen zu Mutti«, erklärte Karin.

Langsam arbeitete Mama mental nach. »Ich habe dir doch gesagt, du sollst nichts mitbringen, warum hast du die Kuchen nicht gleich zu deiner Mutti mitgenommen?«

Karin dachte nach: »Wir waren heute hier eingeladen, da habe ich die Kuchen mitgebracht, und da nicht alles aufgegessen ist, nehme ich die Reste für Mutti.«

Hans-Peter, der Ehemann von Karin, spürte die Spannung, die sich aufbaute, und wollte seine Frau in Schutz nehmen: »Wo ist das Problem?«, mischte er sich lässig ein, »ihr habt so viel von dem Kuchen essen können, wie ihr wolltet. Ihr hättet im Prinzip alles essen können, jetzt nehmen wir die Reste mit, die ihr nicht gegessen habt!«

»Im Prinzip hast du recht«, sagte Mama sehr scharf, denn sie war noch böser geworden, weil sich Hans-Peter, diese Schlaftablette, der sonst nie was sagte, ins Gespräch eingemischt hatte. »Aber nur im Prinzip: Denn nach guter alter Sitte nimmt man das Gastgeschenk nicht wieder mit. Jedenfalls nicht im Orient!«

Das Ganze artete in einen handfesten Krach aus. Papa gab mir ein Zeichen. Ich verstand, was er meinte. Schnell lief ich in die Küche und brachte das Kuchenpaket, das Papa schon geschnürt hatte. »Hier ist der Kuchen, liebe Karin, lieber Hans-Peter, kommt gut nach Hause und beehrt uns bald wieder mit eurem Besuch!« Damit verabschiedeten Papa und ich Karin und Hans-Peter, und setzten sie höflich, aber bestimmt vor die Tür.

Als wir zurückkamen, saß Mama noch am Kaffeetisch. »Ich habe recht«, sagte sie trotzig, »man nimmt sein Gastgeschenk nicht wieder mit, übrigens in keiner Kultur dieser Welt, weder im Orient noch im Okzident.

»Du hast natürlich recht«, sagte Papa versöhnlich, »aber ich konnte dieses Gezeter um diesen dämlichen Kuchen nicht mehr ertragen«, und an mich gewandt fügte er hinzu: »Danke, dass du so schnell geschaltet hast.«

»Bitte«, sagte ich, »das war ja keine große Nummer, ich habe es gern gemacht, zumal dieser Ökokuchen richtig schlecht schmeckt. Ich kann überhaupt nicht nachvollziehen, wie man mit so guten Zutaten wie Öko-Honig und Nüssen und Butter so schlechten Kuchen backen kann!«

Plötzlich fing Mama an zu glucksen. »Der Walnusskuchen war innen noch ganz matschig.«

»Weiß ich doch«, sagte Papa. »Man sollte nur um einen Kuchen kämpfen, der ordentlich durchgebacken ist!«

 Nach diesem Vorfall dachte ich, jetzt wäre Schluss mit Karin, was so schlimm nicht gewesen wäre. Aber die Karins dieser Welt geben nicht auf! Im Gegenteil: Sie lassen niemals locker!

Jetzt wollte sie doch mal wissen, wie das so ist mit Multikulti und der orientalischen Kultur.

Karin und Hans-Peter fingen an, sich immer mehr in die Geheimnisse der türkischen Kultur einzuarbeiten. Sie wussten bald alles über die Türkei und natürlich die türkische Küche, bloß wussten sie nicht, dass Manti ein Monopol auf dem Tisch hat.

Nach den letzten Vorfällen hatte Papa ein schlechtes Gewissen, und er meinte, wir sollten Karin und Hans-Peter doch mal zum Abendessen einladen. Schließlich lud uns Karin oft genug ein. Mama war einverstanden, und als eine Art »Friedenspfeife«, beschloss sie, Manti vorzubereiten.

Kalte Vorspeisen, Suppe, warme Vorspeisen, Hauptgericht,

118

Nachtisch. Und von allem reichlich. Das ist die klassische türkische Menüfolge. Jetzt gibt es aber eine einzige Ausnahme in der türkischen Bewirtung. Wenn es Manti gibt, eine Art türkische Ravioli mit Joghurtsoße, dann gibt es nur Manti. Alle hauen rein, bis die Wampe platzt, denn Manti wird auch nicht so oft zubereitet, weil es zu aufwendig ist. Danach gibt es vielleicht einen kleinen Nachtisch. Aber auch nur vielleicht.

Mama hatte sich furchtbar viel Mühe gegeben, was sonst nicht ihre Art war.

Der dampfende Manti kam auf den Tisch, mit Joghurt und Tomatensoße. Und garniert mit frischer Minze. Lecker. Mama füllte die Teller. Karin und Hans-Peter zeigten Sparsamkeit. »Uns nicht so viel, bitte.« Mama fügte sich und tat ihnen nur wenig auf den Teller.

»Mir ganz viel«, sagte ich, die anderen taten es mir gleich. Wir löffelten, was das Zeug hielt. Es gab immer weiter Manti. Und die Familienmitglieder aßen immer weiter.

Alle lobten das Essen, und während wir uns einen zweiten und dritten Teller gönnten, hielten sich Karin und Hans-Peter zurück. Ehrlich gesagt, es fiel uns nicht weiter auf. Erstens war Mama keine Gastgeberin, die ihre Gäste nötigte zu essen. Zweitens waren wir alle zu sehr mit Kauen und Reden beschäftigt, niemand schaute Karin und Hans-Peter auf die Teller.

Wer hätte denn auch ahnen können, dass sie auf die nächsten Gänge warteten, die nicht kamen? Stattdessen wartete schon der Nachtisch, Eis mit Früchten. »Damit sich der Magen wieder beruhigt«, sagte Mama, als sie den Nachtisch servierte.

Karin und Hans-Peter legten auf einmal richtig los, sie häuften sich den Obstsalat auf den Teller, die linientreue Karin nahm zweimal vom Eis. Es fiel zuerst Papa auf. Er sagte auf Türkisch leise zu Mama: »Schau mal, wie sie sich auf den Nachtisch stürzen, ich glaube, die Gäste sind noch hungrig.« Er mied bewusst die Namen, damit sich die beiden nicht angesprochen fühlten.

Mama war entsetzt. Bei allen Differenzen mit Karin, die Vorstellung, dass ausgerechnet Karin, der sie immer schlechte Gastfreundschaft vorwarf, hungrig von ihrem Tisch aufstehen würde, war für sie eine Katastrophe.

Sie schaute sich hilflos um, was bei Mama selten vorkam. »Ich freue mich, dass wenigstens der Nachtisch euch so gut schmeckt«, setzte sie ganz diplomatisch an, »ich fürchte, der Manti hat nicht so sehr euren Vorstellungen entsprochen, ihr habt ja kaum was davon gegessen!«

Karin und Hans-Peter schauten sich an, sollten sie sich als Nichtkenner der türkischen Küchentradition outen? »Nein, es hat hervorragend geschmeckt«, sagte Hans-Peter und wurde leicht rot dabei, weil er nicht unhöflich sein wollte. »Ehrlich gesagt, haben wir gedacht, es würden noch ganz viele Gänge kommen, und wollten nur ein wenig Platz lassen für die folgenden Speisen. Bei euch wird es sonst immer zu viel.«

Peyda und ich fingen an zu lachen. »Wenn es Manti gibt, dann gibt es nichts anderes, das weiß man doch«, sagte mein Schwesterchen. »Manti machen ist so schwer, da kann man nichts anderes mehr machen«, fuhr sie fort, um Karin und Hans-Peter aufzuklären.

»Soll ich den Manti aufwärmen?«, fragte Mama besorgt.

»Mama«, sagte Peyda streng, » man kann Manti nicht aufwärmen, dann schmeckt er doch gar nicht mehr, das weißt du doch!« Sie war heute Abend in der Rolle des »Chef de Cuisine«. Jetzt wurde Mama rot, weil sie in ihrer Verzweiflung den Gästen aufgewärmte Manti vorsetzen wollte. Das ging nun gar nicht!

»Ich schaue mal in die Tiefkühltruhe, was wir noch an Eis haben«, sagte Papa, »außerdem hole ich jetzt Gebäck, das macht auch satt!«

Mit Karin veränderte sich auch für uns die Weihnachtszeit. Natürlich kannten wir Weihnachten seit vielen Jahren, und hie und da fiel auch eine kleine Weihnachtsfeier ab, an der einzelne Familienmitglieder oder sogar alle zusammen teilnahmen. Und mit Weihnachten verbanden wir alle nur heitere Gefühle: Kerzenschein, Geschenke, schöne Lieder, besinnliche Stunden. Das alles nahm schlagartig ein Ende, als wir mit Karins Weihnachten Bekanntschaft machen mussten. Weihnachten und Karin – das war eine Symbiose; vielleicht nicht wirklich eine Symbiose, denn Weihnachten wäre ohne Karin ausgekommen, aber Karin nicht ohne Weihnachten.

Sie war nämlich ein Weihnachtsjunkie. Ihrer Weihnachtswut war nicht zu entrinnen. Ich kann behaupten, dass ich dank Karin, was Weihnachten angeht, alles nachgeholt habe, was ich vorher versäumt haben könnte.

Es ging Mitte November los. Karin stand in unserer Küche. »Ich backe diese Woche die ersten Plätzchen«, verriet sie meiner Mutter, obwohl es inzwischen nicht wirklich ein Geheimnis war. Und weiter: »Ihr backt ja nicht!« (»Ihr Armen«, fügte sie im Geiste hinzu, ich hörte es richtig zwischen den Zeilen.) Und dann kam es: »Wollen die jungen Damen mit mir backen?« Ich wurde blass. Unter der Knute von Karin zu backen war sicher kein Vergnügen.

»Ich will nicht«, wollte ich schreien, aber dann sah ich in Karins erwartungsvolle Augen, meine orientalische Erziehung meldete sich: »Die Welt geht doch nicht unter, wenn du der Frau eine Freude machst und zwei Stunden rübergehst!« Und ich ging rüber.

Es blieb nicht bei den Weihnachtsplätzchen. Es folgten Weihnachtskonzerte, Weihnachtsmärkte, Adventskaffees. Karin kam jeden Tag mit einer weiteren Idee aus der Weihnachtskiste. Dabei bekamen wir persönlich nur einen Bruchteil des Weihnachtsstresses der armen Karin mit. Sie entwickelte aber auch einen Ehrgeiz! »36 Geschenke habe ich dieses Jahr«, sagte sie dann, schon Mitte Dezember völlig erschöpft, »alle selbst verpackt.« Die Zahl der Päckchen variierte von Jahr zu Jahr zwischen 30 und 40, und eiserne Regel war, dass jedes einzelne Präsent selbst verpackt wurde.

»Warum packst du selbst?«, fragte Mama pragmatisch, wie sie war, »die großen Geschäfte haben doch alle Tische eingerichtet, da kannst du alles verpacken lassen.«

Karin warf ihr den Blick eines Menschen zu, dessen Geduld bald am Ende war. Arme Karin! Jahr für Jahr legte sie unermüdlich ihre ganze Energie darein, uns die Finessen des Festes näherzubringen, und dann diese frevelhafte Frage, die der Beweis dafür war, dass ihr Engagement nicht von Erfolg gekrönt war. Nichts hatten wir verstanden! Sie schwankte zwischen antworten und überhören. Dann überwog ihr pädagogisches Herz. »Das kann man doch nicht vergleichen«, sagte sie mit leichtem Widerwillen: »Jeder Laden packt anders, und dann diese Nullachtfünfzehn-Douglas-Deko, du weißt doch, dass ich großen Wert darauf lege, jedes Jahr einheitlich zu verpacken.« Das stimmte. Karin gestaltete alle Päckchen jedes Jahr so, dass man sofort erkennen konnte, es war das »Karin-Päckchen 1986«.

Jede Adventszeit geht mal zu Ende. Eigentlich stand der Höhepunkt noch bevor, aber Karin hatte fast keine Kraft mehr, als dann endlich Heiligabend war. Aber nur fast. Noch ein letztes Mal mobilisierte sie alle Kräfte, um diese zweieinhalb Tage so schön wie möglich zu machen. Von diesem Marathon waren uns drei Stunden am zweiten Weihnachtstag reserviert. Nach all der anstrengenden Zeit in den sechs Wochen zuvor konnte man die drei Stunden locker absitzen. Die Regie dieser Stunden war genauestens festgelegt, aber wir waren geübt und begingen keine Fehler mehr. Unser Auftritt war auf 15 Uhr nachmittags gesetzt. Die Kleiderordnung war für Frauen festlich, aber kurz, für Männer dunkler Anzug mit Krawatte. Beim Eintritt wurde gegenseitig »Frohe Weihnachten« gewünscht, dann hatte man seine Geschenke unter den Baum zu legen, wo unsere Geschenke bereits lagen. Danach wurde der Baum bewundert und die Dekoration diskutiert. Karin war an dem Punkt eine Zweiflerin, sie erwartete die Botschaft: »Der Baum ist nicht nur schön, er ist was Besonderes.« Nachdem auch dieser Tagesordnungspunkt erledigt war, ging es an die Kaffeetafel. Der Stollen, die Internationalität der Weihnachtsgebäcksorten waren die engeren Themen. Im Weiteren ging es um die Bilanz der Adventszeit und der Heiligen Nacht. Es war im Prinzip so wie das Treffen der Karnevalsvereine am Aschermittwoch.

Danach ging es ans Auspacken der Geschenke »zweiten Grades«. Ich bezeichnete sie so, weil die Geschenke »ersten Grades« Heiligabend ausgepackt worden waren, im engsten Familienkreis, von Karin und ihren Verwandten.

»Karin, deine schönen Verpackungen«, sagte Mama, sie konnte die Spitze nicht lassen, »jetzt liegen sie alle am Boden.« Sie kapierte nicht, dass das zur Dramaturgie gehörte. Karin ging auch nicht weiter darauf ein. Wir bewunderten gegenseitig die Geschenke und bedankten uns. Danach saßen wir noch ein bisschen am Baum, Karin zündete die Kerzen an – wegen der Brandgefahr konnte man sie nur anzünden, wenn man dabeisaß. Danach verabschiedeten wir uns, nicht ohne zu erwähnen, dass es wieder sehr schön gewesen sei. Zu Hause angelangt, zogen wir unsere Bademäntel an und fläzten uns vor den Fernsehapparat, um das Weihnachtsprogramm zu genießen.

»Geschafft«, sagte Mama, »dieses Weihnachtsfest wäre damit auch vorbei!«

Die Brille im Grab

Inzwischen hatten Tante Semra und Onkel Ismail auch eine Zweitwohnung in Köln, und meine kontaktfreudige Tante knüpfte zarte Bande zur Nachbarschaft. Ja, alsbald schwärmte sie von der Warmherzigkeit der Deutschen. Sie begann auch, die Nachbarn zu besuchen, die wiederum derlei Annäherungsversuche goutierten und ebenfalls herüberkamen. Einige Schnuppermonate später waren die Nachbarn und Tantchen ein Herz und eine Seele. »Also, ich weiß nicht, warum es immer heißt, die Deutschen seien kalt und distanziert«, sagte Tantchen, als sie einmal wieder zum Leidwesen meiner Mutter zu Besuch war. »Ich finde die Nachbarn sehr nett.«

»Ja klar«, ätzte Mama, »hast du sie wieder mit deinen diversen Spezialitäten bestochen!« Schweigen seitens meiner Tante, doch Mama ließ nicht locker: »Wenn du die Leute als Privatköchin bedienst, sind sie natürlich nett zu dir.«

Tatsächlich backte Tantchen gerne diverse Leckereien und verteilte sie unter den Nachbarn, eine freundliche Geste eben. Mama profitierte ja auch von Semras Koch- und Backkünsten, denn als sogenannte Intellektuelle war sie Verfechterin der Express-Küche und glücklich über jedes kulinarische Mitbringsel meiner Tante.

»Aber nein, liebe Schwägerin«, entgegnete Tantchen. »Du denkst immer nur an das Schlechte im Menschen.«

Und prompt stiegen beide in eine Diskussion ein. Tantchen musste nun mit harten Fakten beweisen, dass die deutschen Nachbarn nicht nur ihre Küche liebten, sondern den Kontakt zu ihr ob ihrer menschlichen Eigenschaften suchten. Kein leichtes Unterfangen. An ihrem diebischen Grinsen allerdings sah ich, dass sie ein Ass im Ärmel hatte: »Natürlich mögen sie meine Küche, aber das tut ihr doch auch.« Eine kleine Pause, der Punkt ging offensichtlich an Tantchen. »Aber – wir sind wirklich gut befreundet. Ich wollte euch auch gerade erzählen, dass ich auf die Beerdigung von Opa Faltes eingeladen worden bin.«

Der Verstorbene war der Vater von Marianne gewesen, ihrer Nachbarin. Diese Nachricht war eine kaum zu entschärfende Bombe. Eine Beerdigung. Eine christliche. Das wäre ja eine Premiere, denn bislang hatte noch keiner aus der Familie je eine christliche Beerdigung besucht.

»Da kannst du mal sehen, wie distanziert die Deutschen sind«, schnaubte Mama direkt los, »sogar bei den Beerdigungen sind sie noch hochoffiziell und laden ein. Bei uns kann kommen, wer will.«

»Das stimmt zwar«, sagte Tantchen, »aber hier in Deutschland ist es eben so!«

Mama schwieg, sie wollte nicht in die Position des Fuchses geraten, dem die Trauben, die er nicht erreichen kann, plötzlich zu sauer sind. Tantchen holte die Einladungskarte. Es war eine beeindruckende Karte, in Schwarz und Gold gehalten, darauf Datum und Uhrzeit, die Namen und ein Sprüchlein. So etwas gab es in der Türkei höchstens zur Hochzeit. Höchstens.

»Schaut euch das an!« Das war Mama: »Schaut euch das an! ›Von Beileidsbezeugungen am Grab bitten wir abzusehen.‹ Ich sage euch doch: Die Deutschen sind kalt.«

Da mischte sich Papa ein. »Wieso kalt?« Mama drehte sich zu ihm um. »Die Leute sind ehrlich. Sie sind froh, dass der Alte tot ist und wollen am Grab keine Trauer heucheln.«

»Was denn jetzt?«, fragte Tantchen ungeduldig und unterbrach Papa. »Soll ich jetzt mein Beileid aussprechen oder nicht?«

»Nein«, sagte Papa. »Du sollst kein Beileid aussprechen. Nicht am Grab, nicht vorher und nicht nachher.«

Tantchen war sichtlich irritiert. »Ich habe Angst, dass ich etwas falsch mache«, meinte sie.

Vater beruhigte sie: »Das lässt sich leicht vermeiden. Schau genau hin, was die Leute tun, und dann machst du es ihnen nach.« Tantchen nickte. »Und heul nicht, bei christlichen Beerdigungen wird nicht geheult, die Leute halten Contenance.« Tantchen nickte, derweil die Verwunderung in ihren Augen sichtbarer wurde. »Wenn du doch heulen solltest«, warf Papa ein, »dann dezent. In Westeuropa korreliert die

Trauer nicht mit steigendem Dezibel des Geheules. Das ist nur bei uns und den Arabern üblich.« Bei den Türken sei doch alles »a little bit too much«, fuhr Papa fort, »nicht nur die Bewirtung der Gäste – bitte, bei welchem Volk muss man als Gast essen, bis einem schlecht ist –, sondern auch bei den Gefühlen und der Inszenierung der Gefühle. Ich kann mir nicht vorstellen, dass ein deutscher Witwer am Grab seiner Frau verzweifelt ›begrabt mich mit ihr‹ schreit, wobei ihn zwei erwachsene Männer festhalten müssen, damit er seine Drohung nicht wahr macht und sich hinterherstürzt. Bei den Türken gehört das doch zum Standardprogramm, und dann? Drei Monate später heiratet der Kerl eine andere. Und bei den Frauen ist es auch nicht anders. Große Gefühle kennt man in Deutschland höchstens aus dem Kino, bei den Türken ist doch immer Kino!«

Tantchen nickte, sie hatte die Regieanweisungen verstanden.

Ich fand das Ganze merkwürdig und spannend zugleich, am liebsten wäre ich mitgegangen, schließlich war ich noch nie auf einer christlichen Beerdigung gewesen.

»Nachher musst du bitte alles haargenau erzählen«, schwor ich die Tante ein. Das versprach sie mir hoch und heilig, und danach diskutierte sie mit uns die Frage der Garderobe.

Der Islam kennt keine Trauerkleidung, aber wir wussten vom Dresscode der Christen: schwarze Kleidung. »Und mit Hut«, sagte meine Schwester, »ich habe das im Fernsehen gesehen, die Frauen tragen bei Beerdigungen alle Hüte.« Nur besaß Tantchen zu dieser Zeit keinen schwarzen Hut, also musste sie einkaufen gehen. Am nächsten Tag kam sie bei uns wieder vorbei.

»Trauerkleidung«, raunte sie schon beim Hereinkommen, »ich wusste gar nicht, dass es im Kaufhaus eine ganze Abteilung nur für Trauerkleidung gibt. Als ich der Verkäuferin erzählte, wofür ich den Hut benötige, schickte sie mich in diese Abteilung.«

»Und hast du?«, fragte meine Schwester, woraufhin Tantchen bejahte.

»Hab ich, es ist meine erste christliche Beerdigung, und ich will nichts falsch machen.«

»Wie viel?«, fragte Mama.

Tantchen stellte sich dumm: »Was meinst du?«

Mama genervt: »Wie viel es dich gekostet hat?«

Es war eine hübsche Stange Geld gewesen. Die Verkäuferin hatte Tante Semra nahegelegt, dass es mit einem Hut alleine nicht getan sei. Auch ein Mantel reiche nicht aus. »Was unterscheidet denn einen Trauermantel von einem einfachen schwarzen Mantel?«, hatte Tantchen, die offensichtlich doch nicht in die Geheimnisse des Kapitalismus eingeweiht war, gefragt. Auf jeden Fall wurde sie belehrt, dass bei der Trauerfeierlichkeit der Mantel abgenommen werden würde, und darunter müsse ein Trauerkleid sein, nebst Trauerstrümpfen und Trauerschuhen. Das hatte eine Stange Geld gekostet, und Tantchen schaute ein wenig schuldbewusst drein.

»Ach Tante«, sagte ich, »du brauchst kein schlechtes Gewissen zu haben wegen der Ausgaben. Das ist völlig in Ordnung, außerdem eine einmalige Investition, ich meine, das ist deine erste christliche Beerdigung, bestimmt aber nicht die letzte, du hast jetzt die Klamotten dazu, die kannst du immer wieder anziehen …«

Die Miene meiner Tante hellte sich auf, auch wenn Mama, wie üblich, einen beißenden Kommentar durch die Zähne pfiff: »Tüm sülale salak!« Das heißt auf Deutsch so viel wie: »Die ganze Sippe ist bekloppt.« Wobei sie sich freilich nicht dazu zählte. Natürlich nicht.

Am Tag, als die Beerdigung stattfand, waren wir alle in großer Erwartung. Ein Staatsbegräbnis hätte nicht wichtiger sein können. Als abends unsere Tante zu uns kam, stürzten wir uns auf sie: »Erzähl! Wie war's?« Tantchen konnte kaum antworten. »Was haben sie gemacht? War deine Kleidung in Ordnung? Was hatten die anderen an? Hast du den Mantel ausgezogen? Was gab es zu essen? Wie war es in der Kirche? Hast du gebetet?« Ein Wust an Fragen. Es war aber alles gut gelaufen. Tantchen hatte sich wider Erwarten keine Blöße gegeben, auch konnte sie sich die Beileidsbekundung am Grab verkneifen, heulen musste sie sowieso nicht, schließlich kannte sie den Verblichenen kaum. Aber auch die anderen Gäste hatten die Contenance bewahrt, ja mehr noch: Beim anschließenden Kaffeetrinken sei es ausgesprochen lustig zugegangen, und beim Abendessen habe es Witze gehagelt.

»Ich glaube es nicht, wie geschmacklos sind denn die Deutschen«, sagte Mama.

»Die Deutschen heucheln eben nicht, immerhin war der alte Herr schon 83«, warf Papa schnell ein.

Vor allem in der Kirche hatte es meiner Tante besonders gut gefallen. »Sehr mystisch«, sagte sie. Nur eine Sache habe sie nicht verstanden und sich auch nicht getraut, einen der Anwesenden zu fragen: »Der Tote steckte in einem guten Anzug und war mit Schuhen und sogar mit einer Brille in seiner Jackentasche aufgebahrt.« Dann, so Tantchen weiter, habe man den Sargdeckel geschlossen und den Leichnam mit Anzug, Schuhen, Brille und Sarg begraben. »Anzug und Schuhe kann ich ja noch nachvollziehen«, meinte sie, »wahrscheinlich wollen sie ihn gut gekleidet in Erinnerung behalten. Aber warum haben sie ihm die Brille beigegeben? Wer benötigt schon im Sarg eine Brille?«

Tante Semra wird Hadschi

Wer von uns hätte gedacht, dass die nächste Beerdigung die von Onkel Ismail sein würde? Der liebe Onkel kam bei einem Verkehrsunfall ums Leben. Es traf uns mit aller Wucht. Er war ein so netter Kerl gewesen und voller Leben, und wir alle hatten ihn herzlich geliebt. Am meisten hatte ihn natürlich Tantchen geliebt. Sie litt schrecklich unter dem Verlust und suchte nach einer Kompensation.

Bei den Vorbereitungen für die Beerdigung war sie zum ersten Mal in ihrem Leben mit einem Moscheeverein in Kontakt gekommen, und dort hatte man ihr erzählt, dass der Glaube gerade in solchen Situationen wie der ihren sehr hilfreich sein könne. Also ging sie nach Onkels Tod ein paar Mal in diesen Moscheeverein.

Als sie uns davon erzählte, sah man bei Mama und Papa förmlich die Warnlampen angehen. Meine Eltern vermuteten nämlich hinter jedem Busch Islamisten.

»Was sind das für Leute?«, fragte Mama vorsichtig. »Hast du dich erkundigt? Nicht dass du irgendwelchen Sekten in die Hände fällst!«

»Ich soll irgendwelchen Sekten in die Hände fallen?«, erboste sich Tantchen. »Diese Menschen sind gläubig und spenden mir Trost!«

»Wenn du Trost brauchst«, sagte Papa streng, »sag uns Bescheid. Für den Trost sind wir zuständig, wir sind nämlich deine Familie und nicht dieser Moscheeverein mit seinen muslimischen Bauernfängern. Und pass bloß auf, hast du nicht gesehen, bist du verfangen in ihren ideologischen Netzen.«

»Ich mache mir ernsthaft Sorgen«, sagte Papa zu Mama, nachdem Tantchen gegangen war, »sie hatte schon immer einen gewissen Hang zum Spirituellen.«

»Du hast recht«, antwortete Mama, »gerade in ihrer jetzigen Lage. Ich sage es immer, gerade solche Situationen, in denen Menschen psychisch labil sind, treiben den Islamisten die Hasen in die Küche. Wenn diese skrupellosen Seelenverkäufer auch noch spitzkriegen, dass sie reich ist, haben wir ein Problem.«

Nun, so düster wie Mama und Papa es ausmalten, war das Szenario natürlich nicht. Erstens war Tantchen eine kluge Frau und kein Hase für die Küche der Islamisten, und zweitens hatte sie ein heiteres Naturell.

Deswegen fielen wir aus allen Wolken, als sie uns irgendwann, ich weiß nicht mehr wann, mitteilte, dass sie nach Mekka pilgern werde.

»Ich sah es kommen«, schrie Mama, und hob dabei ihre Arme theatralisch gen Himmel. »Meine Schwägerin, eure Tante ist in den Fängen der Islamisten!«

Als Kemalistin hatte Mama so ihre eigenen Theorien über die Pilgerfahrt, und Mekka war für sie im wahrsten Sinne des Wortes ein »Mekka für Islamisten«.

»Quatsch«, entgegnete Tantchen, sichtlich genervt, »was redest du da, ich will einfach nur nach Mekka pilgern!«

»Du doch nicht«, sagte ich entgeistert zu ihr, »was willst du denn in Mekka?«

»Nun ja«, entgegnete sie, »du weißt doch: Das ist eine Pflicht des Islam. Eine von den fünf Säulen.«

»Und seit wann interessieren dich die Säulen des Islam?«

»Ich bitte dich, dein Großvater, mein über alles geliebter Onkel, hat ja auch gefastet, also ist das gar nicht unüblich in unserer Familie, sich an die Regeln unserer Religion zu halten.«

Das stimmte. Großvater hatte den Ramadan geliebt und auch regelmäßig gefastet. Eine Geschichte dazu war in die Annalen der Familie eingegangen: Eines Tages, an einem Ramadannachmittag, hatte mein Großvater erwartungsvoll meine Großmutter gefragt, wer denn heute Abend zum Fastenbrechen eingeladen sei. »Niemand«, hatte sie im lapidaren Ton geantwortet.

»Wieso niemand?«, hatte sich Großvater echauffiert.

»Es hat sich eben nichts ergeben.« Meine Großmutter wurde ungehalten, aber mein Großvater gab sich mit dieser Antwort nicht zufrieden:

»Ein *Iftar*-Essen ohne Gäste am Tisch ...«

Also hatte er sich ans Wohnzimmerfenster gesetzt und Ausschau gehalten nach geeigneten Gästen: ein unbekanntes Gesicht, ein einsamer Mensch vielleicht, der an einem Abend im Ramadan nirgends eingeladen war. Ungeniert sprach er am Fenster vorbeigehende Passanten an, ob sie »vielleicht für das Fastenbrechen noch frei« wären. Die meisten reagierten überrascht, aber nicht unfreundlich, freilich waren sie alle schon verabredet. Dann aber schlenderte ein Mann vorbei, der sich nach dem ersten Kontakt perfekt in das Beuteschema meines Großvaters einfügte: alleinstehend, Witwer, ohne Programm für den Abend und im Begriff, den Abend alleine zu verbringen.

Nach einer Überzeugungsrede meines Großvaters (sie dauerte annähernd eine halbe Stunde) war dem Mann nichts anderes übrig geblieben, als die Einladung dankend anzunehmen. Kleiner Schönheitsfehler: »Eigentlich«, hatte der Mann gesagt, »faste ich nie.«

»Aber das macht doch nichts«, hatte Großvater entgegnet, »in meiner Familie fasten auch nicht viele. Ehrlich gesagt nur ich, aber soll man sich deswegen um das schöne Fastenbrechen bringen?«

Dagegen fiel auch dem Passanten kein Argument mehr ein, und er war an unserem Tisch gelandet.

Diese Geschichte erzählte Tantchen jetzt und brachte das Fasten ihres Onkels, also meines Großvaters, als Argument für ihre Pilgerfahrt.

»Findest du nicht, dass das ein bisschen an den Haaren herbeigezogen ist? Du bist doch sonst nicht so gläubig gewesen, und gefastet hast du auch nie.«

»Ja und?«, sagte Tantchen. »Jetzt, wo Onkel Ismail tot ist, habe ich gedacht, ich mache das einfach.«

Wir versuchten es ihr auszureden, schließlich war sie ja nicht mehr die Jüngste, auch wenn keiner von uns ihr genaues Alter kennen sollte (obwohl wir alle Bescheid wussten). Allzu gerne kokettierte sie damit. Alle waren skeptisch, Mama war oberskeptisch. Ihre rationalen Gegenargumente fanden jedoch bei Tantchen kein Gehör, zu sehr war das Verhältnis der beiden durch eine lebenslange Konkurrenz überlagert.

»Wie willst du die Hitze ertragen?« Mamas Stimme kippte ins Kreischende.

Tantchen zuckte mit den Achseln: »Was soll ich sagen? Hitze oder nicht, ich muss da hin. Es ist die Pflicht eines jeden Moslems. Willst du nicht mitkommen?« Tantchen schaute Mama forsch aus den Augenwinkeln an.

»Willst du mich provozieren? Was soll ich in der Arabischen Wüste? Und überhaupt – ist dir eigentlich klar, in welcher Gesellschaft du da sein wirst?« Mama schüttelte es allein bei dem Gedanken.

Tantchen, diese lebenslustige, nicht besonders religiöse Frau, ließ sich indes nicht beirren. Onkel Ismails Tod hatte ihr sehr zugesetzt. Die Pilgerfahrt hatte ihr ein Ziel vor Augen geführt und die Hoffnung geweckt, sie würde ihr helfen, den Verlust zu verarbeiten. Schon bald wollte sie nach Mekka aufbrechen. Uns blieb nur, ihr eine gute Reise zu wünschen und die Hoffnung auszusprechen, sie möge gesund und wohlbehalten wiederkommen. Und das tat sie nach einigen Wochen auch: Sie hatte für alle etwas mitgebracht, sogar ein Präsent für Mama.

Eigentlich wäre die Geschichte hier zu Ende. Ist sie aber nicht, denn nach den islamischen Vorstellungen bringt ein *Hadsch*-Besucher ein ganzes Bündel an Pflichten mit zurück in seine Heimat. Der Pilger, der fortan *Hadschi* heißt, hat vorbildlich und streng nach den Regeln des Islam zu leben. Tantchen musste nun der islamischen Gemeinde ein Vorbild an Tugend und Glauben sein. Ich bin sicher, sie hatte das vor ihrem leichtsinnigen Entschluss nicht so recht bedacht: Eine *Hadschi* darf nicht lügen und nicht betrügen. Eine *Hadschi* muss fünfmal am Tag beten, im Ramadan fasten, die Armen beschenken und von ihrem Besitz 2,5 Prozent, ein Vierzigstel, abgeben. Eine *Hadschi* hat eben alle fünf Säulen des Islam zu befolgen.

Ich fühlte, Tantchen hatte doch ein wenig voreilig gehandelt. Sie war zwar nicht sehr gläubig, aber auch nicht so ungläubig, dass sie sich nach ihrer Rückkehr nicht an das hielte, was der liebe Gott von einer *Hadschi* erwartete. Sie musste in den sauren Apfel beißen und fortan ein vorbildliches Leben führen. Ihrer Verwandtschaft, auch mir, schien das zunächst nicht weiter schwer, schließlich mochten wir sie und hielten ihre Lebensweise schon immer für vorbildlich. Allerdings sollte sich zeigen, dass sie bis dato zwar vorbildlich gelebt hatte, aber nicht vorbildlich im islamischen Sinne.

Sie hatte zum Beispiel schon immer ihre sehr pragmatischen Vorstellungen über Sex gehabt, die sie uns auch gern mitteilte.

»Wenn eine Frau einen Mann sexuell beherrscht, beherrscht sie ihn auch sonst«, meinte sie.

»Wer sagt das?«, fragte Mama pikiert.

»Sigmund Freud, der große Psychoanalytiker, sagt das, und ich sage euch: Es stimmt.«

»Meinst du damit Onkel Ismail? Ist er deswegen so nett zu dir, weil du ihn sexuell beherrschst?« (Dieses Gespräch hatte vor dem Verkehrsunfall stattgefunden?)

»Peyda!«

»Warum darf ich das nicht fragen«, maulte Peyda, »außerdem ist er auch sehr nett zu uns, obwohl wir ihn sexuell nicht beherrschen!«

»Aber wir sind die Nichten von unserer Tante, und Onkel Ismail weiß, wie sehr sie uns liebt, und weil sie ihn sexuell beherrscht, ist er auch nett zu uns!«

»Lale!«

Mama ließ diesen wichtigen Diskussionen einfach keinen Raum.

Tantchen lächelte weise. »Liebe Schwägerin Latife, du willst immer das Körperliche ausblenden, aber der Mensch besteht nicht nur aus Geist, der Motor der Menschheit ist die Libido.«

»Was ist Libido?«, fragte Peyda.

»Die körperliche Begierde«, sagte ich schnell; als Lateinschülerin war ich bestens informiert.

Mama verfolgte diesen Gedanken nicht weiter, weil an dieser Front erhebliche Gesichtsverluste drohten, stattdessen wollte sie der Diskussion ihre eigene Note geben.

»Ich kann mich dieser Ansicht nicht anschließen«, sagte sie jetzt ganz sanft. »Der Motor der Menschheit ist selbstverständlich der Geist, nicht der Geschlechtsverkehr hat die Menschheit weitergebracht, sondern die geistigen und künstlerischen Werke großer Menschen.«

»Sublimierung«, entgegnete Tantchen, »die geistigen Werke entstehen, wenn Menschen – ihr wisst schon was – nicht dürfen«, dabei zwinkerte sie vielsagend mit den Augen, »und dann die ganze Kraft in Bücher, Bilder und solches Zeugs stecken.«

»Würden die Leute lieber ›Ihr-wisst-schon-was‹ machen?«, fragte Peyda.

»Selbstverständlich«, sagte Tantchen

»Jetzt ist Schluss«, sagte Mama.

Ich erinnere mich auch sehr gern an die deftigen Geschichten, die Tantchen oft am Tisch zum Besten gegeben hat.

»Kennt ihr den?«, fragte sie dann mit einem diebischen Lächeln, und wir wussten, gleich kommt ein Witz, der sich gewaschen hat. Mama wurde vorsorglich blass, nicht weil sie besonders moralisch war, sondern weil sie besonders moralisch tat.

»Kommt ein Mann zum Imam (dem islamischen Priester des Dorfes): ›Imam‹, sagt er, ›ich habe ein großes Problem. Meine Frau will sich scheiden lassen, weil sie der Meinung ist, mein bestes Stück sei zu klein. Was soll ich bloß machen?‹ ›Oh‹, sagt der Imam, ›da habe ich eine Idee. Du sagst deiner Frau, das könne sie nicht so einfach behaupten, da müsse eine Jury her, bestehend aus allen Frauen des Dorfes. Am nächsten Freitag, nach dem Mittagsgebet rufen wir alle Frauen des Dorfes zusammen. Du und ich gehen hinter einen Paravent, mit einem Loch in der Mitte, und dann stecke ich mein bestes Stück durch. Du kannst sicher sein, es ist ganz ansehnlich, die Frauen werden daran nichts auszusetzen haben, und du bist aus dem Schneider.‹ Gesagt, getan. Am nächsten Freitag versammeln sich alle Frauen des Dorfes vor der Moschee. Nach dem Mittagsgebet kommen die Männer raus, der Imam geht mit dem gebeutelten Ehemann hinter den Paravent, wie abgesprochen. ›Nun, Frauen des Dorfes‹, ruft der Ehemann, ›entscheidet, ist die Größe in Ordnung?‹ Ein Rumoren geht durch die Reihen der Frauen, dann schreien alle durcheinander. ›Betrug! Betrug! Das ist doch der beste Freund des Imam!‹«

Alle brüllten vor Lachen, nur Mama nicht.

»Findest du den Witz nicht komisch?«, fragte Tantchen.

»Nun, allein in der Hinsicht, dass er die Doppelmoral der religiösen Kaste entlarvt«, antwortete Mama spitz.

Überhaupt war nun die Stunde meiner Mutter gekommen, ihre ungeliebte Schwägerin zur Ordnung zu rufen, sollte diese ihre Pflichten als *Hadschi* nicht erfüllen. Nur kannte sie Tantchen wohl schlecht, wie sie im Übrigen alle Orthodoxen schlecht kannte: Hauptsache ist, die Form bleibt gewahrt. Jeder praktizierende Katholik kennt das. Und so begann auch Tantchen, sich wie eine echte gläubige Muslimin zu verhalten. Zum Beispiel bei den Gebetszeiten: Fünfmal am Tag sollte sie fortan den Gebetsteppich ausrollen. Viel zu zeitraubend für sie, die gerne viel unternahm und sich mit Freunden traf. Außerdem war das Frühgebet für die Morgendämmerung vorgesehen. Nichts für Tantchen, die ihren Ruf als stadtbekannte Langschläferin zu verteidigen hatte. Also erklärte sie uns, sie wolle die Gebete zusammenlegen und abends »Kaza« beten, sprich die Gebete des Tages beim Nachtgebet nachholen.

»Wie?«, fragte Mama listig, die zwar eine höchst aufgeklärte Muslimin war, aber sich in der islamischen Welt durchaus auskannte, »du holst abends alles nach? Alle vier Gebete des Tages plus das Nachtgebet?«

»Ja, natürlich«, entgegnete Tantchen fröhlich, ohne zu merken, dass sie in eine Falle lief. »Man kann die Gebete zusammenlegen.«

»Ha, eben nicht!«, schrie Mama. »Du kannst die Gebete ab dem Mittagsgebet zusammenlegen und nachholen, aber ausgerechnet das Morgengebet, liebe Schwägerin, kannst du eben nicht nachholen. Das Morgengebet muss am Morgen gehalten werden! Im Morgengrauen«, fügte sie mit grausamer Lust hinzu, wohl wissend, dass Tantchen niemals im Morgengrauen aus dem Bett käme. »Wusstest du das etwa nicht, liebe Schwägerin?«

Mama wusste sich theologisch-islamisch im Recht, und sie wartete wie ein Geier auf Tantchens Antwort. Tantchen indes blieb ganz cool.

»Natürlich weiß ich das, aber ich muss nicht das Morgengebet am Morgen verrichten, wenn es meine Gesundheit nicht erlaubt, und ich muss überhaupt kein Gebet verrichten, wenn es meine Gesundheit nicht erlaubt.« Und dann fügte sie beschwörend hinzu: »Wusstest du das nicht?«

»Ach«, spöttelte Mama, »und welche gesundheitlichen Probleme hast du bitte, die dir nicht erlauben, das Morgengebet zu verrichten? Sag doch gleich, dass du keine Lust hast aufzustehen.«

»Sag ich doch«, erwiderte Tantchen, »ich rede von der psychischen Gesundheit! Wenn ich mich zum frühen Aufstehen zwingen würde, dann wäre ich den ganzen Tag unleidlich, und das ist nicht gottgefällig. Und außerdem will der Herr nicht, dass wir uns quälen! Ich sage ja nicht, dass ich das Morgengebet ausfallen lassen will, ich hole eben alles beim Nachtgebet nach!«

»Und das ist gottgefällig?«

»Ich denke schon, jedenfalls sind bis jetzt keine Beschwerden vom lieben Gott eingegangen!«

Mama hatte so ihre Zweifel, ob Tantchen überhaupt betete. Die Möglichkeit, das zu überprüfen, ergab sich in den nächsten Wochen, als sie nämlich in ihr Ferienhaus fuhr und wie immer uns einlud.

»Dieses Jahr müsst ihr ganz lange bleiben«, sagte sie, »jetzt, wo ich so allein bin.«

Mama nahm die Einladung dieses Jahr an, ohne sich wie sonst zu zieren. Sicher, sie wollte ihre frisch verwitwete Schwägerin nicht allein lassen, aber ich wurde das dumpfe Gefühl nicht los, dass sie furchtbar gerne überprüfen wollte, was es mit diesen Nachtgebeten auf sich habe.

Tatsächlich verschwand Tantchen abends immer in einem der Gästezimmer und verweilte dort eine ganze Weile, bevor sie wieder auf der Bildfläche erschien. »Ich habe mein Nachtgebet hinter mir«, sagte sie dann fröhlich.

»Allah kabul etsin«, erwiderte Mama jedes Mal trocken, ein Standardspruch nach der Verrichtung einer religiösen Vorschrift, was so viel bedeutet wie: »Möge Gott es annehmen!«, und schaute dabei ganz skeptisch aus den Augenwinkeln.

Eines Abends war es wieder so weit: Tantchen verschwand nach oben, Mama und ich saßen unten, es war ganz still.

»Hörst du das auch?«, fragte mich Mama ganz plötzlich.

»Was? Was soll ich hören?«

»Ich höre von oben Stimmen! Wenn deine Tante nicht gerade Besuch von irgendwelchen Engeln hat, mit denen sie spricht, dann hört sie Radio!«

Mama stand ruckartig auf und lief nach oben. Ich hinterher. Vielleicht sprach Tantchen ja wirklich mit Engeln. Mama hatte schon die Tür des Gästezimmers aufgerissen. Tantchen saß auf dem Gebetsteppich und – wie sollte es anders sein – es gab keine Engel, dafür lief das Radio.

»Semra!« Mama baute sich ganz empört vor Tantchen auf, »du hörst Radio und uns erzählst du, du betest!«

Tantchen strahlte sie von unten an. »Ich bete *und* höre Radio!«

»Das geht doch gar nicht«, empörte sich Mama.

»Warum soll das nicht gehen?«

»Das geht nicht, weil …« Mama suchte nach einem Grund, so genau hatte sie sich nicht überlegt, warum es nicht gehen sollte, »… weil du dich auf das Gebet konzentrieren musst!«

»Muss ich doch gar nicht! Ich kann alle Gebete auswendig, und während ich sie herunterbete, kann ich nebenbei noch was Nützliches machen!« Tantchen war sich keiner Schuld bewusst.

»Und die Sendung eben«, fuhr Tantchen fort, »war sehr interessant, es ging um die Frage der Erosion. Das großflächige Abholzen von Wäldern zerstört die Ökosysteme und beschleunigt die Erderosion. Man will landwirtschaftliche Nutzflächen schaffen und erreicht langfristig das Gegenteil. Weißt du eigentlich, wie viel Nutzfläche jedes Jahr auf der Erde durch Erosion verloren geht?«

»Semra«, Mama schrie fast, »man kann nicht beten und sich gleichzeitig Sendungen über Erderosion anhören!«

»Ja, du vielleicht nicht«, gab Tantchen zu, »du bist ja auch nicht so firm in den Gebeten wie ich, weil du nie betest, aber ich bin gut in Übung, deswegen kann ich das!«

 Eine weitere Frage stand damals im Raum. Eine Frage, die uns zunächst unlösbar schien: die nach dem Kopftuch. Tantchen war immer schon eine schicke Frau gewesen, und das Kopftuch wollte nun weder dazu noch zu ihrem gesellschaftlichen Umgang passen. Andererseits hatte sie sich dazu entschieden, als sichtbar (!) gläubige Muslimin zu leben – dazu gehörte nun einmal das Kopftuch. Meiner Tante war bewusst, dass sie sich in einer Zwickmühle befand: Sollte sie ihren Kopf in ein Tuch hüllen, hätte sie die Familie gegen sich. Wenn nicht, wäre das Bild der perfekten Muslimin, das sie abzugeben hoffte, angekratzt. Nie werde ich den Tag vergessen, an dem Tantchen die Quadratur des Kreises schaffte: Sie hatte sich ein Kopftuch modisch um Hals und Kopf geschlungen, und ein Stockwerk höher – ich traute meinen Augen nicht – tatsächlich noch einen Hut darauf drapiert.

»Geil«, rief meine Schwester, »du siehst echt geil aus.«

Mama hingegen war natürlich entsetzt: »Das ist der Einfluss deiner neuen Freunde.« Ihre Stimme rutschte, wie immer in solchen Situationen, ins Hysterische. »Jetzt siehst du endgültig wie eine Islamistin aus!«

Damit lag Mama aber meilenweit daneben. Nicht einmal wie eine gläubige Muslimin sah unsere Tante aus, eher wie eine ältere Ausgabe von Doris Day, wie sie in einem Cabrio sitzt und ein Liedchen im Fahrtwind pfeift. Aber irgendetwas, ja irgendwie fehlte was.

»Eine Sonnenbrille«, rief ich, »du brauchst sofort eine

Sonnenbrille in Schmetterlingsform. Dann bist du perfekt!«

Auch im Fastenmonat Ramadan zeigte sich Tantchen erfinderisch. Bei allem Respekt für ihren Onkel, der ihr ja als Vorbild für den Hadsch-Besuch gedient haben sollte, jedenfalls hatte sie uns das erzählt, seine Selbstdisziplin konnte oder wollte sie nicht aufbringen.

Im ersten Jahr nach ihrem *Hadsch*-Besuch fiel der Ramadan in den Sommer. Die Tage waren lang und heiß und Tantchen ahnte, was auf sie zukommen würde: von Sonnenaufgang bis Sonnenuntergang nichts essen und nichts trinken. Zum Glück für sie gibt es Ausnahmen. Zum Beispiel müssen diejenigen nicht fasten, die auf Reisen sind, um die Strapazen besser ertragen zu können. Wie verwundert waren wir, als wir hörten, dass Tantchen just für diese Zeit eine wunderbare Kreuzfahrt gebucht hatte. Eine Kreuzfahrt, die einen Monat dauerte. »Welch ein Zufall«, sagte Mama, »genauso lang wie der Fastenmonat.«

Meiner armen Tante sollte es leider verwehrt bleiben, in dieser Zeit zu fasten. Sie murmelte etwas von der »guten Seeluft«, meinte, dass sie die Reise »schon immer hatte unternehmen wollen«, und dass sich »der Sommer ja geradezu anbieten« würde. Alle pflichteten ihr bei, und keiner gab sich Mühe, das breite Grinsen im Gesicht zu verbergen.

Nur Mama schritt ein: »Jetzt musst du wohl nicht mehr fasten, was?«

»Nein«, antwortete Tantchen völlig gefasst.

»Du willst mir doch nicht weismachen, dass mit ›Reisen, bei denen man nicht fasten muss‹, eine Kreuzfahrt gemeint ist?«, sagte Mama. »Du brauchst bei einer Reise nicht zu fasten, wenn eine Reise Mühsal bedeutet. Aber du, du reist doch gar nicht, du sitzt auf einem Luxusdampfer und lässt dich herumfahren. Da hast du es doch bequemer als zu Hause, so ein Schiff ist ein mobiles Fünf-Sterne-Hotel!«

»Ich habe mich erkundigt«, erwiderte Tantchen, »wenn

du länger unterwegs bist, als du mit einem Kamel an einem Tag zurücklegen kannst, das sind circa 80 Kilometer pro Tag, dann brauchst du nicht mehr zu fasten. Das Schiff legt am Tag weit mehr als 80 Kilometer zurück, schließlich ist es eine Mittelmeerkreuzfahrt.«

»Ja, das Schiff, aber nicht du auf einem Kamel!«

»Reise ich oder reise ich nicht?«, entgegnete Tantchen. »Du bist doch sonst so stolz auf deinen logischen Verstand!«

»Ja, im Prinzip reist du natürlich, aber bei der Aufhebung der Fastenpflicht ist doch nicht *so* eine Reise gemeint!«

»Woher willst du das wissen? Zu Zeiten des Propheten Mohammed gab es gar keine Kreuzfahrten, jedenfalls ist mir nicht bekannt, dass er auf einer Kreuzfahrt war. Du musst die religiösen Rechte und Pflichten in die heutige Zeit transformieren. Also, wieso soll dann eine Kreuzfahrt keine Reise sein, die die Fastenpflicht aufhebt. Ich kann ja schließlich meine Kreuzfahrt nicht auf einem Kamel machen, oder? Und, was das Fasten angeht«, fügte sie hinzu, »selbstverständlich werde ich das nachholen, wenn ich wieder da bin.«

»Ha«, entfuhr es meiner Mutter, »im Dezember versteht sich, wenn die Tage kurz und kalt sind.«

»Das, liebe Schwägerin, ist dann mir überlassen!«

Der Ramadan folgt dem Mondkalender und ist jedes Jahr zehn Tage früher als das Jahr zuvor. Aber die diesem Gespräch folgenden Jahre waren auch nicht viel besser, was die Länge der Tage und die Wetterlage anging. Die Mittelmeerkreuzfahrt hatte sich zudem so angenehm gestaltet, dass Tantchen eine Kreuzfahrt zu Ramadan zum Prinzip erhob.

Eine *Hadschi*, so lautet eine weitere Regel, sollte Witwen und Waisen unterstützen. Tantchen jedoch befolgte dieses Gebot mit einer gewissen Willkür. Regelmäßig bekamen wir mit, wie sie diejenigen reichlicher beschenkte, die ihrer politischen Einstellung eher entsprachen als andere. Sie sah darin nichts Böses. Nein, sie zitierte sogar jene Sure im Koran, die es ihr ermöglichen sollte, mit ihren Geschenken zu erziehen und andere zu lenken. Sie gab also Geld, Lebensmittel und Kleidung, vergaß aber niemals, dabei politisch zu agitieren.

Ganz besonders aktiv unterstützte sie Frauen, die den Mut gehabt hatten, ihre Männer zu verlassen, wenn diese gewalttätig ihnen gegenüber gewesen waren. Damals wusste niemand etwas mit dem islamischen Feminismus anzufangen, aber der »semraische Feminismus« war in gewissem Maße eine Art Vorreiter dieser Richtung.

»Die Frauen brauchen die Gewissheit, dass sie richtig gehandelt haben, auch im islamischen Sinne«, sagte sie zu Mama.

»Und diese Gewissheit gibst du ihnen?«

»Ja, klar, wenn sie sehen, dass jemand ihnen finanziell unter die Arme greift und das auch noch religiös begründet, dann erleben sie, dass ihre Entscheidung, den Alten zu verlassen, richtig war. Der liebe Gott schickt ihnen quasi ein Zeichen der Zustimmung durch die Hilfe, die ich den Frauen gewähre.«

»Und bei der Entscheidung, den Alten zu verlassen, hilfst du ein wenig nach, oder?«

»Aber nein, ich mache den Frauen nur die Entscheidung leichter, materiell und moralisch in Personalunion!«

»Du bist das Letzte«, sagte Mama. »Du missbrauchst deine Autorität als *Hadschi* und instrumentalisierst den lieben Gott für deine Weltanschauung.«

Tantchen ging gar nicht erst darauf ein. Sie dachte jesuitisch und feministisch zugleich und meinte allen Ernstes, dass der liebe Gott an dieser Stelle doch sicher die Mittel heilige. »Was kann der Barmherzige dagegen haben«, fragte sie Mama rhetorisch mit sanfter Stimme, »wenn ich versuche, die Menschen zu ermuntern, so zu handeln, dass sie letztendlich auf Erden und im Himmel glücklich sind?«

Ihre größte Kreativität aber entwickelte Tante Semra bei der Auslegung der islamischen Speisevorschriften. Der Islam verbietet den Verzehr von Schweinefleisch – das ist altbekannt. Und eine *Hadschi* muss in dieser Frage natürlich besonders sensibel sein und standhafter als ein Normalsterblicher. Tantchen stellte diese Regel vor eine schier unüberwindliche Hürde, denn ihre Fleischeslust fokussierte sich vor allem auf Leberkäse. Leberkäse war ihre Leib- und Magenspeise.

Leberkäse im Brötchen, Leberkäse mit Kartoffelbrei, Leberkäse (warum nicht?) auch pur, Leberkäse abends, Leberkäse auch mal morgens. Kurzum: Tante Semra schwebte im Leberkäseland. Sie bunkerte das Zeug im Kühlschrank und in der Kühltruhe und aß und aß und aß … Leberkäse. Meiner Mutter war die Tragweite dieses einseitigen Speiseplans direkt bewusst. Und sie wartete und wartete und lauerte, bis sie Tantchen eines Tages in flagranti mit Leberkäse erwischte: Leberkäse im Brötchen.

»Was«, keifte Mama, »du isst Leberkäse? Da ist Schweinefleisch drin, du als *Hadschi* darfst das nicht essen!«

»Ich weiß nicht, wovon du redest«, parierte Tantchen ruhig, »so viel Deutsch wie du kann ich auch. Dieses Zeug hier besteht aus Leber und Käse, wie der Name schon sagt, wo bitte soll das ganze Schweinefleisch herkommen?« Dann biss sie genüsslich in ihr Leberkäsebrötchen. Bei so viel Chuzpe verschlug es sogar meiner Mutter die Sprache.

Tantchen hatte als Hadschi zwar ihren islamischen Status geändert, aber nicht ihren Lebensstil. Und schon gar nicht ihre Weltanschauung. Sie war weiterhin für jeden Spaß zu haben, sogar für einen Besuch in einem Schwulenlokal. Das kam so:

An den Wochenenden war sie oft bei uns, so auch an diesem bewußten Wochenende. Wobei uns eine kleine Sensation bevorstand. Reinhard, ein schwuler Freund, hatte uns einen Besuch in einem Schwulenlokal in Köln versprochen. Tante Semra und Reinhard kannten sich natürlich, weil beide bei uns zu Hause ein und aus gingen. Freitagabend machten wir uns fertig. Mama und Tantchen schauten zu. Als sie beide wissen wollten, wo wir hingehen würden, war ich ein wenig in Bedrängnis. Konnten wir das Risiko eingehen, ihnen reinen Wein einzuschenken, oder sollten wir einfach flunkern? Ich wählte den dritten Weg: »Wir gehen mit Reinhard weg, er hat uns eingeladen!« Die Damen schauten sich an, auf Tantchens Gesicht erschien ein kaum merkliches, bei genauerem Hinschauen aber doch dreckiges Grinsen.

»Da bin ich aber gespannt, wohin der euch einlädt!«

»Wie meinst du das?«

»Ach, mein liebes Kind«, erwiderte Tantchen, »die Wege, die ihr jetzt geht, die gehen wir schon wieder zurück«, und zu Mama gewandt: »Nicht wahr, Latife?«

Mama nickte bedächtig.

»Euer Freund ist doch schwul, meinst du, wir wüssten das nicht?«, sagte jetzt Mama.

Wie vom Donner gerührt, schaute ich sie an: »Peyda hat euch Reinhards Geheimnis verraten!«

»Peyda muss uns nichts verraten, wir sind doch nicht blind, wir sehen das. Ich habe auch schon mit Papa darüber gesprochen, der hat das ja auch gesehen. Was soll's, hat er gesagt, er ist ein höflicher und guter Junge, außerdem sind unsere Töchter bei ihm bestens aufgehoben.«

»Aber, ihr seid doch immer so nett zu ihm!«

Jetzt lachten sie beide. Eigentlich lachten sie mich aus, weil ich so naiv gewesen war, zu denken, sie merkten nicht, dass Reinhard schwul war. Und weil ich geglaubt hatte, dass, wenn sie es gewusst hätten, sie nicht so nett zu ihm gewesen wären.

»Sag mal, was glaubst du, wer deine Mutter ist? Eine von diesen konservativen Holzköpfen?«, sagte Mama.

»Und deine Tante? Meinst du, nur weil ich jetzt Hadschi bin, hätte ich meinen Charakter geändert?«, sagte Tantchen. Beide klangen ziemlich empört.

In dem Moment klingelte es an der Tür. Es war Reinhard, der uns abholen wollte.

»Hallo, Mama Latife, hallo, Mama Semra«, er drückte beiden Damen einen Kuss auf die Wange, die sich beide darüber höchst erfreut zeigten.

»Na, wo geht es hin?«

Reinhard schaute uns verunsichert an.

»Du kannst es ihnen ruhig verraten, sie wissen eh Bescheid!«

Reinhard sah mich etwas verwundert an. Ich zog die Schultern hoch. »Den beiden Hexen hier kannst du nichts vormachen!«

Reinhard machte gute Miene zum bösen Spiel. »Ja, dann, wir gehen in ein Schwulenlokal. Wollt ihr beiden Hübschen auch mitkommen?«

Reinhards Einladung war nicht ernst gemeint, aber sie fiel bei Tantchen auf fruchtbaren Boden.

»Wenn ihr mich mitnehmt!«

Mama meldete sofort Widerspruch an: »Das kannst du doch nicht machen!«

»Wer sollte mich daran hindern?«, fragte Tantchen kampflustig zurück.

Mama schluckte. »Ich weiß nicht, ob so ein Lokal die richtige Umgebung für dich ist.«

»Bist du schon mal da gewesen?«, fragte Tantchen sie.

»Nein, natürlich nicht!«

»Woher willst du dann wissen, dass es nicht die richtige Umgebung für mich ist? Komm doch auch mit!«

»Aber nein, das passt nicht zu mir«, antwortete Mama.

»Ja, dann«, sagte Reinhard, »probieren wir das doch gleich aus. Mama Semra, du kommst mit?«

»Ich denke, ja.«

Unter den verwirrten Blicken meiner Mutter zogen wir, Reinhard, Tantchen, Peyda und ich, los.

Die Kneipe lag in einer ruhigen Seitenstraße in der Kölner Innenstadt und war von außen nicht als Lokal erkennbar. Reinhard ging vor und klingelte. Die Situation erinnerte mich an den Film »Manche mögen's heiß«, der zur Zeit der Prohibition in Chicago spielt.

»Das Lokal ist aber als Kneipe konzessiert und nicht als Beerdigungsinstitut, oder?« Vor meinem geistigen Auge sah ich, wie im Vorderzimmer jemand an der Orgel saß und spielte, während hinten die Puppen tanzten.

Reinhard lachte. »Das hier ist ja nicht verboten, mein Mädchen, nur privatissime.«

Ach so. Gut. Die Tür wurde geöffnet, und wir wurden hineingelassen. Ich weiß nicht, was ich genau erwartet hatte, aber das hatte ich nicht erwartet. Es war eine ganz normale Kneipe. Mit ein paar Bildern von nackten Männern an den Wänden und ein paar halbnackten Männern als Gästen. Hie und da gab es ein kleines Detail, was dezent auf die Zielgruppe hinwies, mehr aber auch nicht. Am lustigsten fand ich die Brezeln, die an der Theke verkauft wurden, sie hatten die Form des männlichen Geschlechtsorgans. Ich kaufte rasch drei, und gab Tantchen und Peyda je eine und forderte sie auf, herzhaft hineinzubeißen. Ansonsten wurde viel geraucht und diskutiert. Es gab auch Anmache, aber mehr unter den Männern. Reinhard war wohl Stammgast in dem Lokal, jedenfalls kannten ihn die Jungs, und er stellte uns allen vor.

Während Peyda und ich nicht wirklich das Interesse der jungen Herren weckten, war Tantchen die Sensation im Lokal. Sie wurde als ältere Dame (mit Kopftuch wohlgemerkt!) richtig umschwärmt, Peyda und ich standen etwas verloren herum.

»Das ist der Mutterkomplex der schwulen Männer«, stellte meine Schwester fest. Sie war eine Expertin in Küchenpsy-

146

chologie und trotz allem doch ein wenig verärgert darüber, dass Reinhard sein voreiliges Versprechen offenbar nicht einzulösen vermochte, dass alle schwulen Männer uns zu Füßen liegen würden. Sie lagen allein Tantchen zu Füßen.

»Was machen wir eigentlich hier?«, fragte sie mich. »Ich dachte, wir wollen uns amüsieren.«

»Wie denn?« Ich schaute mich um. Reinhard turtelte gerade prächtig mit einem scharfen Typen in Lederhosen, Tantchen saß inmitten einer Traube von jungen Männern, die alle an ihren Lippen zu hängen schienen. Alle anderen Gäste waren auch irgendwie beschäftigt.

»Ich fühle mich so überflüssig hier«, sagte meine Schwester. Sie neigte etwas zum Selbstmitleid.

»Wir sind gerade mal eine Stunde in diesem Lokal«, antwortete ich, »was erwartest du? Dass alle den Diener vor dir machen? Du siehst doch, die Jungs haben was Besseres zu tun. Iss doch noch eine Brezel, wenn dir langweilig ist!« Ich feixte. Ich erlebte die Situation nicht ganz so tragisch wie sie.

Peyda schaute mich höchst genervt an. »Ich will nach Hause.«

Reinhard kam auf uns zu: »Amüsiert ihr euch?«

»Nicht so sehr wie du«, antwortete ich, »die Zielgruppe ist nicht die unsere.«

»Wieso? Hier sind doch nur nette Jungs!«

Die Stimmung in dem Lokal war in der Tat sehr freundlich. Einige der Jungs tanzten miteinander.

»Vielleicht sind die Jungs zu scheu, ein Mädchen aufzufordern, und tanzen deswegen miteinander.«

»Ja, dann«, sagte meine Schwester, »wenn die zu scheu sind, uns aufzufordern, dann tanzen wir beide doch glatt miteinander.« So wurde der Abend doch noch ganz lustig. Als wir gegen vier Uhr aufbrachen, stellten wir einmütig fest, dass es sehr nett gewesen war.

»Reinhard, ich möchte mich bei dir ganz herzlich bedanken«, sagte Tantchen, »es war wirklich schön, und ich habe eine Menge sehr netter junger Männer kennengelernt.«

»Du warst ja auch der Star des Abends«, sagte Peyda spitz.

»Höre ich da einen gewissen Neid heraus?« Tantchen lachte sich kaputt.

»Worüber habt ihr denn den ganzen Abend gesprochen?«, fragte Peyda neugierig.

»Wir haben uns ganz viel erzählt, sie wussten nichts über den Islam, die Türkei und so, und ich wusste nichts über schwules Leben. Jetzt wissen wir alle mehr voneinander. Ich kann sagen, der Abend hat sich für uns alle gelohnt!«

»Ja, dann, das nächste Mal nehmen wir auch Mama mit!«

Hurra, wir werden deutsch

Was die Deutschwerdung unserer Familie angeht, möchte ich uns mit einer Artistentruppe vergleichen, in der jeder ein anderes Kunststück beherrscht. Auch bei uns waren die Neigungen, deutsche Eigenarten zu übernehmen, unterschiedlich ausgeprägt, sodass jeder in der Familie seine eigene Art entwickelte, sich typischen deutschen Eigenarten hinzugeben. Nach Gusto sozusagen.

Der Star unserer Gruppe war meine Schwester, ob am Boden, in der Luft und auf dem Seil, sie war top. Oder übersetzt in die Materie der Deutschwerdung: Ob nun Wandern, Urlaub machen oder die Liebe zum Adel, sie war in vielen Disziplinen spitze.

Meine Schwester ist integriert. Ich meine, sie ist *wirklich* integriert. Sie ist eine echte Deutsche. Alle Welt redet davon, dass wir uns integrieren sollen, aber nicht assimilieren wollen. Integration, Assimilation, diese soziologischen Feinheiten waren meiner Schwester von Anfang an schnuppe. Konsequenterweise könnte man bei ihr schon von einer Deutschen sprechen, das aber tut man hierzulande nicht. Also ist sie eben eine assimilierte Türkin, das ist die letzte Vorstufe vor dem Deutschsein und schon so etwas wie eine Auszeichnung. Die letzte Stufe – eine Anerkennung als Deutsche, die über das Formale hinausgeht – bleibt einem ja lebenslang verwehrt, weil man – ich weiß nicht recht – wahrscheinlich anders aussieht.

Schon im zarten Alter von acht Jahren deutete sich an,

dass sich meine Schwester mit Leib und Seele den deutschen Traditionen anpassen würde. Wir haben damals die Zeichen nicht wirklich erkannt, sondern den Vorfall als eine kindliche Laune abgetan: Mein Schwesterchen kam nämlich eines Tages mit der Nachricht aus der Schule, dass die Klasse einen Wandertag in die Eifel unternehmen würde, und alle Kinder müssten für diesen Tag eine komplette Wanderausrüstung haben. Mama war ein wenig irritiert. Und da sie immer auf der praktischen Seite stand, war sie drauf und dran, diese Order aus der Schule zu überhören.

»Ich bitte dich«, sagte sie zu Tantchen, »für einen Tag alles neu kaufen, und in drei Monaten ist sie sowieso aus allen Sachen wieder herausgewachsen.«

Tantchen gefiel Mamas Argumentation nicht, auch wenn Mama im Prinzip recht hatte. Aber, bitte, wie sollte das denn aussehen, wenn alle Kinder in der perfekten Kleidung erscheinen, nur ihr kleiner Liebling nicht?

»Du hast ja recht«, sagte sie zu Mama (ein rein diplomatischer Schachzug übrigens, den Mama auch sofort als solchen erkannte), »aber ich könnte nicht schlafen, wenn unser Schätzchen gegen die anderen abfallen würde. Lass mir doch die Freude, die Sachen zu besorgen, die sie braucht.«

Angesichts der Tatsache, dass Tantchens Schlaf zur Disposition stand, und noch mehr angesichts der weiteren Tatsache, dass Mama wusste, Tantchen würde sowieso einen Weg finden, mein Schwesterchen auf den neuesten Schick der deutschen Wanderliga zu bringen, stimmte Mama zu, bevor sie das Gesicht verlor.

Schwesterchen jubelte, und dann zogen die beiden los. Als sie am Abend wieder da waren, hatten sie alles besorgt, was das Herz des deutschen Wanderers damals höher schlagen ließ: Wanderschuhe, dazu Strümpfe und eine Kniebundhose, ein kariertes Hemd, einen Rucksack, einen Hut, und als Krönung des Ganzen einen Wanderstock. Meine Schwester legte all die Herrlichkeiten an und Papa machte ein Foto, um diesen Anblick für die Ewigkeit festzuhalten.

Meine Tante konnte sich an dem Anblick meiner Schwester nicht sattsehen. »Darf ich sie Freitag zum Bus begleiten?«, fragte sie Mama. Für Freitag um acht Uhr morgens war die Abfahrt in die Eifel angesetzt. »Ich bin so gespannt, was die anderen Kinder anhaben.«

»Aber natürlich«, antwortete Mama, die dieser ganzen Aktion ziemlich gleichgültig gegenüberstand. Tantchen hingegen wollte doch sehen, wie ihr Liebling in der Wanderausrüstungsliga platziert war. Meine Schwester sah so original aus, auch ein Luis Trenker hätte seine Freude an ihr gehabt.

Freitag gegen neun, nachdem sie, wie verabredet, Peyda zum Bus begleitet hatte, kam Tantchen. Sie wirkte leicht irritiert.

»Wie war es?«, fragte Mama, »ist dein Schätzchen zur Wanderqueen gewählt worden?«

Tantchen schluckte. »So was Ähnliches«, antwortete sie leicht zögernd, »und es bedurfte nicht einmal besonderer Anstrengung. Sie war nämlich die Einzige, die in kompletter Ausrüstung erschienen ist. Alle anderen Kinder waren in normaler Straßenkleidung!«

»Wie bitte?« Mama traute ihren Ohren nicht. »Sie hat uns doch erzählt …«

»Ich weiß, was sie uns erzählt hat«, unterbrach Semra sie, »deswegen haben wir sie ja auch so ausstaffiert.«

»Du hast sie so ausstaffiert«, unterbrach sie meine Mutter, »ich habe gleich gesagt, rausgeschmissenes Geld!«

»So würde ich das nicht bezeichnen wollen«, sagte Tantchen und grinste schon wieder. »Sie ist aufgrund ihrer Ausrüstung sehr bewundert worden, von allen Kindern und den begleitenden Eltern, und die Lehrerin hat auch gesagt, wie toll sie es findet, dass Peyda in authentischer Wanderausrüstung gekommen ist.«

»Und es war Peyda überhaupt nicht peinlich, dass die anderen Kinder alle in Alltagsklamotten gekommen sind und sie in so exotischer Kleidung?«

»Peinlich? Sie war der Star!«

Man hätte damals die Zeichen der Zeit erkennen müssen: Was für ein symbolischer Akt! Meine Schwester Peyda als wandelndes, pardon: wanderndes Vorbild für die rheinischen Kinder. Und die Verbundenheit mit der deutschen Kultur … was damals als Wanderlust begann, setzte sich in alle Lebensbereiche fort – in fast allen.

Meine Schwester besitzt keinen Schrebergarten, keinen Gartenzwerg, und es hängt auch kein röhrender Hirsch über dem Sofa aus Gelsenkirchener Barock. Sie ist *subtil* assimiliert: Sie liebt beispielsweise Spaziergänge – welche Türkin geht sonst spazieren? Und sie liebt es »gemütlich« – ein Wort, für das es im Türkischen noch nicht einmal eine Übersetzung gibt. Jedes Jahr, immer wenn Weihnachten vor der Tür steht, denkt sie darüber nach, wie der Adventskranz aussehen könnte. Im Frühjahr grübelt sie über die Osterdekoration. Auch hat sie alle Romane Hedwig Courths-Mahlers gelesen (und zwar im Format der Bastei-Lübbe-Heftchen und als Taschenbücher).

Hedwig Courths-Mahler! Niemand sollte den Einfluss dieser Schriftstellerin auf die deutsche Seele unterschätzen. Meine Schwester war eine Zeit lang so vernarrt in die Romane der Hedwig Courths-Mahler, dass deren Stil auf ihre Sprechweise abfärbte. Nie werde ich vergessen, wie die Leute in der Abflughalle des Frankfurter Flughafens sich zu uns umdrehten, als ich außer Atem verspätet hereinstürzte. »Sag, wo weiltest du so lange?«, fragte sie mich. Das sind doch Sternstunden der Integration! Oder bei einem Behördengang nach dem Tode von Papa, als sie eine Frage nicht beantworten konnte. »Da müssen Sie meine Schwester fragen«, erklärte sie dem Beamten, »nach dem Tode unseres Vaters hat meine Schwester mir alles Schwere abgenommen.« So viel edle Schwesternliebe, gepaart mit astreinem Deutsch, beeindruckten den deutschen Beamten tief, und sie ließen ihn darüber sinnieren, wer hier deutscher ist ... er oder sie?

Aber das ist noch nicht alles: Wie würde der deutsche Beamte erst staunen, wenn er die weiteren Indizien über das Deutschsein meiner Schwester kennen würde.

Sie doziert gerne über frisch gebackenen Apfelkuchen. Mit Sahne. Ohne Sahne. Wie der Teig zu sein hat. Wie die Äpfel gesteckt werden müssen. Oder darf es ein gedeckter Apfelkuchen sein? Bekanntlich zählt der Apfel zu den einheimischen Früchten, und so haben sich in dieser Region der Welt Hunderte von Apfelkuchenspezialitäten entwickelt. Die kennt meine Schwester nicht alle, aber die wichtigsten. Und sie kennt die Geheimnisse vieler Urlaubsorte. Urlaub ist eines ihrer Lieblingsthemen, für mich ein klares Indiz für Assimilation, denn nichts ist den Deutschen so lieb wie die freien Wochen im Jahr. Über Urlaub reden die Deutschen gern und ausführlich. Meist anhand von Prospekten (»Wo habt ihr die Kappadokienrundfahrt gebucht?«), auch nach der Rückkehr in voller Gemütlichkeit (»Wir haben Fotos und machen noch einen gemütlichen Norwegenabend. Kommt ihr vorbei?«). Früher war das ein Dia-Abend, heute präsentieren ihr Mann und sie eine Powerpoint-Version.

Und natürlich darf auch die obligatorische Postkarte nicht fehlen. Im Briefkasten liegt dann eine schwarze Karte, auf der in dicken Lettern steht: »Paris bei Nacht«, »Amsterdam bei Nacht« oder eben »Istanbul bei Nacht«. Das ist witzig. Auch meine Schwester schickt solche Postkarten und besitzt stapelweise Reisebroschüren, Baedeker und andere Reiseführer. Die liegen bei ihr in der Wohnung herum. Weil bei ihr immer irgendwie Urlaub ansteht. Wie sagt der assimilierte Türke? Nach dem Urlaub ist vor dem Urlaub. Auch zwingt sie ihre Umgebung gerne, an ihrem Reiseglück teilzuhaben, indem sie zu Länderabenden einlädt.

»Wir waren mit Malibu ganz zufrieden, nicht wahr, Papa?«, fragte sie eines Abends am Tisch. Die Antwort kam übrigens nicht von unserem Vater, der zu dem Zeitpunkt ja auch längst tot war, sondern von dem Ehemann meiner Schwester, den sie doch tatsächlich »Papa« nennt. Bitte, das ist zweimal Leitkultur in nur einem Satz: Ich zumindest kenne sonst keine, die ihren Mann noch so anredet. Offensichtlich eine Tradition, die seit den siebziger Jahren in Deutschland ausgestorben ist, von eingewanderten Türken aber wiederbelebt wird.

Meine assimilierte Schwester sagt auch Sätze wie: »Also, von Bali kommt man wie neugeboren wieder. Wir können Bali nur empfehlen.« Eine wahre Kennerin der deutschen Urlaubsszene.

Der Urlaub hat eine Unterabteilung, und das ist das Wochenende. Für Peyda ist auch das Wochenende von größter Wichtigkeit. Es ist ein kostbares Gut, »du, ich habe doch nur das Wochenende«, sagt sie, wenn sie samstags oder sonntags Zeit für irgendetwas opfern soll, als ob es das letzte Wochenende ihres Lebens sei. Oder: »Ich lasse mir das Wochenende nicht verderben.«

Anscheinend ist das Wochenende leicht verderblich oder ein Sensibelchen, was schnell beleidigt ist. Wir anderen Familienmitglieder haben das verinnerlicht und respektieren unser assimiliertes Familienmitglied und stören es am Wochenende nach Möglichkeit nicht. Wobei das sowieso ziemlich schwierig ist. Denn im Gegensatz zu den in dieser Hinsicht zurück- (oder türkisch) gebliebenen Familienmitgliedern (wie man es halt bewertet) ist ihr Wochenende stets tadellos geplant. Und das mindestens acht Wochen im Voraus. Peyda und ihr Mann gehen wandern, sie besuchen Ausstellungen oder haben »Kaffeegäste« (O-Ton).

Die Wochenenden der anderen Familienmitglieder sind meistens *ver*plant. Das sieht so aus, dass wir alle bis elf schlafen, und dann geht die Telefonie los. Halb zwölf klingelt es zum ersten Mal. »Was macht ihr heute so?«, fragt ein wenig integrierter Zeitgenosse, der keine Skrupel hat, am Sonntagvormittag anzurufen.

»Keine Ahnung, wir haben nichts vor, und ihr?«

»Wir auch nicht«, sagt der Zeitgenosse, und dann weiter: »Wollt ihr vorbeikommen, wir könnten zusammen kochen.«

»Och, ja, warum nicht, wir kommen so gegen vier.« Wenn wir gegen vier da sind, sind alle anderen, die für den Sonntag auch nichts geplant hatten, auch schon da. Wir kochen zusammen, essen, erzählen das Neuste, und schon ist das Wochenende rum. Das schöne Wochenende, es ist ungeplant gekommen und ungeplant zu Ende gegangen. Wie der Sonntag vorher und wahrscheinlich der Sonntag danach. Manchmal putzen wir sogar am Sonntag, oder wir gehen ins Kino, so genau wissen wir das vorher nie, da fehlt halt das Quäntchen an Integration.

Übrigens auch bei meiner Mutter. Auch bei ihr fehlte das Quäntchen an Integration, das zur Vollendung notwendig ist. Bei ihr betraf es aber nicht den nötigen Respekt vor dem Wochenende, ihr erschloss sich eine wichtige Facette der deutschen Seele nicht: die deutsche Romantik.

 Was die Sache mit der Romantik anging, war Mama eine waschechte Türkin. Es ist nämlich so:

Die Deutschen sind ein romantisches Volk, im Gegensatz zu den Türken, die, entgegen der landläufigen Meinung, überhaupt nicht romantisch sind. Und so eine war Mama. Von Romantik und ähnlichem Firlefanz hielt sie gar nichts. Wenn der Deutsche es nett haben will, zündet er eine Kerze an. Wenn wir Kinder zu Hause eine Kerze anzündeten, um so die Beleuchtung des Raumes sicherzustellen, konnte man davon ausgehen, dass Mama mit den Worten »Was ist das für eine depressive Stimmung hier?« das Licht anknipste. Was die Beleuchtung anging, bevorzugte sie wie alle Türken klare

Glühbirnen mit mindestens 100 Watt … und davon fünf bis sechs an jeder Lampe.

Wenn wir Nachbarn oder Bekannte besuchten, deren Lampen nicht die gleiche Leuchtkraft entwickelten, bezichtigte Mama sie des Geizes. »Das war doch sehr romantisch«, meinte meine Schwester nach einer Einladung zum Abendessen bei Bekannten. Das Esszimmer war mit Lüstern beleuchtet gewesen.

»Romantisch?« In Mamas Stimme klang Verachtung. »Das nennst du romantisch? Wenn man nicht sieht, was man auf dem Teller liegen hat? Das ist Geiz in Reinform, diese Leute sparen am Strom und am Essen.«

»Wieso am Essen?«, fragte Peyda.

»Na, wenn der Gast nicht sieht, was auf dem Teller liegt, kannst du doch an der Qualität des Essens sparen!«

»Was für ein furchtbarer Abend«, stöhnte Mama weiter, »dieser dunkle Raum, diese schwere Musik, das drückt ja wie ein Alb auf meine Seele.«

»Du kannst ja gleich zu Hause alle Lampen anknipsen«, sagte Papa trocken.

»Mach ich auch«, gab Mama zurück, »dazu lege ich noch flotte Musik auf.«

Wenn der Türke es nett haben will, dann macht er eben alle Lichter an, und wenn er es noch netter haben will, eine Kette mit bunten Glühbirnen.

Die deutsche Romantik hingegen, welch wunderbare Facetten sie doch hat. Zum ersten Rendezvous kommt der deutsche Mann mit einer einzelnen Blume, wie zufällig am Wegesrand gepflückt, und die deutsche Frau ist hingerissen. Wenn derselbe deutsche Mann mit einer einzelnen Blume, wie zufällig am Wegesrand gepflückt, zum ersten Rendezvous mit einer Türkin käme, müsste er mit der Wahrscheinlichkeit rechnen, dass das auch das letzte Rendezvous ist. Welche türkische Frau will schon einen Mann, der sich nicht einen ordentlichen Blumenstrauß leisten kann oder, noch schlimmer, nicht leisten will und stattdessen auf dem Weg zum Date eine Blume aus einem Vorgarten klaut?

Auch da zeigte sich Mamas konsequent lebenspraktische Haltung. Jeder junge Mann musste sein Entree mit entsprechenden Geschenken für die Herzensdame, sprich die Töchter, ausstatten, die von Mama streng auf ihren Geldwert taxiert wurden.

»Was willst du mit diesem Geizhals?«, sagte sie, als wieder einmal ein junger Mann mit einer einzelnen Blume in der Hand zu seiner Liebsten eilte, und das hieß damals: Der junge Mann wollte zu mir.

»Mama, das siehst du völlig falsch«, sagte ich, »das ist deutsche Romantik.« Ich zitierte Novalis: »… fern ab liegt mir alle Habsucht, aber die blaue Blume sehn ich mich zu erblicken.«

»Kann man nicht auch mit einem anständigen Blumenstrauß romantisch sein?«, fragte sie, »mit so einem, der nach was aussieht?«

Verlorene Liebesmüh, an der Stelle würde Mama die deutsche Seele niemals verstehen!

 Die Romantik hat eine kleine Schwester, und die heißt Zweisamkeit: Die Zweisamkeit ist quasi eine Unterabteilung der Romantik und deswegen auch sehr deutsch. Nur wenige Türken sind so weit integriert, dass sie der Zweisamkeit etwas abgewinnen können. Viele stehen fassungslos vor diesem Phänomen.

In unserer Familie war und ist meine Schwester die Einzige, die dieses Phänomen verinnerlicht hat. Sie fährt mit ihrem Mann im Winter nach Sylt. Und dann gehen sie am Strand zu zweit spazieren. Und sie sagt, dass sie das schön findet. Stellen Sie sich das mal vor: Es ist kalt, dunkel, öde. Nix los. Nur Peyda und ihr Mann. Und die gehen am Strand spaziieren. Allein. Das heißt zu zweit natürlich, aber das ist doch praktisch wie allein. Und dann gehen sie ins Hotel zum Essen. Allein. Und dann gehen sie auf ihr Zimmer. Allein, wobei das ja noch nachvollziehbar ist für Türken. Der Rest nicht so wirklich. Es ist doch viel schöner, wenn alle zusammen verreisen.

Vor ein paar Jahren planten Freunde von uns ihre Hochzeit und folgerichtig auch ihre Hochzeitsreise. Zu dem Zeitpunkt war ich schon mit Ahmet verheiratet und unsere Tochter war auch schon auf der Welt.

Nun ist ja in der westlichen Hemisphäre die Hochzeitsreise mit so das Romantischste, was man sich vorstellen kann, etwas, wobei sich zwei genug sein sollten. Deswegen waren wir doch etwas überrascht, als unsere (wohlgemerkt türkischen) Freunde fragten, ob wir nicht mit auf die Hochzeitsreise kommen wollten.

»Ihr wollt uns mit auf der Hochzeitsreise haben?«, fragte Ahmet ungläubig.

»Ja, klar«, antwortete Erkan, unser Freund. »Ihr wisst, dass Rana (das war seine Zukünftige) für die Hochzeitsreise unbedingt in die Karibik will. Ist ja bestimmt schön, aber was sollen wir 14 Tage allein da machen? Wir vier verstehen uns gut, da wird es bestimmt viel lustiger, wenn ihr mitkommt!«

»Und was machen wir mit Aziza?«, fragte ich. Ich konnte doch meine Tochter nicht alleine zu Hause lassen.

»Na, die kommt selbstverständlich auch mit. Sie gehört doch dazu.« Klar, mit Kind und Kegel auf der Hochzeitsreise. Ich war etwas skeptisch.

»Sieht das Rana genauso?«, fragte ich.

»Sicher«, antwortete er, »ohne Freunde ist es doch langweilig, auch wenn es die Hochzeitsreise ist und auch wenn es die Karibik ist.«

Wo Erkan recht hat, da hat er recht. Man muss es mit der Zweisamkeit nicht gleich übertreiben. Schließlich ist man ja noch ein Leben lang miteinander verheiratet. Ja, dann, »vamos a la playa«... in der Karibik.

Und weil für die Deutschen die Zweisamkeit das allerschönste ist, müssen die Paare auch immer nebeneinander sitzen. Das ist ganz wichtig. Selbstverständlich legt meine Schwester großen Wert darauf, in Bahn und Bus neben ihrem Partner zu sitzen. Für Außenstehende und Ausländer mag das die Frage nach dem Wozu? auslösen, schließlich ist der Partner kein Kleinkind, das betreut werden muss. Das ist für Menschen, die außerhalb der Grenzen der deutschen Romantik sozialisiert worden sind, nicht wirklich nachvollziehbar.

Vor einiger Zeit saß ich im Flugzeug für einen kurzen Inlandsflug, Sie kennen diese Kurzflüge: Die Maschine startet, die Stewardess bringt ein Getränk, kaum hat man einen Schluck genommen, dann geht es auch schon zur Landung. Neben mir saß ein junger Mann, der sehr, sehr unglücklich wirkte.

»Entschuldigen Sie«, sprach er mich an, »darf ich fragen, ob Sie allein fliegen?«

Mir war blitzschnell klar, warum er diese Frage stellte und was er wollte. Erstens, weil er so unglücklich aussah, und zweitens, weil diese Frage eigentlich völlig überflüssig war, weil ich ja ganz offensichtlich allein neben ihm saß. Er saß auch allein neben mir, aber das war ja genau der Grund, warum er die Frage gestellt hatte.

Lale, dachte ich mir, gleich hast du wieder einmal die Möglichkeit, einen, ach was, zwei Menschen sehr, sehr glücklich zu machen. Zum Nulltarif. »Ja«, antwortete ich mit einem strahlenden Lächeln, »ich fliege allein.« Jetzt, jetzt würde seine entscheidende Frage kommen.

»Würde es Ihnen etwas ausmachen, mit meiner Freundin den Platz zu wechseln, wir haben Sitzplätze in unterschiedlichen Reihen bekommen!« Dabei schaute er mich so verzweifelt an, als würde von meiner Antwort sein und seiner Freundin Seelenheil abhängen.

Ein zwei Sekunden zappeln lassen … und dann …: »Kein Problem«, antwortete ich und lächelte ihn dabei souverän an, »wo sitzt denn Ihre Freundin?«

Das war der erlösende Satz. Mit vor Glück und Erleichterung geröteten Wangen und einem dankbaren Blick schaute er mich an: »Reihe 12 A.«

 Mit der Romantik hatte es Mama nicht so sehr, aber dafür kam sie an anderer Stelle mit der deutschen Lebensart sehr gut zurecht, nachdem sie die Bekanntschaft derselben gemacht hatte, mit der deutschen Weinkultur. Das kam folgendermaßen:

Mama hatte in einer Zeitschrift zufällig eine Karte gefunden. Es war die Werbekarte eines Weingutes an der Ahr. Die Postkarte versprach eine Weinprobe, und da praktischerweise angekündigt wurde, der Weinhändler würde bei einem zu Hause vorbeikommen, schickte Mama die Karte sofort ab. Ein kurzer Anruf, eine Terminabsprache, und schon stand der Vertreter mit seinen Flaschen und dem Zubehör vor der Tür. Ich war an dem Nachmittag nicht zu Hause gewesen, aber als ich am späten Nachmittag heimkam, öffnete mir Mama mit einem seligen Lächeln die Tür.

»Komm rein«, sagte sie, und nur bei sehr genauem Hinhören war die leicht verschwommene Sprache der Alkoholisierten wahrnehmbar. Im Wohnzimmer waren Mama und Tante Semra, beide mit geröteten Wangen und bester Laune, außerdem der Vertreter eines Weingutes, der auch bester Laune, allerdings sehr nüchtern.

»Wir machen eine Weinprobe zu Hause«, sagte Tante Semra, und sie war eindeutig besoffener als Mama. Unsere *Hadschi*. Welche Erklärung hatte sie wohl parat? Wahrscheinlich hatte sie den Wein gerade als Verdauungsmedizin oder Desinfektionsmittel für die inneren Organe deklariert.

160

»Die Damen sind sehr vielseitig interessiert«, flötete der Vertreter, damit meinte er wahrscheinlich, dass die Damen alles durcheinandergesoffen hatten.

»Es schmeckt alles wirklich gut!«, stellte Mama fest, und bediente sich an einem der bereitgestellten Gläschen.

»Gnädige Frau, das ist jetzt ein Frühburgunder, schmecken Sie das Kirscharoma heraus?«

Mama nickte.

»Der Frühburgunder hat die herrlichsten Aromen, manchmal Brombeere, manchmal Himbeere, sogar ein Mokkaaroma ist möglich, das kommt Ihnen sicher sehr entgegen?«

Mama nickte weiter. Ich war mir nicht sicher, ob sie in ihrem momentanen Zustand die Anspielung mit dem Mokka verstanden hatte. Von wegen Türken und Kaffee und so.

»Was ist denn der Unterschied zwischen dem Frühburgunder und dem Spätburgunder?«, fragte Tante Semra. Mein Gott, die Damen waren ja schon beim Fortgeschrittenenkurs angekommen. Ehrlich gesagt war mir bis dato nicht mal bekannt, dass es einen Frühburgunder gab.

»Der Frühburgunder ist ein Frühreifer«, der Vertreter lachte über seinen eigenen Witz, mir war schon wieder nicht klar, ob meine nächsten weiblichen Verwandten ihm gedanklich noch folgen konnten. »Die Beeren des Frühburgunders sind kleiner als die Beeren des Spätburgunders, dadurch entsteht ein anderes Verhältnis von Schale zum Rest der Beere, und da die Geschmacksstoffe zum größten Teil in der Schale sitzen, ist der Frühburgunder samtiger als sein später Bruder.«

»Ach so«, das schien den Damen jetzt auch egal zu sein. Tantchen nahm einen tiefen Schluck Frühburgunder zu sich.

»Ich nehme davon eine Kiste.«

»Sehr gern!« Der Vertreter lächelte zufrieden. Ich schielte auf den Bestellzettel, der vor ihm lag. Es war nicht die erste Kiste, die die Teilnehmerinnen der Weinprobe bestellt hatten. Bei Mama war es ja keine Frage, dass sie gern ein Gläschen trank (wenn auch nicht gezielt Ahrweine, aber in dem Moment war mir noch nicht klar, dass ich gerade Zeugin des Beginns einer wunderbaren Freundschaft wurde). Kemalisten saufen nämlich aus Prinzip. Es unterstreicht sozusagen ihre Weltanschauung. Damit beweisen sie sich und der ganzen Welt, dass ihnen religiöse Vorschriften piepegal sind.

Aber Tante Semra! Die praktizierende Muslimin?

»Was machst du denn mit dem vielen Wein?«, fragte ich.

»Ja, trinken natürlich, und meinen lieben Gästen anbieten!«

»Darfst du das denn als Muslimin?« Ich war gespannt, welche Antwort sie geben würde.

Tante Semra war völlig unbekümmert. »Ich erkläre dir das später«, antwortete sie, »aber mach dir keine Sorgen, das passt schon!«

Nein, Sorgen musste ich mir um diese heitere Runde sicher nicht machen.

»Ich habe noch einen blauen Portugieser«, sagte jetzt der Vertreter launig, »ein unkomplizierter und frischer Bursche.«

Also einen blauen Portugiesen sah ich nicht, dafür zwei blaue Türkinnen.

»Probieren Sie ihn mal.« Die nächste Runde ging an den frischen Burschen. Der Vertreter pries jetzt den Portugieser an, während die Damen den Wein schlürften. »Schmecken Sie den belebenden Charakter mit Anklängen von Beerentönen und einer Spur von Pfeffer?« Die Damen nickten mit Kennermiene.

»Davon nehme ich auch eine Kiste«, sagte Tante Semra, und ihre Schwägerin ließ sich nicht lumpen.

»Ich auch«, sagte Mama.

Um es kurz zu machen: Als der Vertreter nach weiteren zwei Stunden gegangen war, hatte er sage und schreibe 20 Kisten Wein verkauft. Rotweine, Frühburgunder, Spätburgunder, und von dem frechen Burschen, dem blauer Portugieser, hatten sie auch ein paar Kisten genommen.

Die Damen saßen da, bereichert von dem Wein, erfüllt von neuem Wissen, sehr zufrieden und darüber hinaus ziemlich beschwipst.

»Ich wusste gar nicht, wie gut Wein schmeckt«, sagte Tante Semra, »wir trinken ja immer nur Raki, und das ist ja was ganz anders.«

»Du hast recht«, stimmte ihr Mama zu,

»Raki ist Schnaps und hat nicht diese Aromen, die diese herrlichen Ahrweine haben.«

»Sag mal, hast du diese Aromen wirklich rausgeschmeckt?«, fragte ich ungläubig und äffte den Vertreter nach: »Gnädige Frau, schmecken Sie den vollen Körper mit dem süßlichen Duft von roten Beeren und einem Anklang nach Zimt-Vanille?«

Mama schaute mich mit ernstem Gesicht an: »Ja, selbstverständlich«, antwortete sie, ganz Fachfrau. Wer wollte da zweifeln?

»Was meint ihr«, fragte Tante Semra unternehmungslustig, »wollen wir nicht mal an die Ahr fahren, wie es der Vertreter vorgeschlagen hat, wie hieß nochmal die Straße, die wir laufen sollten?«

»Rotweinwanderweg«, sagte Mama, ausgerechnet Mama, die sehr ungern lief, »von Bad Bodendorf bis Altenahr, 35 Kilometer hat der Vertreter gesagt, könnten wir wirklich mal machen!«

Wie bitte? Mama wollte 35 Kilometer wandern? Was hatte der Wein denn bewirkt? In vino veritas? Oder in vino Wanderlust?

»Dann können wir auch bei unserem Weingut vorbeischauen.«

Bei »unserem« Weingut!

»Sag mal, Tantchen«, sagte ich zu Tante Semra mit ziemlich strenger Stimme, »warst du nicht bis vor vier Stunden praktizierende Muslimin?« Sie nickte unbekümmert: »Bin ich immer noch!«

»Ja, wirklich?«, fragte ich süffisant, »und der Wein, den du eben literweise getrunken hast?«

»Literweise! Jetzt übertreibe bitte nicht. Außerdem … gegen den Weingenuss spricht doch gar nichts.«

»Nein? Ich dachte nur, weil die ganzen praktizierenden Muslime ja keinen Alkohol trinken.«

Tantchen verdrehte die Augen. »Ja was kann ich denn dafür, wenn die Leute so unwissend sind? Ich erkläre dir das mal!«

Tantchen holte aus. Jetzt war ich wirklich neugierig. »Erst mal«, dozierte sie, »und das ist entscheidend, gibt es im Koran kein Alkoholverbot.«

»Stimmt!« Mama nickte entschieden und unterstützte ihre Schwägerin … Mann, dieser Wein war wirklich ein Wundertropfen, ein Glück, dass wir jetzt ein paar Kisten auf Vorrat haben.

»Siehst du, deine Mama weiß es auch«, fuhr Tantchen fort, »und der Prophet Mohammed hat nur gesagt, man solle sich nicht so betrinken, dass man nicht mehr Herr seiner Sinne ist, und bitte, davon kann nun bei mir wirklich nicht die Rede sein. Folglich kann ich doch ein Gläschen Wein trinken und trotzdem eine gute Muslimin sein.«

»Stimmt!« Das war wieder Mama. Ich traute meinen Ohren nicht. So viel Harmonie zwischen Mama und Tantchen hatte ich nicht erlebt, seit ich denken konnte.

»Wann macht ihr jetzt die Rotweinwanderung?«, fragte ich. »Wenn ihr dann bei eurem Weingut vorbeischaut, könnt ihr Nachschub bestellen!« Bitte, wenn der Wein für so gute Stimmung in der Familie sorgte, sollte er auch ordentlich bevorratet werden.

»Mal sehen«, sagte Mama, »vielleicht so in drei oder vier Wochen.«

Ich hatte bis dahin angenommen, meine Mama und meine Tante Semra hätten keinerlei Gemeinsamkeiten, ich meine nichts, kein Thema, bei dem sie einer Meinung wären. Wenn die eine schwarz sagte, sagte die andere weiß. Aber jetzt gab es ein Thema, bei dem sie einer Meinung waren: Sie schwärmten gemeinsam von der Ahr und ihren Weinen.

Mama und Tantchen fanden immer mehr Gefallen an den zahlreichen Weinevents. Sie fuhren auf Weinfeste, schwärmten von der Weinlesezeit und Winzervesper … Sie erzählten jedem, der es hören wollte, sie hätten durch den Ahr-Rotwein die Unsterblichkeit gepachtet, zumindest würden sie uralt werden.

»Lass man«, sagte meine Schwester, »wie heißt das schöne deutsche Sprichwort? ›Je oller, desto doller.‹«

»Bei Tante Semra kann ich es noch irgendwie nachvollziehen«, antwortete ich, »aber dass Mama auf ihre alten Tage sich diesem urdeutschen Vergnügen hingeben könnte, das hättest du dir doch auch in deinen kühnsten Träumen nicht ausgemalt.«

»Ja«, antwortete Peyda, »das ist wirklich süß, dass Mama sich auf ihre alten Tage an der Ahr herumtreibt, das einzig Tragische an dieser Entwicklung ist, dass ihr an der Ahr ihre Lieblingsfeindin Semra abhanden gekommen ist! Ertrunken im Rotwein!«

Die Liebe meiner Schwester gilt zwar auch dem Wein, noch mehr aber einer anderen Eigenart der Westeuropäer: Sie liebt die Geschichten über die europäischen Königshäuser.

Entflammt ist ihr Interesse im Alter von 18 Jahren. Meine Schwester absolvierte damals ihr erstes Praktikum in einem Krankenhaus. Eine ihrer Aufgaben war, die alten Damen auf der Station mit Zeitschriften der »yellow press« zu versorgen: das »Goldene Blatt«, »Freizeit Revue« und »Frau im Spiegel«. Sie kaufte die Blätter im Krankenhauskiosk oder lief in die umliegenden Geschäfte, wenn im Krankenhaus alle verkauft waren. Auch wurde sie nach und nach zur boulevardesken Nachrichtenagentur, indem sie den bettlägerigen Frauen die neuesten Nachrichten aus der Welt der Rainiers und Elisabeths zuflüsterte. Bei dieser Gelegenheit kam sie mit den Frauen häufig ins Gespräch über das neueste uneheliche Kind im Königshaus X oder die neuesten Affäre im Königshaus Y. 1975 war die wichtigste Frage auf der Frauenstation nicht etwa die nach den Gallensteinen oder dem Magenulcus (die waren sowieso da und interessierten keinen mehr), sondern jene, ob König Gustav von Schweden »unsere« Silvia heiraten würde. Außerdem unterhielt man sich angeregt über Prinzessin Caroline von Monaco, und man kümmerte sich rührend um die Ehe von Prinzessin Anne aus Großbritannien und Mark Phillips.

Noch zu Beginn ihres Praktikums erwähnte meine Schwester derlei Gespräche eher beiläufig. Doch nach einiger Zeit bemerkte ich eine Veränderung an ihr: Sie fing an, die Zeitschriften mit nach Hause zu bringen. Sie verschlang die Überschriften und die Texte. Ihr gingen die Namen der Royalen immer flüssiger von den Lippen. Ich spürte, wie die Mitglieder der europäischen Königshäuser zu lieben Verwandten meiner Schwester wurden. Dann kaufte sie zum ersten Mal eine Zeitschrift nur für sich.

»Was ist das denn«, fragte Mama eher rhetorisch, derweil sie mit dem Zeigefinger auf das Datum oben rechts auf der Titelseite zeigte. Kein Zweifel, das Blatt war die aktuelle Ausgabe von dieser Woche und keines der geschenkten Exemplare, die die älteren Damen meiner Schwester dann und wann in die Hand drückten. Meiner Mutter als überzeugter Republikanerin war das Ganze ein Dorn im Auge. Meine Schwester druckste nur herum: »Es ist wegen … wegen Caroline. Ich muss doch wissen, ob sie diesen Phillipe Junot heiratet oder nicht.«

In den folgenden Jahren wurde Caroline von Monaco ein festes Familienmitglied: Wir verfolgten über meine Schwester Hochzeit und Scheidung, den Tod ihrer Mutter, ihre Wiederheirat, die Geburten ihrer Kinder und den tragischen Bootsunfalltod ihres zweiten Mannes. Bei den wichtigsten Ereignissen klebte meine Schwester am Bildschirm. Ich hatte mich an diesen Zustand schnell gewöhnt, so sehr, dass ich bei Tisch in Gedanken schon ein Gedeck mehr auflegte. Für Caroline. Auch über die anderen Königshäuser waren wir, wie sollte es anders sein, bestens im Bilde.

1997 starb Prinzessin Diana bei einem Autounfall in einem Pariser Tunnel. Ich erinnere mich, dass mich meine Schwester in heller Aufregung anrief, zunächst aber mein Mann Ahmet ans Telefon ging.

»Ahmet«, brüllte sie in den Hörer, »Prinzessin Diana ist tot!« Stille.

»Ah ja?«, entgegnete mein Mann, indem er alle Empathie, die er zu diesem Thema aufbringen konnte, in seine Stimme legte. Immerhin: Mittlerweile hatte ihn der Deutschland-Aufenthalt derart geprägt, dass er mit dem Namen Diana etwas anfangen konnte. »Wie ist sie denn gestorben?«

Mehr war nicht drin, und meine Schwester – genervt von so viel republikanischer Gleichgültigkeit – knallte flugs den Hörer aufs Telefon.

Jahrelang war sie als Ärztin in einem Krankenhaus angestellt, bis sie beschloss, sich niederzulassen. Die offizielle Begründung ihrerseits war der Wunsch nach mehr Autonomie. Ich glaube das nicht. Die Wahrheit war, dass es ihr als Oberärztin zu peinlich geworden war, im Ärztezimmer die hinterlassenen Zeitschriften der Patientinnen zu lesen. Sie wollte einfach den Lesezirkel abonnieren. Und als niedergelassene Ärztin konnte sie das am unauffälligsten organisieren. Angeblich für das Wartezimmer.

Im Moment liegt der Schwerpunkt ihres Interesses auf den nordeuropäischen Königshäusern, wobei sie mit der Partnerwahl der meisten europäischen Kronprinzen nicht so wirklich zufrieden ist.

Da die Ehen an den europäischen Höfen auch nicht mehr das sind, was sie einmal gewesen sind, kann jederzeit eine Scheidung erfolgen. Es ist eben nicht mehr wie früher, als der englische König abdanken musste, weil er die geschiedene Mrs. Simpson heiraten wollte. Man denke nur an Mette-Marit, sie war ja kein Kind der Traurigkeit, hat ihr Leben genossen und dann den norwegischen Kronprinzen geheiratet. Ist das eine Karriere? Früher undenkbar!

Manchmal vermisse ich bei meiner Schwester ein wenig die Freude über die Demokratisierung an den europäischen Höfen: Königin Silvia sei ja etwas Besonderes und sie benehme sich auch wie eine Königin, meint sie. Mit ihr ist meine Schwester sehr einverstanden. Aber die fortgesetzte Entwicklung an den europäischen Höfen beunruhigt sie ein wenig.

»Wenn das einreißt, dass die Blaublütler nur noch ›Mädels aus dem Volk‹ heiraten und die Prinzessinnen irgendwelche gut gewachsenen Burschen, dann sind ja die Königshäuser nichts Besonderes mehr«, meint sie.

Aber die blaublütigen Prinzen sind ja auch keine Traumprinzen mehr: Prinz Albert von Monaco, der noch zu haben ist, aber wie meine Schwester mir verriet, nicht so wirklich der Traumprinz ist, nicht nur wegen seiner 50 Jahre. Auch die nächste Generation, die nachwächst, Harry und William, die britischen Prinzen, enttäuschen meine Schwester durch ihr Verhalten immer wieder. Aber das schmälert keinesfalls ihre Liebe zu den »königlichen Hoheiten« und ihr anhaltendes Interesse an ihrem Leben.

Der Zufall wollte, dass wir vor einiger Zeit gemeinsam eine Sendung über die europäischen Königshöfe im Fernsehen verfolgten. Und meine Schwester kommentierte die Sendung von vorne bis hinten, indem sie beispielsweise alle Personen aus der royalen Szene benennen und Geschichten zu ihnen erzählen konnte: Wer mit wem, wer übernimmt die Thronfolge, undundund.

»Deine Schwester interessiert das wirklich«, hauchte mir

Ahmet nach der Sendung ins Ohr. »Ich meine, wie detailliert sie Bescheid weiß. Sie kann sogar die Erbfolge am britischen Hof auswendig.« Ahmets Augen verrieten Bewunderung, getränkt in Ekel.

»Ja«, erwiderte ich, »sie kennt sogar die Erbfolge am spanischen Hof! Und auch die Zusammenhänge in der Familie des ehemaligen griechischen Königs.«

Ahmet verstand das nicht. »Aber sie ist doch eine intellektuelle Frau, was interessieren sie diese Schmarotzer und Nichtsnutze?«

»Es ist gewissermaßen ihre Schwäche«, antwortete ich. »Andere Leute kaufen sich einen Sportwagen oder sammeln Antiquitäten.«

Ahmet ließ nicht locker: »Das scheint in Deutschland eine verbreitete Schwäche zu sein. All diese Zeitschriften, die bei deiner Schwester herumliegen, werden ja nicht nur für deine Schwester gedruckt, oder?«

»Tja«, entgegnete ich schulterzuckend, »deutsche Frauen lieben königliche und kaiserliche Geschichten, und meine Schwester ist eben eine integrierte Frau. Eine deutsche Frau!«

Liebesvariationen

Eine Schwiegermutter zum Fürchten

Hatte ich bereits von meinem Onkel Enver erzählt? Und seinen zwei Töchtern? Nein? Dann muss ich das schnell nachholen. Onkel Enver war ein Cousin meines Vaters und lebte schon seit einigen Jahren als Hautarzt in Köln, ein charmanter, baumlanger Kerl. Ein wenig zu charmant, sodass die meisten Frauen seinem Charme nicht widerstehen konnten.

Außer Mama. Sie konnte Onkel Enver nicht ausstehen, weil er ein notorischer Fremdgänger war und zudem, noch schlimmer für Mama, ein neoliberaler Antikemalist. Dafür war er ein guter Hautarzt. Und Dermatologen sind nun mal auch Ansprechpartner Nummer eins in Sachen Geschlechtskrankheiten, wodurch sich Mama zu dem bissigen Kommentar berufen fühlte: »Der hat sich für die Facharztausbildung entschieden, um sich heimlich selbst zu kurieren.«

Onkel Enver und seine Frau Tante Gül hatten zwei Töchter. Es waren Zwillinge, und weil sie Zwillinge waren, wenn auch zweieiige, hießen sie Hilal und Nihal, so ähnlich wie Hanni und Nanni.

Hilal war ein sehr energisches Persönchen, die ganze Welt schien ihr zu eng, sie platzte schier vor Energie. Äußerlich war sie der Typ von Frau, die man gemeinhin als »rassig« bezeichnet, dunkle Augen, dunkle Haare und ordentliche Kurven. Wenn sie irgendwo hereinkam, war sie weder zu überhören noch zu übersehen.

Nihal, ihre Zwillingsschwester war eine eher ruhige Person. Auch äußerlich waren sie völlig unterschiedlich: Nihal, die brave, war blass und blond.

 Meine Cousine Nihal war ein Musterkind von der Art, wie Mama sie mir in bestimmten Situationen, in denen sie sich über mich aufregte, genüsslich vorhielt: »Nimm dir ein Beispiel an Nihal, die würde dieses nicht machen und jenes nicht machen!« Nihal hatte gute Noten, sie kam immer pünktlich nach Hause, war immer höflich zu den Gästen ihrer Eltern, kurzum: Sie war perfekt! Manchmal verstieg sich Mama gegenüber meiner Tante gar zu der Behauptung: »Ach, was hast du es gut, so eine Tochter macht einem ja nur Freude«, und dabei schielte sie mit zusammengekniffenen Augen zu mir herüber, um sich zu vergewissern, ob ich auch ja alles mitbekäme.

O ja, das tat ich, aber ein Beispiel mochte ich mir nicht an meiner Cousine nehmen, denn ich fand sie, ehrlich gesagt, etwas langweilig … aber nur bis zu dem Tag, an dem sie sich verliebte. Irgendwie veränderte sie sich eines Tages; sie wurde unaufmerksam, gar nicht wie gewohnt, reagierte nicht, wenn man ihr etwas erzählte, sie schien fernab mit ihren Gedanken. Meinem Vater blieb es vorbehalten, sie zu necken: »Nihal, hast du dir auf dem Feld eine Melone ausgeguckt? Du bist ja völlig entrückt!«

Nihal wurde puterrot, ein deutliches Zeichen, dass Papa einen Volltreffer gelandet hatte. Ein kleines Wunder, denn eigentlich waren Flirten, Verliebtsein oder die »große Liebe« Begriffe, mit denen beide – Mama und Papa – nichts anfangen konnten und wollten. »Verliebt sein verlängert die Zeit, die eine Frau vor dem Spiegel verbringt, und das ist vergeudete Lebenszeit«, bemerkte Mama.

Ausnahmsweise stimmte Papa ihr zu: »Richtig. Meine

Töchter haben etwas Besseres zu tun. Männer gibt es wie Melonen auf dem Feld; wenn die Zeit gekommen ist, dann geht ihr einfach aufs Feld und sucht euch eine aus.« Unser Einwand, er sei dann ja auch nur eine Melone, die seinerzeit von unserer Mutter gepflückt worden war, wischte er vom Tisch: »Alle Männer, ohne Ausnahme, sind Melonen, die darauf warten, von den Frauen gepflückt zu werden.« Eben die typisch entwaffnende Ehrlichkeit meines Vaters.

Nun meinte er, Nihal habe sich wohl in irgendeinen Kerl verguckt!

»Dein Vater hat recht«, sagte Nihal am nächsten Tag, »ich habe mich wirklich verliebt.«

»Wie schön«, antwortete ich ehrlich, »wie heißt denn der Glückliche?«

»Nun, die Sache ist anders als du denkst.«

»Aha! Wieso?« Meiner Cousine musste man anscheinend alles aus der Nase ziehen.

»Mach es nicht so spannend, was ist denn mit dem Typen?«

Im Geiste ging ich blitzschnell alle Möglichkeiten durch, die Onkel Enver und Tante Gül zum Widerspruch hätten reizen können: War er vielleicht bereits verheiratet und hatte Frau und Kinder? Oder war er kriminell? Oder war er einer dieser türkischen Taugenichtse, die den ganzen Tag nur mit ihrem aufgemotzten Sportwagen um den Block kurven?

»Es ist so«, hob meine Cousine bedeutungsschwanger an, »seine Familie ist ganz anders als unsere, verstehst du, sie sind klassische Gastarbeiter.«

»Und wo hast du ihn kennengelernt?«

»Na, wo wohl, an der Uni natürlich.«

Langsam gefiel mir die Geschichte, denn so nah waren wir in unserer Familie noch nie an der sozialen Wirklichkeit. Bis auf Papas sozialistischen Bildungszirkel, aber der war auch nicht wirklich privater Natur gewesen. Wie würde mein Onkel reagieren? Wie der Rest der Familie? Speziell Mama fragte doch jeden jungen Mann, der über die Türschwelle schritt, erst einmal nach dem Beruf des Vaters. Herkunft bedeutete für sie immer nur die familiäre, nie jedoch die ethnische. Jetzt wurde es auf jeden Fall heiß: Nihal hatte sich in einen »schwarzen« Türken verliebt, einen unterprivilegierten Türken aus den ländlichen Gebieten Anatoliens. Das war der Lackmustest für die soziale Ader meiner Familie!

»Wo kommt er denn her?«, fragte ich vorsichtig.

»Vom Schwarzen Meer«, antwortete Nihal, »genau genommen aus einem Dorf in der Nähe von Trabzon.«

»Und«, hakte ich nach, »warst du schon mal bei ihm zu Hause?«

»Nein«, antwortete sie, »seine Eltern sind sehr konservativ, die dürfen gar nicht wissen, dass er eine Freundin hat.«

Es wurde immer aufregender: eine heimliche Liaison, ausgerechnet unsere Nihal.

»Schade«, sagte ich, »ich würde gerne mal so eine Familie besuchen ...«

»Was bist du so egoistisch«, schnaubte meine Cousine, »ich bin unglücklich, und du willst in den Zoo!«

Nachdem sie mir das Versprechen abgenommen hatte, mit niemandem über ihre Situation zu sprechen, verschwand Nihal in ihrem unglücklichen Glück.

Als sie ein paar Tage später wieder auftauchte, hatte sie noch mehr Neuigkeiten. Neuigkeiten, die jedoch schlimmer waren als angenommen: Es war nicht nur so, dass seine Eltern nichts von der Beziehung wissen durften, weil sie zu konservativ waren. Nein, sie hatten zudem genaue Vorstellungen, wie ihre zukünftige Schwiegertochter beschaffen sein müsse ... kurzum, sie waren fest entschlossen, ihren Sohnemann mit seiner Cousine auf dem Dorf zu verheiraten.

»Entschuldige, aber das ist doch pervers«, sagte Peyda, die inzwischen auch informiert worden war. Es war naiv gewesen zu glauben, in meiner Familie könne ein Geheimnis länger als 24 Stunden geheim bleiben.

»Was meinst du?«, fragte Nihal, die nun ihre Taktik änderte und mit allen ihr Problem besprechen wollte, was im Übrigen auch eher der Familientradition gerecht wurde.

»Na, dass man seine Cousine heiratet, das ist doch krank, oder?«

Bald drauf war auch Mama im Bilde. Sie forderte Nihal auf, ihm den Laufpass zu geben. »Du läufst diesem Kerl mit Cousine und Trallala bestimmt nicht hinterher! Außerdem«, ergänzte sie mit ruhiger Stimme und aller Vorsicht, »das passt nicht zusammen.«

Mitten ins Lamentieren kam die Bitte von Tante Gül, Mama möge diesen unpassenden Kerl zum Abendessen einladen.

»Warum denn du?«, fragte ich Mama.

»Dann ist das Essen auf neutralem Boden. Tante Gül und natürlich auch Onkel Enver möchten diesen Menschen kennenlernen, aber nicht zu sich nach Hause einladen, da springe ich halt ein.« Mamas Einladung war sozusagen ein Kompromiss.

Natürlich waren wir alle mit von der Partie, denn erstens lässt sich in unserer Familie niemand ein solches Ereignis entgehen, und zweitens waren wir alle bis aufs äußerste gespannt.

Diesen Abend werde ich nie vergessen: Wie wir in kompletter Besetzung am Tisch saßen und auf die Ankunft des jungen Mannes warteten. Alle brabbelten durcheinander, und Nihal, man sah es ihr an, starb tausend Tode. Dann schließlich klingelte es an der Tür, und der arme Kerl erschien. Ein schlaksiger junger Mann mit einem kantigen Gesicht und einer großen Nase. Aber irgendwie mutig. Oder sehr verliebt. Wer sonst würde freiwillig die Strapazen dieses Abendessens auf sich nehmen?

Schon an der Tür stießen die unterschiedlichen Welten zusammen. Ali wollte sich die Schuhe ausziehen. »Bitte nicht«, sagte Mama »treten Sie doch mit Ihren Schuhen ein.

Wir besitzen gar keine Besucher-Hausschuhe, und Sie sollen ja nicht auf Strümpfen laufen.« Eigentlich meinte sie: »Wir wollen nicht, dass Sie auf Ihren Käsesocken durch unsere Wohnung laufen.« Das sagte sie aber nicht.

An dieser Stelle muss ich kurz erklären, was »Besucher-Hausschuhe« sind: Bei vielen Familien in der Türkei ist es üblich, sich an der Haustür die Schuhe auszuziehen. Als Besucher hat man keine Wahl, besteht die Hausfrau darauf, dass man sich die Schuhe auszieht, muss man das tun. Als Gegenleistung besitzen solche Haushalte folgerichtig mehrere Hausschuhe in unterschiedlichen Größen, die sich die Besucher überstreifen. Diese Hausschuhe sind meistens ziemlich abgetragen, da sie über Jahrzehnte von Besucher zu Besucher weitergereicht worden sind. Dementsprechend ist auch ihr hygienischer Zustand nicht der beste. Man bekommt in der Regel als Besucher oder Besucherin die Hausschuhe, die einem in der Größe am nächsten sind, hat aber keinen Anspruch darauf. Je nachdem über wie viel Paare der Haushalt verfügt, kann das in der Praxis um zwei bis drei Größen variieren (nach oben oder nach unten) und sieht an den Füßen ziemlich lächerlich aus, zumal Form und Farbe bei der Vergabe an die Gäste keine Rolle spielen. Wie oft ist es mir schon passiert, dass ein wildfremder Mann auf meine Füße schaute und mich mit den Worten »Wollen wir tauschen?« ansprach. Ein Blick auf seine Füße zeigte mir, dass er beim Eintreten rosafarbene Damenpantoffeln mit Rosenapplikationen der Größe 37 abbekommen hatte, während ich selbst in ledernen Herrenslippern der Größe 47 herumlief. Der Wunsch nach Tausch entsprang aber ganz sicher nicht ästhetischen Gründen, sondern weil die Damenpantoffeln der Größe 37 ihn sichtlich drückten. An dieser ästhetischen Schnittstelle sind die Türken völlig schmerzfrei. Diese Sitte – in den Augen meiner Eltern eine Unsitte – war in unserem Haushalt unbekannt. Papa behauptete – wahrscheinlich zu Recht –, dass menschliche Füße, einmal den Schuhen entronnen, in denen sie über Stunden eingesperrt gewesen waren, unangenehme Gerüche entwickeln würden, die sich in diesen Pantoffeln und in der ganzen Wohnung verbreiteten. Außerdem war er der Meinung, dass diese Pantoffeln der Mutterherd aller Fußpilzerkrankungen seien. Mama war der Meinung, dass Schuhe unbedingt das Outfit komplettieren würden, und der Zwang zum Schuheausziehen einer modischen Vergewaltigung gleichkäme.

Wie auch immer, Ali wurde an der Tür beschworen, seine Schuhe bitte nicht auszuziehen, was er auch brav befolgte. Er brachte einen Blumenstrauß mit, der offensichtlich sein normales Budget überstieg.

»Wie lieb«, meinte Tantchen, die natürlich am Tisch saß.

»Völlig überzogen«, zischelte Mama, die wenig Empathie für die angespannte Seelenlage des armen Ali entwickelte.

Der Rest des Abends geriet zu »Business as usual«. Tantchen versuchte sich als Stimmungskanone, Mama fühlte sich für die Verhörmethoden zuständig, und ich machte den Pausenclown – das hatte ich Nihal versprochen. Irgendwann findet auch das schlimmste Verhör ein Ende (Ali erzählte mir später, das seien die unangenehmsten zwei Stunden seines Lebens gewesen), und der Prüfling konnte endlich das Weite suchen.

Danach setzte sich die »Prüfungskommission für zukünftige Partnerinnen und Partner der Familienmitglieder« zusammen. Sie bestand exakt aus denselben Leuten, die an dem Abendessen teilgenommen hatten, mit Ausnahme von Nihal. Sie war wegen angenommener Voreingenommenheit in diesem speziellen Fall aus der Prüfungskommission ausgeschlossen worden. Die Kommission beschäftigte sich mit folgenden Fragen: Wie hatte er sich benommen? Wie waren seine Tischmanieren gewesen? Wie seine Kleidung? Sein Türkisch? Sein Allgemeinwissen? Seine Zukunftsaussichten? Wie würde seine Familie reagieren? Wie würde man mit seiner Familie auskommen?

Papa brachte es im Anschluss auf den Punkt: »Es ist einfacher, auf einer Galeere zu dienen, als in diese Familie einzuheiraten!«

Die Prüfungskommission beeindruckte das nicht im Geringsten. Schließlich war der Eintritt in unsere Familie kein Eintritt in das Paradies, bloß weil man eine reine Seele hat, es gab knallharte Kriterien. Die Prüfungskommission beschloss, den Gegenbesuch bei Alis Eltern abzuwarten, um zu einem runderen Urteil zu kommen, und das endgültige Ergebnis erst danach mitzuteilen. Gnadenfrist für Ali.

In der Zwischenzeit arbeitete es auch auf der anderen Seite. Von Nihal hörten wir die Neuigkeiten der »anatolischen Seite«, natürlich über zwei Ecken:

Alis Version an Nihal, sodann Nihals Version an uns. Demnach hatte Ali seinen Eltern klipp und klar gesagt, dass er die »Frau seines Lebens« gefunden habe und Nihal zu heiraten beabsichtige.

»Wieso heiraten?«, fragte Mama, »das geht doch ein bisschen schnell, empfindet ihr das etwa nicht so?« Sie wollte auf Zeit spielen, in der Hoffnung, dass die Geschichte im Sand verlaufen würde …

»Bei denen ist das so«, erklärte Nihal, »da schreitet man direkt zur Hochzeit, eine Liaison ohne Trauschein gibt es nicht. Entweder man ist verheiratet oder nix …«

»Ja, dann lieber nix«, murmelte ich, und als ich den wohlwollenden Blick meiner Mutter auf mir ruhen spürte und der Panik in Nihals Augen gewahr wurde, lächelte ich versöhnlich und sagte: »War nur Spaß.«

»Willst du ihn wirklich heiraten?«, fragte Mama. »So schnell, als ob was anbrennt?«

So direkt hatte das bis dato keiner ausgesprochen. Stille im Raum, eine Seltenheit bei meiner Familie.

»Ja«, brach Nihal in die Stille ein, nach kurzer Überlegung fuhr sie fort: »Ja, das will ich, ich liebe ihn!«

Mama stand auf und verließ den Raum – wie ein Fußballfan, der zehn Minuten vor Spielende das Stadion verlässt, weil seine Mannschaft sowieso mit null zu vier zurückliegt. Danach erklärte sie ihre Mitgliedschaft an der Prüfungskommission für beendet, weil sie nicht am Unglück des »Kindes« beteiligt sein wolle. Also wollte sie auch bei dem Gegenbesuch bei Alis Eltern nicht mehr dabei sein.

»Wir wollen die Leute nicht überfordern«, sagte sie scheinheilig, »so viele Personen auf einmal. Wer weiß, ob sie überhaupt genug Platz haben und Stühle und Geschirr!«

Wir anderen waren nicht so konsequent wie Mama. Opportunistisch wie wir waren, tanzten wir ein paar Wochen später bei Alis Eltern an.

So ganz unrecht hatte Mama, das alte Lästermaul, nicht. Natürlich war bei Alis Eltern alles anders: Die Wohnung sah anders aus, es roch auch anders. Schon an der Haustür türmten sich Berge von Schuhen (von den bereits anwesenden Gästen, aber das wussten wir zu dieser Zeit noch nicht), auch wir mussten die Schuhe ausziehen, was Mama, wäre sie dabei gewesen, schon an der Türschwelle zur Umkehr bewogen hätte. Auf dem Boden lagen *Kelims* – vom vielen Waschen schon ganz abgeschabt –, die Wände waren kahl wie eine Männerglatze, nur ein Bild von Mekka prangte an prominenter Stelle, in gebührendem Abstand ein Abreißkalender. Die willkürlich zusammengewürfelten Möbel waren billig und sahen nach Plaste und Elaste aus. Alis Eltern begrüßten uns zwar freundlich, aber nur mühsam verbargen sie ihre Distanz zu uns. Die Mutter trug ein Kopftuch, das ganz anders aussah als Tantchens. Sie hatte irrsinnig viel gekocht. Auch setzte sie sich nicht mit uns an den Tisch, sondern bediente uns nur – zu unserer Verwunderung fügte sich Nihal gleich in ihre Rolle und half ihr.

Beim Essen saßen wir beengt auf der Couch, weil so viele Leute im Raum waren. Sie alle hatten uns sehen wollen, Nachbarn und Freunde, nur einige von ihnen aßen mit, die anderen glotzten nur. Wie hatte Nihal gesagt: »Du willst doch bloß in den Zoo.« Sie lag nur knapp daneben, jetzt waren wir es, die betrachtet wurden. Meine Schwester feixte derweil herum, und auch ich war ziemlich überfordert; ich wusste nicht, ob ich als Pausenclown hier gut ankommen würde. Onkel Enver und Tante Gül aßen um die Wette, nur Tantchen machte Konversation. Sie versuchte, sich geographisch an die Gastgeber heranzurobben. »Ich habe gehört, Sie sind aus Trabzon«, parlierte sie, »ich war mal in meiner Jugend dort zu Besuch. Eine sehr hübsche Stadt.«

»Wir sind nicht aus der Stadt«, antwortete Alis Vater bedächtig, wir sind aus einem Dorf 60 Kilometer von Trabzon entfernt.«

»Jaa …« Tantchen lächelte und nickte, da wusste sie auch nichts mehr zu sagen.

Die Prüfungskommission konnte ihrer Aufgabe kaum gerecht werden, sie war schlichtweg überfordert: Ihre Kriterien galten zudem in dieser Welt nichts, sie waren nichts wert, es war schlicht wie auf einem anderen Stern. Vor wenigen Wochen noch war Ali heilfroh gewesen, als er das Abendessen bei meiner Familie überstanden hatte, und nun erging es uns nicht anders. Recht so!

Am nächsten Wochenende trat die Prüfungskommission zusammen – in eigenen Gefilden fühlte sie sich wieder stark. Mama war auch dabei, das erste Wort hatte jedoch Onkel Enver: »Nihal, mein Kind«, hob er ein wenig feierlich an. »Du hast die Verhältnisse im Haus von Alis Eltern gesehen, auch wir haben die Verhältnisse gesehen. Wenn du ihn immer noch heiraten willst, dann muss es tatsächlich die große Liebe sein. Wenn dem so sein sollte, sage ich nichts mehr!«

Bravo! Die anderen sagten auch nichts mehr, sie nickten bloß stumm, sie waren müde vom überwältigenden Abendessen. »Ja«, sagte Nihal, »ich liebe ihn und werde ihn heiraten!«

»Und seine Familie«, ergänzte Mama.

Nihal nickte: »Ist mir schon klar, dass ich mich mit ihnen arrangieren muss.«

Was dann folgte, war fast schon gelebte Normalität: Ali hatte seinen Eltern ein Ultimatum gesetzt, also hielten Elmas und Adem (so hießen die Eltern von Ali) bei Onkel Enver und Tante Gül um Nihals Hand an, und die beiden gaben mit süßsaurer Miene ihre Zustimmung.

Nun stand der Hochzeit nichts im Wege, die nach türkischer Tradition die Seite des Bräutigams hätte ausrichten müssen. Da sich die Familie von Ali ohnehin schon im Nachteil wähnte, wäre es ein Affront gewesen, ihnen nahezulegen, auf die Ausrichtung der Hochzeit zugunsten unserer Familie zu verzichten. Das ging einfach nicht, denn das hätte ohne große Umschweife bedeutet, dass beide Familien eben nicht zusammenpassten. Andererseits, eine Hochzeitsfeier, die Alis Familie ausrichten würde, würde möglicherweise eine blamable Geschichte werden.

Mama ließ die Sache nicht los, sie war Feuer und Flamme: »Gül«, sagte sie zu meiner Tante, »ihr müsst es dem jungen Mann sagen … ich meine, wie sieht denn so eine Hochzeit aus, die sie ausrichten? Denk doch an all die Familienmitglieder, die extra aus der Türkei anreisen. Wir werden uns bis auf die Knochen blamieren.« Sie betonte das »wir«, um meiner Tante zu zeigen, dass eigentlich »ihr« gemeint war.

Nihal war außer sich. »Nein«, schrie sie, »nein und nochmals nein! Ihr werdet das Ali nicht zumuten, seinen Eltern sagen zu müssen, dass sie nicht gut genug sind für die Hochzeitsfeier!«

»Aber, aber«, wiegelte Mama ab, wer redet denn davon? Es geht doch nicht darum, dass sie nicht gut genug sind oder dergleichen … sondern, dass sie nicht überfordert werden, menschlich wie auch finanziell!«

Dabei blickte sie so unschuldig drein, als ginge es ihr wirklich um Alis Eltern. Wer aber meine Mama nur ein wenig kannte, wusste, dass ihr die Eltern von Ali am Allerwertesten vorbeigingen. In allererster Linie ging es ihr um sich. Sicher, Nihal war nicht ihre Tochter, nicht mal ihre leibliche Nichte. Aber es half nichts, auch wenn sie sich nicht wirklich als Teil dieser *Sülale,* dieser Sippe, sah, es würden auch ihre Verwandten und Freunde zu der Hochzeit kommen. Und sollte das Ganze zu einer Art »Gastarbeiterhochzeit« ausarten, wäre auch sie blamiert, weil sie zufällig vor 30 Jahren in diese Familie eingeheiratet hatte.

Alles Flehen und Bitten half nichts: Nihal zeigte erstaunliche Charakterstärke. »Ich werde Ali nichts sagen«, entschied sie, »und ihr auch nicht!« Basta. Aber was sie dann sagte, grenzte an einen Skandal: »Wenn es euch nicht passt, könnt ihr ja der Hochzeit fernbleiben.«

Stille. Luftholen. Der Hochzeit fernbleiben. Die eigene Familie. Wir sollten verraten und verkauft werden für diesen hergelaufenen Kerl.

»Dieser Ali muss es ja wirklich bringen«, meinte Mama vielsagend, »wenn ihr versteht, was ich meine.«

O ja, wir verstanden nur zu gut, und wir trauten unseren Ohren nicht. Dieser Spruch grenzte für Mama schon an Obszönität.

»Ihr könnt der Hochzeit fernbleiben!!!!«

Der Satz beschäftigte uns die folgenden Wochen fast durchgängig. Er wurde immer wieder analysiert, diskutiert, und schließlich kamen wir zu dem Schluss, das Nihal aus Liebe wahrscheinlich völlig erblindet sei für das wahrhaft Wichtigste im Leben: die Familie.

»Vielleicht haben sie sie ja verhext«, meinte mein abergläubisches Tantchen.

»Semra«, brummte Papa, »hör mit dem Quatsch auf, Nihal hat einfach neue Prioritäten.«

Als waschechter Sozi brachte es Papa nicht übers Herz, etwas Böses über Alis Familie zu sagen … endlich mal richtige Proletarier in der Familie! Wahrscheinlich träumte er davon, diesen Leuten in den nächsten Wochen mehr Klassenbewusstsein beizubringen. Mein gutes Tantchen sagte nichts mehr, sie wischte sich aber heimlich eine Träne aus dem Gesicht. Das ging ja gut los mit diesem hergelaufenen Ali! Noch nicht verheiratet, aber mein Tantchen zum Weinen bringen.

Wir hielten still und ließen den Ereignissen ihren Lauf. In den letzten Wochen vor der Hochzeit war Nihal mehr bei Alis Familie als bei uns. Bei uns waren derweil alle noch immer tödlich beleidigt, und sie taten so, als ob sie die anstehende Hochzeit überhaupt nicht interessierte. In Wirklichkeit dachten wir natürlich an nichts anderes. Ja, mehr noch: Alle, aber wirklich alle waren fest entschlossen, Nihal und Ali zu zeigen, wo der Familienhammer hängt. Auch mein ansonsten sanftes und liebevolles Tantchen.

Nun müssen Sie wissen: Bei türkischen Hochzeiten gibt es eine Frage, die angesichts der Fülle an Gästen eine Ordnung in das Chaos bringt: »Kiz tarafi mi – oglan tarafi mi?« Das heißt: »Gehören Sie zur Familie der Braut oder des Bräutigams?« Das schafft Klarheit und trennt die Spreu vom Weizen. Man weiß, wer wer ist, und niemand muss mit den Falschen Brüderschaft trinken. Auch hat dies ein wenig von einer Parteizugehörigkeit, schließlich stellt man in der Politik dieselbe Frage: »Ist er einer von uns? Oder gehört er der anderen Seite an?« Der bevorstehende Kulturkampf war also auch bei Nihals Hochzeit zu erwarten.

Und dann brach die Hochzeitswoche an: Am Freitag sollte die standesamtliche Trauung stattfinden, und am Samstag die große Feier folgen.

Bezüglich der standesamtlichen Trauung ist auch noch ein essenzieller kultureller Unterschied zu melden: die Frage der Trauzeugen. Dieser Posten ist bei den Türken eine Frage von Prestige und Ehre. Der Trauzeuge muss ein besonders wichtiger Mensch sein … Je wichtiger, desto besser – das dürfte dem verehrten Leser nicht unbekannt sein, denn es ist in Deutschland ja nicht viel anders. In der patriarchalischen türkischen Kultur sind die meisten wichtigen Menschen jedoch ... Männer. Auch das dürfte nicht unbekannt sein, denn auch das ist in Deutschland nicht viel anders. Die Familien versuchen sich dabei zu übertrumpfen, welche denn nun die wichtigsten Trauzeugen aufbieten kann. Bei dieser Frage haben die Heiratenden selbst nicht oder nur schwach mitzusprechen. Das ist eine Prestigefrage der Eltern. Ergo versucht der Bankangestellte, bei der Hochzeit seiner Tochter seinen Chef, den Bankdirektor, zu bewegen, Trauzeuge zu werden. Der Bankdirektor wirbt den Generaldirektor. Und der Generaldirektor tunlichst den Finanzminister.

Manchmal bringt das auch unerwartete Folgen mit sich: Im Jahre 1974 bat ein Mann seinen Chef, zufällig ein Onkel von mir, als Trauzeuge bei der Hochzeit seines Sohnes zu fungieren. Mein Onkel nahm gerne an. Die Braut stammte aus einer sozialdemokratischen Familie, und es war ihrem Vater gelungen, den damaligen Ministerpräsidenten Bülent Ecevit als Trauzeugen für seine Tochter zu gewinnen. Ecevit stand damals auf dem Höhepunkt seiner Popularität. »Um die 600 Gäste«, erzählte uns Wochen später mein Onkel, »saßen schon im Trausaal, als Ecevit mit seinen Sicherheitsleuten hereinkam. Es gab kein Halten mehr: Alle applaudierten, sprangen auf und wollten ihm die Hand schütteln. Einige riefen »Bravo, Ecevit«, Mütter drückten ihm Babys in den Arm, um dann ein Foto zu schießen. Der Standesbeamte hatte Schweiß auf der Stirn und forderte die Menschen immer wieder auf, sich hinzusetzen. »Wir wollen doch mit der Trauung beginnen.« Doch niemand interessierte sich mehr dafür, weswegen sie eigentlich gekommen waren. »Ich saß mit dem Brautpaar vorne, aber wir waren völlig abgeschrieben. Es hat fast eine halbe Stunde gedauert, bis der Standesbeamte das Paar getraut hatte.«

»Und dann?«, fragte Papa.

»Tja«, hob mein Onkel an, »ich bin auch bekennender Ecevit-Fan. Also habe ich die Situation gnadenlos ausgenutzt … und habe ein Foto mit ihm schießen lassen. Die beiden Trauzeugen zusammen. Wollt ihr es sehen?«

Wenn man nicht aufpasst und die Prominenz der Trauzeugen nicht vernünftig dosiert, können diese dem Brautpaar die Show stehlen. Jedenfalls ist diese Frage sehr, sehr wichtig im Hinblick auf die soziale und gesellschaftliche Position, die Weltanschauung und die Philosophie einer Familie. Der Trauzeuge ist so etwas wie der Lackmustest: Bitte ich den allseits respektierten Onkel oder den neureichen Cousin? Meinen alten Professor oder meinen jungen Parteichef? Den intellektuellen Schriftsteller oder den erfolgreichen Unternehmer?

Nun, auch bei Nihal und Ali würde sich die Trauzeugenfrage stellen, das war uns allen klar. Zwangsläufig. Und dieses Mal konnten wir 1:0 in Führung gehen: Nihal wusste, dass sie jetzt Kompromisse eingehen musste, nach all dem, was sie der Familie zugemutet hatte. Wieder saß also das Beratungsgremium der Familie beieinander: Onkel Enver und Tante Gül, also Nihals Eltern, meine Eltern und Tante Semra, dazu die Geschwister der Braut, meine Schwester und ich.

»Nun«, sagte Onkel Enver zu Papa, er hatte als Brautvater das erste Vorschlagsrecht. »Ich finde, du solltest unseren Trauzeugen machen, du bist nicht nur ihr geliebter Onkel, du bist auch ein Sozialist und wirst für die Gegenseite die richtigen Worte finden.« Das war natürlich ein interessantes Auswahlkriterium, Onkel Enver hatte offensichtlich lange über das Thema nachgedacht.

»Haha«, warf Mama ein, »so leicht willst du es diesen Leuten machen«? Kein Zweifel, Mama war alles, nur keine Sozialistin.

»Was heißt so leicht?«, fragte Onkel Enver nach, »eine standesamtliche Trauung ist kein Kampfplatz. Außerdem«, fügte er hinzu, »hier in Deutschland findet die standesamtliche Trauung für türkische Staatsbürger auf dem Konsulat statt, und das wird doch sowieso niemand zur Kenntnis nehmen.«

Das war für meinen Vater zwar wenig schmeichelhaft, es stimmte aber. Bei einer »Konsulatshochzeit« musste man nun wahrlich nicht angeben. Und die Trauung mit meinem Vater als Trauzeugen nahm also ihren sozialistischen Gang.

Für die Hochzeitsfeier hatten wir uns schon die gruseligsten Geschichten ausgemalt: Wie wir in einem der in Deutschland üblichen Hochzeitssalons landen würden. Hier muss ich etwas ausholen und der mit der Materie nicht vertrauten Leserschaft erklären, was ein Hochzeitssalon ist. Auf Grund der Tatsache, dass Türken bei ihren Hochzeitsfeiern zwischen 1000 und 1500 Leute einladen, die ja alle eingeladen werden *müssen,* benötigt der Türke Hochzeitssalons. Von denen existieren in der Türkei eine Menge und in jeder Kategorie. Nur in Deutschland lag diese Branche lange Zeit brach, bis gewiefte Geschäftsleute diese Marktlücke erkannten. Seitdem betreiben sie in Deutschland in den Industriegebieten Hochzeitssalons der Kategorie »Hauptsache geräumig«. Diese Hochzeitssalons sind riesige Säle, die leicht bis zu 2000 Leute aufnehmen können und ansonsten den Charme eines Getreidesilos haben. Ausgestattet sind sie meistens mit langen Plastiktischen, die praktischerweise mit weißen Papierrollen abgedeckt sind, um die herum so viele Stühle gestellt werden wie Gäste erwartet werden. Und da alle Hochzeitssalonbetreiber von Innovation und Konkurrenzdenken beseelt sind, versucht jeder Betreiber seinem Getreidesilo eine gewisse Note zu geben, indem er zum Beispiel die Wände himmelblau färbt oder für das Brautpaar eine Rampe an der Bühne einbaut, wo sie den ganzen Abend unter Plastikgirlanden sitzen müssen. Gleich neben dem Orchester, dessen Motto lauten könnte: »Wir spielen laut und lange!«

Die Türken feiern natürlich nicht auf der ganzen Welt nach dem gleichen Schema Hochzeit. Aber nein, Hochzeiten von

Türken in Deutschland sind speziell: In Deutschland hat sich unter den Türken eine eigene Hochzeitskultur entwickelt, die einem strengen Ritual unterworfen ist. Es gibt Leute, für die ist eine türkische Hochzeit in Deutschland das Größte. Für Mama war sie das Peinlichste. Nachdem sie einmal aus Versehen eine Einladung angenommen hatte, wusste sie, wie eine türkische Hochzeitsfeier in Deutschland ablief.

Eine solche Hochzeit fängt nachmittags um 16 Uhr an und dauert circa zwölf Stunden. Um die 1000 Leute, mal mehr, selten weniger, sitzen an den Tischen in diesem Getreidesilo. Und die ganze Zeit gibt es Musik. Und immer in gleicher Lautstärke. Wenn das Orchester mal eine Pause einlegt, weil einige Musiker gewerkschaftlich organisiert sind und es rundweg ablehnen durchzuspielen, kommt ein Sänger oder eine Sängerin auf die Bühne, von deren Gesangskünsten nur die Person selbst überzeugt ist. Auf Nachfrage erfährt man, dass es sich bei dem Betreffenden um den Sohn oder die Tochter eines Nachbarn handelt, der oder die Karriere machen will und glaubt, dass ausgerechnet diese Hochzeitsfeier den künstlerischen Durchbruch bringen könnte. Manche haben ihre eigene Band dabei, das reißt die Sache aber auch nicht richtig raus, weil es sich auch bei diesen Menschen um Amateure handelt. Da Türken, die ja im Allgemeinen extrovertierte Menschen sind, für ihr Leben gern auf der Bühne stehen, gestaltet sich so eine Hochzeitsfeier musikalisch gesehen wie »Deutschland sucht den Superstar«. Nur lauter und ohne Jury. Derweilen sind ungefähr 800 Leute gleichzeitig am Tanzen, was zusätzlich die Raumtemperatur anheizt und auf gefühlte 45 Grad steigen lässt. Manchmal kann auch das Brautpaar mittanzen. Aber die meiste Zeit muss es da oben sitzen und auf seinen besonderen Auftritt warten.

Für das Brautpaar gibt es streng genommen nur zwei Auftritte während der ganzen Feier: einmal beim Anschneiden der Hochzeitstorte (nicht vergessen: Auch die muss für 1000 Leute reichen) und dann bei der Geschenkübergabe, wenn alle Gäste sich der Reihe nach aufstellen und dem Brautpaar entweder Geld oder Gold anstecken, was durch einen eigens dafür engagierten Alleinunterhalter per Mikrophon in den Saal hinausposaunt wird. Das geht ungefähr so: »Von der Tante der Braut, Fatma Öztürk, ein goldenes Armband für die Braut und 200 Euro für den Bräutigam.« Und dann das Obligatorische: »Sag olsunlar, var olsunlar!«, was wörtlich übersetzt so viel wie »Sie soll lange gesund leben« heißt, im übertragenen Sinne aber als Dank verstanden werden muss. Es ist faszinierend, wie der Alleinunterhalter dieses »Sag olsunlar, var olsunlar!« jedes Mal, aber auch wirklich jedes Mal wiederholt. Stellen Sie sich das mal vor: bis zu 500- oder 600-mal hintereinander. Aber, wenn er es bei einem der Gäste vergäße, wäre dieser Gast ausgeschlossen, dadurch tödlich beleidigt, und das würde noch 100 Jahre erzählt werden. Eine Katastrophe. Also wiederholt der Alleinunterhalter den Spruch wie ein Mantra, und jeder Gast, der sein Geschenk abgibt, freut sich. Irgendwann, wenn auf dem Brautkleid oder dem Anzug kein Platz mehr ist, findet sich ein mit Satin ausgeschlagenes Körbchen, farblich abgestimmt auf die Wände des Hochzeitssalons, in das der Rest hineinkommt.

Dann klettert das Brautpaar wieder auf die Rampe. Der Tisch vor ihnen sieht zu dem Zeitpunkt schon relativ unordentlich aus, weil einige Gäste, die modern sein wollen, doch lieber ein WMF-Tablett oder irgendetwas in der Art gekauft haben, statt zu akzeptieren, dass Bargeld lacht … und diese Geschenke blockieren nun einen filigranen Rokoko-Tisch. Daneben liegen Blumensträuße, die nicht mehr so taufrisch aussehen, und auch das Essen für das Brautpaar ist auf einem Tablett dort abgestellt worden. Während die Gäste im Saal es sich schmecken lassen, scheinen türkische Brautpaare traditionell keinen rechten Appetit zu haben, jedenfalls habe ich es nie anders erlebt. So modert das Essen auf dem Tablett vor sich hin und macht aus dem Sammelsurium auf dem Rokoko-Tischchen ein Stillleben.

Hinter diesem Stillleben sitzt also das Brautpaar, und auf der Bühne spielt schon wieder die Band. Das, was das Brautpaar da oben auf der Rampe erdulden muss, erfüllt nach den Kriterien aller Menschenrechtsorganisationen locker den Tatbestand von Folter. Zwölf bis 14 Stunden still sitzen neben ohrenbetäubendem Lärm, der sich Musik nennt. Und die Tatsache, dass das Brautpaar keinerlei Chance hat, diesem Lärm zu entfliehen.

Natürlich ist die Bewirtung mager und im Prinzip standardisiert. Es gibt entweder ein halbes Grillhähnchen pro Gast, mit Reis versteht sich, oder (das ist die ganz sparsame Version) eine türkische Pizza pro Gast, mit Salat versteht sich. Dazu Softdrinks: sprich Cola- und Fanta-Flaschen auf den Tischen. Und Chips. Das tut aber der Freude der Gäste keinen Abbruch. Oft bieten die Hochzeitssalonbetreiber unterschiedliche ›All-inclusive‹-Angebote an, aber das Prinzip ist immer das Gleiche, die Unterschiede liegen in der Üppigkeit des Angebots: halbes Hähnchen oder Döner Kebab? Zwei Sängerinnen oder drei? Doch eine Tanztruppe oder lieber keine?

Gegen zwei Uhr nachts brechen die ersten Gäste auf, das sind meist die, die Kleinkinder dabei haben. Diese schlafen zu dem Zeitpunkt bereits seit mehreren Stunden auf den Tischen oder zwei zusammengeschobenen Stühlen, eingehüllt in mitgebrachte Decken und Jacken. Da man sehr früh in die Freuden der deutsch-türkischen Hochzeitsfeier eingeführt werden muss, um Spaß daran zu haben, nehmen Mütter ihre Säuglinge, wenn es sein muss, am Tag nach der Entlassung aus der Entbindungsklinik zu Hochzeitsfeiern mit. Und da die Kinder das Hochzeitfeiern praktisch mit der Muttermilch aufsaugen, können sie auch in diesem Ambiente schlafen.

Gegen drei brechen die Gäste mit den Schulkindern auf, die zu dem Zeitpunkt immer noch herumwieseln. Einige wenige Kinder hängen auch weinend auf den Stühlen herum, weil sie müde sind. Das sind die, die einen schlechten Tag haben.

Gegen vier sind dann nur noch junge Leute übrig, die die Gelegenheit, dass die Tanzfläche so schön frei geworden ist, nutzen, und noch rasch bis sechs tanzen. Unter diesen Umständen ist es doch sehr von Vorteil, dass die Hochzeitssalons in Industriegebieten sind, weil es dadurch keine Nachbarn gibt, die sich gestört fühlen könnten.

Und da jeder jeden einlädt, besteht theoretisch jedes Wochenende die Chance, irgendwo auf einer Hochzeitsfeier zu sein. Die Leute, die diese Einladungen annehmen, behaupten, dass es sehr, sehr unhöflich wäre, eine Einladung abzuschlagen. Das ist natürlich nicht wahr. In Wirklichkeit lieben sie diese Art von Freizeitgestaltung so sehr, dass sie sogar zu »Auswärtsspielen« bis ins benachbarte Ausland fahren. Von Touren in Deutschland ganz zu schweigen.

Andere finden diese Hochzeitsfeiern einfach nur schrecklich. Zum Beispiel meine Mama: Dieses Hochzeitsspezial »made in Germany« war für Mama das »Nonplusultra« an Peinlichkeit, und es hatte ihr in den letzten Wochen schlaflose Nächte bereitet, mit ihren Gästen einen solchen unvergesslichen Abend in einem Hochzeitssalon verleben zu müssen.

Aber ihre Befürchtungen waren umsonst gewesen. Gott sei Dank.

 Alis Eltern hatten sich nicht lumpen lassen: Nihals und Alis Hochzeitsfeier fand in einem romantischen Haus am See statt.

»Wie hast du sie rumgekriegt?«, fragte meine Schwester neugierig.

»Was meinst du?« Nihals Stimme klang schrill und gereizt.

»Hör mal, dieses noble Restaurant ist doch nicht auf dem Mist deiner Schwiegereltern gewachsen!« Meine Schwester grinste frech. »Ich meine, wir waren doch bei denen zu Hause, das ist doch nicht deren Liga!«

»Meine Schwiegereltern richten die Hochzeit aus, dann dürfen sie auch die Lokalität aussuchen, oder?«

»Hör doch auf«, entgegnete meine Schwester, nun auch ein wenig gereizt, »mit diesen formalen Spielchen. Du hast dieses Lokal ausgesucht, und die armen Menschen haben zugestimmt, und jetzt dürfen die bezahlen, dass ihnen Hören und Sehen vergeht.«

»Und wenn es so wäre, was wäre denn schlimm daran?« Diese tadelnde Stimme gehörte meiner Mama. Die Tatsache, dass die Feier in einem einigermaßen standesgemäßen Restaurant stattfand, ließ sie tatsächlich Partei für Alis Eltern ergreifen.

»Ich freue mich jedenfalls sehr auf die Feier«, sagte mein herzensgutes Tantchen schnell, um die Schärfe aus der Unterhaltung zu nehmen.

Der große Tag brach an: Nichts konnte uns davon abhalten, schon mittags bei Onkel Enver und Tante Gül vorbeizuschauen. Vielleicht benötigten sie ja Hilfe, mutmaßte meine Schwester. »Oder seelische Unterstützung«, meinte ich. Wir kicherten und fuhren los. Im Gegensatz zu uns, die wir bester Laune waren, sah die arme Nihal so aus, als würde sie in Kürze dekompensieren.

»Too much für sie«, flüsterte mir meine Schwester ins Ohr. Das Brautkleid war jedoch erste Sahne, ich war stolz auf meinen Geschmack. Auch die Arbeitsteilung war gut gewesen: Ich war für die modische Beratung zuständig gewesen, Alis Mutter hatte die Rechnung übernommen.

Später im Lokal musste niemand die Frage stellen, ob man nun zur Familie der Braut oder des Bräutigams gehöre. Das sah man auf den ersten Blick. Die Verwandten von Ali fremdelten auf ungewohntem Terrain: Nicht nur die Kleidung, die Mama als »einfach geschmacklos« einstufte, es gab noch weitere Indizien. Die Frauen trugen mehrheitlich

Kopftücher, die Männer Schnurrbärte. Sie hatten furchtbar viele Kinder dabei, und die Mädchen waren mit Plastikkleidern herausgeputzt. Beim Empfang konnte man sie an ihren Orangensaftgläsern erkennen, an denen sie sich krampfhaft festhielten, während die anderen Gäste selbstverständlich Sekt tranken.

Danach wurde zu Tisch gebeten und wie von unsichtbaren Magneten gezogen, zerfiel die Hochzeitsgesellschaft in zwei Teile. Integration hin, Integration her: Nihal hatte klugerweise (das konnte nur sie gewesen sein) die Tischordnung so gestaltet, dass die beiden Gruppen jeweils unter sich bleiben konnten. Parallelgesellschaften in einem Saal sozusagen.

Allein am Tisch des Brautpaares saßen Vertreter beider Familien, wobei ich nicht wusste, wie es Onkel Enver und Tante Gül dabei ging. Das würden sie mir in den nächsten Tagen erzählen müssen.

Es ging mit dem Essen los: Bei leiser Harfenmusik servierten die Kellner die Vorspeisen. Ich lauschte gerade den Gehässigkeiten meiner Mama, als es an einem der Ali-Tische (so nannte ich die Parallelgesellschaft auf der anderen Seite des Saales) zu einem kleinen Zwischenfall kam. Einer der Gäste schimpfte mit dem Kellner. Alle Köpfe drehten sich in Richtung des Tisches. Sofort stand Ali auf, um nach dem Rechten zu sehen. Nihal saß kerzengrade auf ihrem Stuhl, in Erwartung eines größeren Eklats. Es wurde aber dann ruhiger, und Ali sprach noch einmal mit dem Oberkellner, der herumlief und alles unter Kontrolle hatte. Man sah richtig, wie Ali ihm ins Gewissen redete, und der Oberkellner mit dem Kopf nickte.

»Ich platze vor Neugier, wenn ich nicht sofort erfahre, was da passiert ist«, flüsterte meine Schwester. Unauffällig schlenderte sie zum Brauttisch, um dann nach fünf Minuten grinsend wiederzukommen. »Der Sachverhalt ist folgendermaßen«, berichtete sie, »die Ali-Leute hatten das Gefühl, dass sie diskriminiert werden beim Service, weil sie nur

Wasser und Cola trinken statt des teureren Weins. Die Kellner haben diese Unterstellung mit Abscheu und Empörung zurückgewiesen und ihrerseits die Feststellung gemacht, die Ali-Leute würden zu schnell essen und wären zu ungeduldig mit dem Essen. Ali hat sie alle beruhigt, und den Oberkellner gebeten, seine Leute bevorzugt abzufüttern.«

Und so ging es den ganzen Abend: Alis Gäste konnten sich nicht wohlfühlen, weil sie zusehen mussten, wie wir tranken, tanzten und uns amüsierten. Irgendwann juckte es meinen Vater: »Ich gehe jetzt an den Tisch von Alis Eltern! Die Leute bezahlen für ein Fest, auf dem sie wie Fremde herumstehen und von dem sie hoffen, dass es möglichst bald ein Ende findet.« Zu meiner Mutter gewandt sagte er: »Und du kommst mit!« Mama war dermaßen überrumpelt, dass sie aufstand und mitging.

Papa marschierte schnurstracks auf Alis Vater zu: »Meine Hochachtung«, sagte er, »für dieses wunderbare Hochzeitsfest. Es ist wirklich gelungen. Hier hat man gar keine Zeit, sich richtig zu unterhalten. In den nächsten Wochen müsst ihr uns mal besuchen, dann lernen wir uns besser kennen.« Und setzte nach: »Jetzt, wo wir doch praktisch verwandt sind.«

Der alte Mann strahlte, und Papa strahlte zurück. Das Risiko, Krach mit meiner Mutter zu bekommen (»Wie konntest du diese Leute einladen, ohne mich zu fragen? Hast du dir die Frage gestellt, ob ich das möchte?«), war Papa geraden Blickes eingegangen.

Zurück am Tisch, führte der Ausruf Mamas: »Diese Leute passen nicht zu uns« bei meinem Papa zu philosophischen Höhen:

»Diese Ehe mag vielen Leuten wie eine Mesalliance vorkommen«, dozierte er, »aber sie ist es nicht. An einem Punkt«, sagte er dann zu Mama gewandt, »hast du sicherlich recht. Alis Familie ist ohne Zweifel anders als wir. Aber denkt daran«, jetzt hatte er sich an den ganzen Tisch gewandt – unsere Identität, auch unsere Familienidentität wird durch die

Differenz zu der anderen Familie bestimmt. Unsere ganze Selbstvergewisserung, wer wir sind und wie wir sind, wird durch diese Differenz ausgelöst. Aber vergesst bitte nie«, hier machte Papa eine kleine Kunstpause, »diese Differenz, die niemand verleugnet, darf nicht dazu führen, dass wir die anderen, in diesem Fall die Familie von Ali, despektierlich behandeln.«

Nach dieser Rede kehrte für einen Moment eine respektvolle Stille ein, wobei einige rasch das Gesagte nachvollziehen mussten.

»Boah«, sagte Tantchen, »du bist phantastisch, du steckst ja jeden Professor in die Tasche! Habe ich dich richtig verstanden, wir können nur so sein, wie wir sind, weil die anderen anders sind?«

»Nicht ganz«, antwortete Papa, »wir spüren unsere Identität, weil es Leute gibt wie Alis Familie, die ganz anders sind. Sie wiederum spüren ihre Identität durch den Kontakt mit uns, also ist es gar nicht schlecht, dass wir uns begegnet sind, es hilft sozusagen beiden Seiten!«

Dieser philosophische Erguss verhalf nicht nur an dem Tag unserer Familie zu einer versöhnlichen Haltung. Tantchen wurde die nächsten Monate nicht müde, überall zu erzählen, wie phantastisch ihr Cousin die Situation auf der Hochzeitsfeier gemanagt hätte.

 An einem Punkt hatte Mama recht behalten: Nihal hatte nicht nur Ali geheiratet, sondern seine ganze Familie. Und die schillerndste Figur dieser Familie war Elmas, die Schwiegermutter.

Eine Schwiegermutter, wie man sie seinem schlimmsten Feind nicht wünscht!

Elmas war eine einfache Bauersfrau vom Schwarzen Meer, die nach ihrer Heirat mit ihrem Mann, der aus demselben kleinen Dorf stammte wie sie selbst, nach Köln gekommen war. Ihre Welt war überschaubar und ihre Ziele bescheiden. Sie hatte drei Kinder und aus allen Kindern war etwas geworden, worauf sie unbändig stolz war, am meisten auf ihren Sohn Ali, der eine akademische Laufbahn eingeschlagen hatte. Sie verstand zwar nicht genau, was er studiert hatte, aber er arbeitete bei einer internationalen Firma, die auch in der Türkei bekannt war. Sogar in ihrem Dorf. Das war ganz wichtig! Während dieses Studiums hatte Ali meine Cousine Nihal kennengelernt. »Gott verfluche diesen Tag« (O-Ton Elmas bei einem Streit). Nie hätte irgendjemand aus unserer Familie den Tag der Begegnung zwischen Ali und Nihal verflucht oder so etwas Lästerliches gesagt, obwohl, wenn man es genau bedenkt, auch wir hätten genügend Anlass dazu gehabt.

Aber Elmas war in einen schwierigen Konflikt gekommen, weil sie mit ihrer Schwester auf dem Dorf schon ausgemacht hatte, dass die Kinder mal heiraten sollten. Nochmal zum Mitschreiben: Sie wollte ihren Sohn mit ihrer leiblichen Nichte verheiraten. Dieser Plan fiel nun ins Wasser (sehr bedauerlich aus Elmas' Sicht), wobei auch Mitglieder unserer Familie (und nicht wenige, möchte ich behaupten) sicherlich nichts dagegen gehabt hätten, wenn der Plan geklappt hätte. Ja, sogar aktive Gegner der Verwandtschaftsehe, wie meine Mutter, die überall Vorträge darüber hielt, wie medizinisch gefährlich und ethisch unakzeptabel so eine Verwandtschaftsehe sei, hätten die Tatsache, dass Ali seine Cousine heiratet, stillschweigend akzeptiert. Ausnahmsweise! Denn dann wäre Ali nie in unser Leben getreten. Aber es war anders gekommen. Bedauerlicherweise trat damit auch Elmas in unser Leben. Das war unvermeidlich, weil sie die leibliche Mutter von Ali war.

Äußerlich sah Elmas so aus, wie sich Fritzchen eine Türkin vorstellt: Sie war klein und dick, trug einen bodenlangen Mantel von undefinierbarer Farbe, dazu ein Kopftuch über die Schultern aus derselben Farbfamilie, dazu ausgetretene Mokassins. Ihr Türkisch war eher einfach, ihr Deutsch noch einfacher, mit Fremdwörtern stand sie auf Kriegsfuß. Was sie aber nicht hinderte, diese Worte zu benutzen, wenn sie besonders vornehm sein wollte.

Unvergessen war ihr erster Auftritt bei einer Familienfeier, als sie meinem Onkel bescheinigte, sie habe große »Allergien« für unsere Familie. Sie meinte Sympathien. Das war vielleicht der Grund, warum sie ihre Gefühle weniger über die Sprache, sondern mehr körperlich ausdrückte.

Sie hatte eine feste Vorstellung von Gefühlen und ihrer Darstellung. Sie war der Meinung, die Menschen könnten ihren Gefühlszustand nur dann nachvollziehen, wenn sie ihn auch sehen könnten. Also zeigte sie ihre Gefühle sehr typisch anatolisch und geschlechtsspezifisch. Wenn Elmas etwas nicht passte, dann weinte sie und kreischte und fiel in Ohnmacht. Nihal war einmal Zeugin geworden, wie Elmas ohnmächtig wurde, und wollte schon einen Krankenwagen rufen, als Ali ihr sagte, sie solle es sein lassen, es gäbe andere Methoden, seiner Mutter zu helfen.

»Was für eine Ohnmacht war es denn?«, fragte Peyda, sie studierte damals Medizin und interessierte sich sehr für Krankheitsbilder, »epileptisch oder hysterisch?«

»Ich weiß nicht«, antwortete Nihal, »es passierte, als es um das Thema Ort der Hochzeitsfeier ging. Elmas war anderer Meinung als Ali und ich, und dann fing sie an zu weinen, schlug sich mit der Faust auf die üppige Brust und klagte über das Schicksal, das sie mit so einem Sohn wie Ali bestraft habe, und dann, ja dann ist sie in Ohnmacht gefallen.«

»Hat sie sich verletzt? Sie ist ja ganz schön dick, und wenn so ein schwerer Körper umfällt und mit dem Kopf aufschlägt …«

»Nein«, sagte Nihal, »sie fiel auch ganz langsam hin, wenn ich so darüber nachdenke«, und hier senkte sie die Stimme, »es erinnerte mich stark an früher, wisst ihr noch, als in Istanbul die Zigeuner mit den Tanzbären vorbeikamen und die ihre Kunststücke machten, und die Zigeuner sagten zu den Tanzbären: ›Jetzt zeig doch mal, wie die Frauen in Ohnmacht fallen‹, und die Tanzbären ließen sich auf den Boden gleiten.«

»Ganz langsam, ohne sich anzustoßen!«

»Genau so!« Wir kringelten uns vor Lachen.

»Ein echter Ohnmachtsanfall ist es ja wohl nicht, mehr die Simulation einer Ohnmacht, nach dem Motto: ›Wie stellt sich Elmas die Ohnmacht vor?‹«

»So ungefähr.«

»Und dann?«

»Dann holte Ali die Kölnischwasserflasche und hat ihr damit die Schläfen eingerieben, und dann kam sie zu sich.«

»Also weder epileptisch noch hysterisch, sondern türkisch!«

Der von Nihal beschriebene Zwischenfall war uns allen aus türkischen Komödien wohlbekannt. In jedem türkischen Haushalt ist die Flasche mit Kölnischwasser immer in greifbarer Nähe. Das Kölnischwasser ist das Riechfläschchen der Türkin. Sobald eine Frau in Ohnmacht fällt (während des Weinens oder vor lauter Aufregung oder vor lauter Trauer, ich meine, es gibt immer einen Grund, in Ohnmacht zu fallen), wird sofort die Kölnischwasserflasche geholt und großzügig über der Frau ausgeschüttet. Das kühle Nass und der scharfe Geruch von Alkohol ist das Stichwort für die langsame Auferstehung.

»Ich beneide dich«, sagte ich zu Nihal, »ich hätte diese Vorstellung auch gern gesehen.«

»Soso, ich beneide mich selbst gar nicht.«

Elmas war sehr jung Mutter geworden, der Altersunterschied zwischen ihr und Nihal betrug knapp 15 Jahre. Wenn man noch all die anderen »Differenzen« (wie mein Papa so schön gesagt hatte) in Betracht zog, war es wohl klar, dass sie Nihal weniger als Tochter denn als Rivalin begriff. Was dazu führte, dass Elmas meinte, sie müsse in Nihals Anwesenheit alle Register ziehen und zu jedem Thema ihren Senf abdrücken. War ihre Meinung mal nicht gefragt, oder sie unterlag, dann fiel sie eben in Ohnmacht.

Sie war Nihal nicht nur lästig, sondern äußerst peinlich, sodass diese versuchte, Elmas nach Möglichkeit nicht einzuladen. In ihrem eigenen Bekanntenkreis war das möglich, aber wenn es um die Familie ging, ließ es das sozialistische Herz meines Vaters nicht zu, dass Elmas und ihr Mann nicht eingeladen wurden.

Das Beste an unserer Familie war aber, aus Elmas' Sicht, dass sie jetzt mit vielen Ärzten praktisch verwandt war. Denn Elmas war immer krank. Irgendwie. Sie hatte immer irgendwelche Schmerzen, die sie uns sehr lebhaft schilderte. Jetzt nicht mehr irgendeinem Arzt, nein, sondern dem Arzt, der Schwiegervater ihres Sohnes war. Oder dem angeheirateten Onkel ihres Sohnes. Und von denen erwartete sie sichtbare Erfolge, wie zum Beispiel Linderungen ihrer Leiden.

Papas Proteste, er sei bloß Zahnarzt, ließ sie nicht gelten. »Das ist doch auch ein Arzt«, sagte sie, als sie ihm wieder einmal ihre Wehwehchen schilderte.

»Der Schmerz sticht wie ein Messer in den Magen und zieht sich bis in die Beine, sodass ich nicht richtig laufen kann«, sagte sie zu ihm. »Du bist doch Arzt, was kann das für eine Krankheit sein?«

»Ich weiß es nicht«, sagte Papa.

Elmas ließ nicht locker: »Kann es sein, dass sich zwei Nerven verknotet haben?«

Papa war hinsichtlich dieser Theorie skeptisch. »Anatomisch ist deine Theorie schwer nachvollziehbar, bist du sicher, dass der Schmerz im Magen einsetzt? Vielleicht solltest du mal einen Gynäkologen konsultieren?«

Elmas schaute streng: »Meinst du so einen Frauenarzt?«

»Ja, ja«, sagte Papa, »ich meine einen Arzt für Frauenkrankheiten«, und nannte den Namen eines Kollegen. »Du kennst ihn doch, Elmas«, sagte er, »er ist ein guter Freund von mir, ich mache einen Termin für dich.«

Elmas schaute grimmig. »Bei dem war ich schon«, sagte sie, »zu dem gehe ich bestimmt nicht nochmal, er ist ein Schwein!«

»Na, na, na«, Mama mischte sich ins Gespräch, »ich kenne ihn auch, er ist ein ganz feiner Mensch!«

»Er ist kein feiner Mensch, er ist ein Schwein!« Elmas war jetzt rot angelaufen. »Wisst ihr, was mir bei ihm passiert ist?« Jetzt wurde sie richtig laut.

»Was ist denn passiert?«

Elmas schüttelte sich. »Ich schäme mich, das zu erzählen.«

»Jetzt sind wir aber neugierig geworden«, sagte Mama.

Elmas holte tief Luft. »Also gut. Ich bin zu ihm gegangen, weil ich Schmerzen in meinem Frauenbereich hatte (dabei deutete sie mit der Hand dezent auf ihren Unterleib) und dachte, er ist ein anständiger Mann. Schließlich hatte ich ihn bei euch getroffen. Und was macht dieser Mann? Er sagt zu mir«, jetzt wurde sie rot und verzog das Gesicht«, ›zieh bitte deine Unterhose aus!‹ Könnt ihr euch das vorstellen? Er sagt zu einer ehrbaren Frau: ›Zieh deine Unterhose aus.‹«

Elmas war richtig erschöpft. Sie war es nicht gewohnt, so lange Reden zu halten. Aber einen Satz schob sie doch noch nach: »Burhan Bey«, sagte sie zu Papa, »du bist auch Arzt, aber eben ein anständiger. Hast du jemals einer Patientin gesagt, sie solle die Unterhose ausziehen?«

Im Raum war es totenstill geworden. Alle schauten Papa an, aber er war nicht nur ein anständiger Arzt, er war auch ein anständiger Sozialist. Es wäre ihm nicht im Traum eingefallen, Elmas zu kompromittieren. »Elmas«, sagte er ganz ruhig, »ich bin Zahnarzt, bei mir müssen die Leute den Mund aufmachen und beim Frauenarzt die Hosen runterlassen!«

Nach diesem »Vorfall« wurde im internen Familienkreis

die Diskussion laut, ob die Eltern von Ali für uns »die natürlichen« Gesprächspartner seien.

»Wir sollten sie nicht zu oft einladen.«

»Das ist doch kein Gespräch mit denen, das ist die reinste Komödie.« »Man schämt sich ja andere Gäste einzuladen«, waren die Argumente contra Elmas und Ehemann.

»Sie gehören jetzt zur Familie.« »Das gehört sich so.« »Es ist unsere Aufgabe, ihnen eine Chance zu geben«, das waren die Argumente für Elmas und ihren Ehemann. Ich sage »Ehemann«, weil der arme Adem nicht viel zu sagen hatte. Wie so oft in anatolischen Familien führte Elmas in der Familie ein strenges Matriarchat, ihr Adem hatte nicht viel zu lachen.

 Aber mit einer Tatsache mussten wir uns abfinden: Nihal und Ali waren jetzt verheiratet. Es gab schlechtere Ehen, wenn man von Kleinigkeiten wie Alis Mutter im Speziellen und ihrer Beziehung zu Nihal im Weiteren absah. Elmas hatte ihre genauen Vorstellungen vom Leben ihres verheirateten Sohnes – und Nihal vom selbstbestimmten Leben. Leider klafften die Vorstellungen ein wenig auseinander.

Das ging schon los, als die beiden sich eine Wohnung suchten. Elmas war der Meinung, »ihre Kinder« sollten doch möglichst nahe bei ihnen wohnen. Die Vorstellung war für Nihal unerträglich.

»Wie soll ich denn bei euch nach dem Rechten sehen, wenn ihr so weit weg wohnt?«, lamentierte Elmas. Noch eine schreckliche Vorstellung für Nihal. Bei der ersten Forderung setzte sich Nihal durch, bei der zweiten Elmas. Die Wohnung war zwar in einem ganz anderen Stadtteil als jene von Alis Eltern, dafür hatte sich Elmas einen Schlüssel gesichert, mit dem sie in die Wohnung kam, um Ordnung zu machen. Ihre Ordnung.

»Nihal hat angerufen«, sagte Hilal, »sie hat Probleme mit Elmas und will sich mit uns treffen. Du hast doch Zeit?«

Klar. Hatte ich. Die Querelen mit und um Elmas mochten für Nihal ein Problem sein, für mich waren sie eine Quelle von Heiterkeit. Die erste Zeit kam auch Tantchen mit, aber ihr butterweiches Herz nahm dem Abend die vergnügliche Note. Ihr Problem war, dass sie als Familienmensch zwar immer parteiisch für Nihal war, aber sie wollte aus pädagogischen Gründen nicht in die Litanei gegen Elmas einstimmen.

»Seid nicht so streng«, meinte sie beschwichtigend, »Elmas meint es doch nur gut!«

Ich war mir erstens nicht so sicher, ob es Elmas immer gut meinte, vor allem mit Nihal, und zweitens wusste ich, dass das gut Gemeinte oft das Gegenteil von gut war.

Aber wenn es Elmas wirklich gut meinen sollte, dann trieb sie es in ihrer Güte doch ein wenig zu weit. Zum Beispiel die Sache mit dem Umräumen. Sobald es ihre Zeit zuließ, kam Elmas in die Wohnung der beiden und dann putzte sie, was das Zeug hergab. So weit, so gut. Dagegen könnte nicht einmal Nihal was haben. Dann aber gab sich Elmas den dekorativen Dingen des Lebens hin und fing an, die Wohnung nach ihrem Geschmack umzugestalten. Sie brachte Deckchen und Vasen mit, hängte das eine oder das andere Bild ab, dafür das eine oder das andere Bild auf, stellte die Stühle und Tische anders, und wenn sie mit ihrem Werk zufrieden war, ging sie nach Hause. Dann kam Nihal. Und dann Ali. Was dann passierte, kann man sich auch bei geringer oder fehlender Phantasie vorstellen. Ali versprach, mit seiner Mutter zu reden, aber ob er es tat, ist nicht überliefert, denn Elmas setzte ihre Verschönerungsbemühungen fort. Auch die Tatsache, dass bei ihrem nächsten Besuch alles, was sie an Kreativem gestaltet hatte, wieder verschwunden war, störte Elmas wenig. Sie fing eben von vorne an. Bis sie es zu bunt trieb. Die Anordnung der Möbel schien ihr schon immer missfallen zu haben, aber sie allein war körperlich zu schwach gewesen, sie zu verrücken. Also nahm sie bei ihrem nächsten Besuch Alis Vater mit, und mit vereinten Kräften stellten sie die Möbel um.

Die Reaktion von Nihal fiel am Abend so heftig aus, dass Ali jetzt wirklich zur Tat schreiten und mit seiner Mutter reden musste.

»Du siehst das zu eng«, frotzelten wir bei unserem dieser Aktion folgenden Beisammensein.

»Vielleicht sieht es ja so, wie es Elmas gestellt hat, hübscher aus«, meinte Peyda, »stell jetzt nicht alles voreilig wieder auf den alten Platz, ich will das erst einmal begutachten.«

»Es gibt ja verborgene Talente«, fuhr Hilal fort, »und das künstlerische Talent von Elmas ist nie gefördert worden. Die Ärmste war nie zur richtigen Zeit am richtigen Punkt. Pass auf, deine Schwiegermutter kommt nochmal groß raus! Als Innenarchitektin!«

Wir drei lachten uns kaputt. Nihal fand das alles nicht ganz so lustig. Und Tantchen beschloss, in Zukunft diesen Treffen fernzubleiben, weil die Konversation ihren ethischen Ansprüchen nicht genügte.

 Eine nicht versiegende Quelle der Heiterkeit waren Elmas' Geographiekenntnisse. Sie hatte einfach nicht gelernt, wie die Länder in die Kontinente, und die Kontinente in die Ozeane eingebettet waren. Sogar die geographische Beschaffenheit der Türkei war ihr unbekannt. So ließ sie die einen im Schiff von ihrem Heimatdorf am Schwarzen Meer nach Ankara fahren, dafür andere mit der Bahn von Istanbul nach Zypern reisen. In die Annalen der Familie eingegangen war ihr Bericht über eine Reise mit dem Auto von Köln in ihr Dorf.

»Wir haben uns in Österreich verfahren«, erzählte sie, »und statt in Jugoslawien waren wir auf einmal in Afrika!«

»Ihr seid von Österreich nach Afrika gekommen, auf direktem Wege?«

»Es heißt nicht mehr Jugoslawien, es heißt jetzt Kroatien!« Das war meine Schwester.

»Das ist wohl der kleinere Fauxpas«, sagte ich, »ich will wissen, wie ihr von Österreich nach Afrika gekommen seid!«

»Was weiß ich«, sagte Elmas unbekümmert, »Männe, sag doch mal, wie das passieren konnte, du bist schließlich gefahren, und auf einmal waren wir am Meer.«

Ihr Mann schaute, als hätte er Schmerzen. Jeder ihrer Sätze schien die Wirkung einer Nierenkolik auszulösen.

»Italien«, presste er zwischen zwei Schüben hervor, »ich habe mich verfahren, und wir sind in Italien gelandet.«

»Wieso meint Elmas dann, ihr wärt in Afrika gelandet?«

Die Frage von Mama wirkte wie die nächste Kolikattacke. Der Mann zuckte schon wieder zusammen. Elmas blieb hingegen ganz frohgemut. »Alles unbekannt«, sagte sie, »der Männe in Panik, na, da dachte ich, wir wären in Afrika.«

»Ich verstehe«, sinnierte Mama laut, »Afrika als Synonym für die Terra incognita.«

»Dann bezeichnen wir ab heute die Wohnung von Alis Eltern als Afrika«, flüsterte mir meine Schwester ins Ohr. Sie kicherte.

Onkel Enver wollte der ganzen Peinlichkeit ein Ende setzen. »Ihr solltet nicht mehr mit dem Auto in die Türkei fahren«, meinte er, »es dauert zu lange und es ist zu mühsam.«

»Ja, ja«, sagte ich, »ihr solltet das Schiff von Köln nach Istanbul nehmen!« Alle lachten, Onkel Enver schaute mich strafend an.

»Seid nicht so überheblich«, schimpfte er, »die arme Frau hat nur fünf Jahre Dorfschule besucht, und sie versucht mitzuhalten.«

Das tat sie allerdings mit ungebrochener Energie. Sie redete überall mit und mischte sich in jedes Gespräch, wobei sie ihr Unwissen mit der größten Gelassenheit vortrug. »Von

Österreich direkt nach Afrika« blieb aber als geflügeltes Wort im Familienwortschatz erhalten und wurde jedes Mal, wenn einer sich verfuhr, hervorgeholt.

Ein größeres Problem stellten auch die Geschenke dar, die Elmas Nihal machte. Bei dem Wort Geschenk fielen ihr als Erstes Porzellanfiguren ein, danach Kleidung und Schmuck. Ihre Geschenke waren hässliche, zum Teil absurde Teile. So absurd, dass sie schon wieder lustig waren. Billige Kopien von Porzellanfiguren des 18. und 19. Jahrhunderts. Frauen und Männer in Rokoko-Kostümen, Hunde, Katzen. Solche, die man in den Ramsch-läden kaufen konnte. Was Kleidung anging, liebte Elmas die Farbe Lila und alles Großgeblümte. Dazu pflegeleichte Stoffe und übersichtliche Schnitte. Das alles trug sie auch selbst. Und bitte, was gut für sie war, konnte nicht schlecht für ihre Schwiegertochter sein. Nur bei Schmuck, da ließ sie sich nicht lumpen. Nicht dass die Teile schön waren, aber sie kaufte nur schweres Gold.

»Die sind für schlechte Tage«, pflegte sie zu sagen, wenn sie Nihal den 17. goldenen Armreif schenkte, von denen sie selbst auch alle 17 auf einmal am Arm trug. »Man kann sie dann verkaufen.«

»Ich finde, es sind schlechte Tage«, meinte Peyda nur, »du solltest diese hässlichen Dinger sofort verkaufen.«

Nihal war in der berühmten Zwickmühle. Elmas fragte nämlich jedes Mal nach, ob ihr die Geschenke auch gefallen hätten. Wenn sie »ja« sagte, fragte sie weiter, warum Nihal dann die Sachen nicht tragen würde. Wenn sie aber »nein« sagte – es war zum Glück nur einmal vorgekommen –, dann sagte sie zwar nichts, war aber tödlich beleidigt, oder sie tauschte die Sachen gegen noch hässlichere um.

Wenn wir bei ihr waren, zeigte uns Nihal die Geschenke.

»Ich wusste, dass solche Sachen produziert werden und zu kaufen sind«, sagte Peyda, »aber ich habe bis jetzt noch nie jemanden persönlich gekannt, der so etwas besitzt.«

»Dann bedank dich bei Nihal für diese Erfahrung«, sagte ich. »Wie hat Papa gesagt? Wir erfahren durch das Fremde unsere Identität! Jetzt weißt du, dass du nie so ein Ding kaufen wirst!«

Wir lachten. Nihal lachte nicht mit. Im Gegenteil, sie schwelgte in Selbstmitleid.

»Womit habe ich das verdient?«, schnaufte sie. »Womit habe ich eine solche Schwiegermutter verdient?«

»Die hast du dir nicht verdient, die gab es bei der Eheschließung mit Ali gratis dazu.«

»Komm, lass den Kopf nicht hängen«, sagte ich, »die Schwiegermutter ist die große Unbekannte bei jeder Eheschließung, ich meine, du kannst den Mann noch so gut kennen, seine Verwandtschaft bleibt doch bis zum Schluss die große Überraschung.«

»Also, so groß war die Überraschung nicht«, meinte Hilal, »du hast doch gewusst, worauf du dich einlässt, weißt du nicht mehr, wie der erste Besuch bei denen abgelaufen ist?«

»Ja, damals war es exotisch, der Reiz des Unbekannten, und jetzt ist es nur noch schnöder Alltag mit geblümter Polyesterbluse und Kitschfiguren auf der Anrichte!«

»Hart, aber wahr«, bestätigte ich die Ausführungen meiner Lieblingscousine, »aber, Nihal, tröste dich, mein Mädchen, wer weiß, was für Schwiegermütter die Ehelotterie für uns bereithält!«

Männer von der Stange

»Du benimmst dich wie jemand, der in einen Laden geht, sich die Kleider von Weitem anschaut und mit den Worten ›Es gibt hier nichts Passendes‹ rausgeht, ohne sie anprobiert zu haben«, sagte Hilal zu meiner Schwester. Hilal, die Zwillingsschwester von Nihal und folglich meine andere Cousine, schüttelte gerade den Kopf über Peyda. Wir waren bei ihrem Lieblingsthema »Männer«.

Sie selbst probierte lieber alles an, oder in dem Zusammenhang richtiger: aus! Peyda ihrerseits verdrehte die Augen. Hilal und Peyda diskutierten über Männer und verglichen sie in diesem Fall mit Konfektionsware.

»Um bei deinem Beispiel zu bleiben«, konterte jetzt mein Schwesterchen, »wenn ich in einen Laden reingehe und ich sehe das Sortiment, fasse ein, zwei Kleider an, dann weiß ich doch, wie es um das Angebot dieses Ladens steht. Die Qualität der Stoffe, die Passform, da muss ich nichts anprobieren, das ist völlig überflüssige Energieverschwendung. Und bei den Männern ist es doch genauso. Wenn ich die Kerle schon sehe, und sie machen auch noch den Mund auf und lassen mich an ihren flachen Gedanken teilhaben, dann muss ich mit dem Kerl nichts mehr anfangen. Wenn der nicht der Passende ist, dann kann man den auch nicht mehr passend machen. Den kann man nicht so einfach ändern wie ein Kleid. Das könnte man zur Not zur Änderungsschneiderei bringen. Was machst du mit dem Mann?«

Wir lachten.

»Ich verstehe«, sagte Hilal, »du willst etwas, was mehrere Saisons überdauert, einen Klassiker sozusagen. Ich fühle mich zu jung für einen Klassiker, der ewig hält. Ich glaube, ich nehme lieber etwas Modisches aus der jeweiligen saisonalen Kollektion. Jetzt sollte ich mich auf die Herbst-Winter-Saison einstellen. Mal sehen, was der Markt so bietet!«

Wieder lachten wir.

Hilal hielt Wort. Die Männer kamen und gingen, die Palette war sehr abwechslungsreich. Manche mochten wir, andere nicht. Onkel Enver äußerte Kritik an den einzelnen Typen, aber nicht grundsätzlich am Verhalten seiner Tochter. Hilal lauerte geradezu auf eine Kritik ihres Vaters, damit sie ihn mit seinem eigenen Lebenswandel konfrontieren konnte. Er sagte aber nichts, wohl wissend, dass er moralisch den Kürzeren gezogen hätte.

Als angehende Psychologin interpretierte ich das Verhalten meiner Cousine als Rache für die Mutter. Sie hielt ihrem Vater einen Spiegel seines Verhaltens vor, wobei sie ja ungebunden war. Im Gegensatz zu ihm.

Hilal lachte über meine Erklärungen und sagte, dass sie das Leben genießen wolle. Was sie auch ausgiebig tat.

 Zwölf Jahre und ebenso viele Männer später schleppte sie einen Mann an, der nun gar nicht ihr Geschmack war. Eigentlich. Denn ihren Geschmack hatten wir über die Jahre kennenlernen dürfen: Sie bevorzugte elegante und verdammt hübsche Männer, die in ihren schwarzen Rollkragenpullovern (mit oder ohne Pfeife) sehr intellektuell wirkten. Sie verbreiteten, wann immer wir auf sie stießen, den Duft der großen Welt. Eines musste man Hilal und ihrer Männerwahl lassen, sie war frei von kleinlichem nationalem und ethnischem Denken, ja sie überzeugte geradezu durch Internationalität. Die Karawane, die an uns vorbeizog, kannte Deutsche, Türken, Kurden, Griechen, Araber, Polen und Amerikaner – umso überraschter waren wir alle, als Hilal diesen Typen anschleppte: Er war so weit an ihrem Beuteschema vorbei, dass ich mich mehr als wundern musste:

Ein großer, ein dicker Mann kam bei uns herein, er war spießig gekleidet und vertrat ebensolche Ansichten. Mit seinem Bierkonsum hätte er jeder Brauerei zum lukrativsten Geschäftsjahr verholfen.

»Nun wollen wir einen Kleinen heben«, sagte er bei seinem ersten Mittagessen bei Onkel und Tante zu Hause, und schob dann auch noch ein »Prösterchen« hinterher. Ja, er sagte wirklich: »Prösterchen!« Ich schaute Hilal an, aber die zeigte keine Regung, es schien ihr nichts auszumachen. Ihre schönen Männer waren allesamt linksintellektuell bis Revoluzzer gewesen, der Dicke war das krasse Gegenteil. Er sagte Sachen, wie »linkem Gequatsche kann ich nichts abgewinnen« oder »man muss im Leben wissen, was man will«.

»Er erinnert mich ein wenig an den Bundeskanzler«, raunte mir Tantchen nach dem Essen zu. »Sagtest du, er erinnert dich bloß an den?«, rief ich. »Der Kerl ist doch eine Miniaturausgabe der Birne!«

Wir schrieben das Jahr 1986, Helmut Kohl war Bundeskanzler. Und jetzt schleppte uns meine Cousine einen an, der äußerlich (das war uns ja egal, meiner Cousine musste er gefallen) und geistig als ein Helmut Kohl für Arme hätte durchgehen können.

Hilal, die meine Bemerkungen aufgeschnappt hatte, reagierte sichtlich pikiert: »Dieses Mal ist es der Richtige«, zischte sie. Wir schauten uns an, konnten das nicht glauben. Sollte die Männerreihe, die interessante Persönlichkeiten und ausgefallene Typen beinhaltet hatte, so enden? Das konnte doch nicht sein. Unsere Hilal hatte so tolle Freunde gehabt. Jetzt wollte sie einen bierbauchtragenden, ewig dozierenden Spießbürger heiraten. Einen Juristen. Nach all den aufregenden Künstlern und Journalisten.

»Ach«, beschwichtigte Tante Gül mit gekünstelter Heiterkeit und heiserem Lachen, »beenden wir doch das Thema, meine kleine Prinzessin wird schon die richtige Entscheidung treffen.«

»Mein Gott, seid ihr naiv«, sagte sie dann, nachdem Hilal gegangen war. »Dem wird es nicht besser ergehen als seinen Vorgängern, die doch auch immer ›die Richtigen‹ waren. Wo sind die jetzt?«

Ich entgegnete: »Aber die anderen ähnelten sich doch alle irgendwie.«

»Vielleicht auf den ersten Blick«, warf Tante Gül ein, »aber bei Lichte betrachtet waren sie sich nicht ähnlich. Sie waren alle irgendwie hübsch, ja, aber du achtest anscheinend nur auf das Äußere.« Um meinem Gedächtnis auf die Sprünge zu helfen, zählte sie auf: »Dieser Sportstudent, der olympiaverdächtig war, barfuß durch die Wälder rannte und deine Cousine hinterher!«

Bei dem Gedanken an diesen Tarzan musste ich lachen: Stimmt, der hatte meine unsportliche Cousine an den Rand eines Herzinfarkts gebracht.

»Dann das Kontrastprogramm, dieser extravagante Grieche, der mit seinem Geld nur so um sich warf. Und der merkwürdige Urologe, der auf Friedhöfen spazieren ging, ein Nekromant, wenn du mich fragst.« Tante Gül holte kaum Luft. »Der nette Araber, der mir im Haushalt geholfen hat, wenn er uns mit Hilal besucht hat. Und der sympathische Pole, über den du dich so aufgeregt hast, weil er trotz der Apartheid nach Südafrika auswandern wollte – das waren nicht alles Intellektuelle und Revoluzzer. Die halbe Welt ist an uns vorbeigezogen, und nun soll ausgerechnet dieser dicke Deutsche bei uns Wurzeln schlagen? Ich sage nur: Den Ball flach halten!«

»Und du meinst, der bleibt auch nicht?«

»Nein!«

Hilals neuer Sonnyboy hieß Friedrich, aber sie nannte ihn »Federico« als einen letzten Gruß an ihre verblichenen aufregenden Männer. Ich nannte ihn »Prösterchen«. Seine ganze Art ging mir auf die Nerven. Zum Beispiel wie er einen Apfel aß: Er hatte immer in irgendeiner Tasche ein »Äpfelchen« stecken, das er herausholte, lange an seiner Jacke rieb, und dann hineinbiss, dass der Saft nur so spritzte.

»Das ist gesund«, pflegte er dazu zu sagen.

Auf die Frage: »Hast du auch einen für mich?«, antwortete er: »Du, die sind abgezählt.«

Aber Äpfel waren nicht sein einziges Nahrungsmittel. Prösterchen war regelrecht verfressen. Er schätzte zwar die gute deutsche Hausmannskost ganz besonders, aber auch sonst alles. Wenn er bei Onkel Enver und Tante Gül war, zählten wir mit, was er so alles in seinen Magen schob.

»Diesmal hat er sich selbst übertroffen«, kicherte Peyda, »drei Teller von dem Bohneneintopf und sechs gefüllte Paprika!«

»Bitte, hört auf damit«, sagte Tante Gül, »man schaut nicht darauf, was der Besuch isst.«

»Wieso Besuch«, sagte ich, »für Besuch kommt er ganz schön häufig.«

»Und isst er auch ganz schön viel«, ergänzte Peyda.

»Ich kann Ihre Tochter ernähren, wenn es so weit ist«, sagte Prösterchen mal bei einem Essen zu Onkel Enver und zwinkerte Hilal zu, und dann erzählte er von seinen guten Verbindungen und seinem guten Einkommen. Mein Gott! Wie peinlich!

Aber Onkel Enver konterte nicht schlecht: »Noch ernähren wir dich bei deinen zahlreichen Besuchen, mein Junge«, sagte er ganz trocken, »du hast ja einen gesunden Appetit!«

 Unterdessen nahm das Schicksal seinen Lauf: Prösterchen war ein Mann von Zucht und Ordnung, auch in seinem privaten Leben. Dazu gehörte für ihn selbstverständlich das heilige Sakrament der Ehe. Meine Cousine, noch immer ganz von ihm eingenommen, zeigte sich begeistert bei der Aussicht, ihn zu ehelichen. Langsam schwante allen, dass die Prognose von Tante Gül ein Schuss in den Ofen war. Allerdings, das begriffen wir auch nach und nach, war dieser Typ beständig wie ein Lodenmantel. Übrigens trug er selbst einen. Überhaupt seine Klamotten: immer im Anzug mit Krawatte. Und einer Krawattennadel.

»Ich glaube, der geht auch mit Anzug ins Bett«, sagte Peyda.

»Aber nein«, erwiderte ich, »der zieht den Anzug aus, aber die Krawattennadel, die kommt dann an seinen seidenen Pyjama!«

Alles Naserümpfen unsererseits half nichts. Anscheinend hatte meine Cousine Hilal die Nase voll von der Saisonware, sie wollte etwas Gediegenes, Strapazierfähiges. Als es so weit war, zog Friedrich (ich nannte ihn fortan nicht mehr »Prösterchen«, selbst im Geiste nicht mehr, weil ich mich mit ihm als dem Zukünftigen meiner Cousine arrangieren musste) seine Sache so durch, wie er es von sich erwartet hatte. Er bat Onkel und Tante Sonntagnachmittag mit einem Blumenbouquet um die Hand ihrer Tochter. Merkwürdigerweise fanden Onkel Enver und Tante Gül ihn gar nicht mehr so schlimm. Nach Ali und seiner Familie waren sie dankbar für jeden jungen Mann, der aus ordentlichen Verhältnissen stammte. Die beiden waren angesichts dieser soliden Partie so erleichtert, dass sie mit Freuden zustimmten. Danach haben wir alle auf das Wohl des Brautpaares einen gehoben.

Prösterchen!

Ein Lehrer zum Verlieben

Als ich Ahmet an einer Grundschule begegnete, konnte ich ja nicht ahnen, dass meine Worte über die Schwiegermutter-Lotterie fast prophetisch gewesen waren. Damals schrieb ich gerade an meiner Doktorarbeit über Intelligenztests und musste dafür in einer Schule Grundschulkinder testen.

An diesem denkwürdigen Tag also marschierte ich in eine Schule, die als potenzieller Tatort auf meiner Liste stand. Es war sehr schwierig gewesen, überhaupt einen Termin für ein Erstgespräch mit der Schulleiterin zu bekommen. Die Schulleitungen waren sehr zögerlich, Doktoranden an ihre Schulen zu lassen. Die Wahrheit war, dass meine Anwesenheit Unruhe und Extraarbeit mit sich bringen würde.

Deswegen musste ich diese Schulleiterin davon überzeugen, dass gerade ihre Schule die richtige sei, um dort den empirischen Teil meiner Arbeit durchzuführen. Zur Wahrheit gehört aber auch: Jede Schule wäre die richtige gewesen, deren Leiterin die Erlaubnis erteilt hätte.

Jetzt saß ich bei der Rektorin im Zimmer, und weil mir die oben aufgezählten Schwierigkeiten sehr bewusst waren, redete ich, was das Zeug hielt, und versuchte, die Schulleiterin zu überzeugen oder wenigstens zu überreden.

Man würde meine Anwesenheit quasi gar nicht bemerken, ich würde nicht schmutzen, die Kinder nicht vom Lernen abhalten, ich wäre fast unsichtbar.

Aber der Gewinn für die Menschheit durch meine wissenschaftliche Arbeit wäre unermesslich! Ungefähr in der Art, dass – sollte sie die Erlaubnis erteilen – der entscheidende Durchbruch in der Intelligenzforschung an ihrer Schule passieren würde.

Die Schulleiterin war sich unsicher, und sie hatte sich als Unterstützung den Konrektor zur Seite geholt.

»Wir müssen Ahmet fragen«, sagte sie zu ihrem Stellvertreter.

»Sie haben recht, wir sollten Ahmet fragen.«

Ich überhörte geflissentlich den Ruf nach Ahmet und erzählte immer weiter und pries meine Arbeit in den höchsten Tönen. Ich trug immer dicker auf, in der Hoffnung, dass die Schulleiterin endlich »Ja« sagte.

Zwischendurch ließ ich – natürlich im Scherz – das Wort Nobelpreis fallen und sprach von dem Glanz, der auch auf diese Grundschule in Köln fallen würde. Na, waren das Aussichten?

Aber nichts passierte! Mein Humor rührte nicht das Herz der alten Dame, sie zierte sich.

»Wir müssen Ahmet fragen«, sagte sie, inzwischen zum vierten Mal, »dann melden wir uns bei Ihnen.«

Nein, bitte nicht! Ich kannte das, wer immer dieser Ahmet

auch war, eine dritte Person, möglicherweise einer von diesen Bedenkenträgern, erst würde ich warten und warten und … dann käme der Anruf, dass es leider, leider nicht möglich sei … Nein, ich musste handeln. Wenn es einen Ahmet gab, der meine Pläne durchkreuzen könnte, dann musste ich diesen Mann persönlich sprechen. Am besten sofort.

»Können Sie Ahmet nicht jetzt holen?«, fragte ich ganz verzweifelt. Mann, die Zeit lief mir davon, ich musste mit meinen Tests anfangen.

»Ja, das ginge vielleicht. Ich frage mal nach, wenn Sie so lange warten wollen, falls er gerade unterrichtet!«

Aber natürlich würde ich warten.

20 Minuten später trat ein junger Lehrer in das Zimmer der Rektorin. In dem Moment wusste ich natürlich nicht, dass Ahmet in mein Leben trat. Aber ehrlich gesagt, interessierte mich das auch herzlich wenig. Ich sah in ihm nur eine mögliche Hürde auf dem Weg zu meiner Dissertation.

Die Schulleiterin erklärte ihm meinen Wunsch, ich gab ihm mein Konzept, und er machte sich ans Lesen. In der Zwischenzeit betrieb ich weiter Konversation mit den älteren Herrschaften, während ich mit einem Auge immerzu nach Ahmet schielte. Was würde er sagen?

»Das Konzept ist gut, ich finde, wir sollten der jungen Dame die Möglichkeit bieten, an unserer Schule zu arbeiten.«

»Kümmerst du dich auch um sie?« Die alte Schulleiterin war immer noch etwas besorgt.

»Das mache ich schon.«

Hatte ich richtig gehört? Keine Bedenken? Kein Abwimmeln? Kein: Wir melden uns bei Ihnen? Jetzt erst schaute ich Ahmet direkt ins Gesicht – er lächelte –, und ich sah einen Engel.

Dieser erste Eindruck von Ahmet, der vor allem durch seine Fürsprache entstanden war, revidierte sich natürlich in den nächsten Wochen und Monaten, und Ahmet mutierte zu einem normalen Menschen aus Fleisch und Blut. Aber meine Erleichterung wirkte doch so weit nach, dass ich beschloss, ihn näher kennenzulernen.

Zu dem Zeitpunkt war mein Vater schon verstorben, sodass meine Mutter ihn – wie könnte es anders sein – zusammen mit Tante Semra zum Abendessen einlud.

Mama hatte sich im Laufe der Jahre immer mehr verändert. War sie früher eine Vertreterin der reinen Lehre gewesen, gesellschaftlich immer korrekt, was sowohl die äußeren Formen betraf als auch die innere Contenance, wurde sie mit der Zeit immer lässiger. Papas Tod hatte das Ganze noch mehr beschleunigt, und sie war inzwischen ökologisch-dynamisch und pflegeleicht und zudem immer noch Studentin. Die naturwissenschaftlich ausgerichtete Kemalistin der frühen Jahre war zu einer alternativen Studentin im 40. Semester mutiert.

Auch die Beziehung zwischen ihr und Tante Semra hatte sich geändert: Das weiche Wasser hatte den harten Stein besiegt, und Tante Semra war – wer hätte das gedacht? – inzwischen auch für Mama Familie.

Das alles wusste Ahmet natürlich nicht, als er wie alle Kandidaten mit Ambitionen zum ersten Familienbesuch antrat: höflich und wild entschlossen, nicht anzuecken. Ich war guter Dinge, Ahmet würde die Feuerprobe gut überstehen. Natürlich würde Mama nach dem Essen über ihn herziehen, aber das Essen würde ohne größere Konflikte ablaufen.

Das Gespräch verlief am Anfang etwas schleppend, Ahmet und Tantchen tauschten sich intensiv über die globale Klimaentwicklung und die schleppende Friedenspolitik im Nahen Osten aus. Mama beteiligte sich nicht am Gespräch, sie betrachtete konzentriert Ahmet.

»Es gibt einfach zu viele Akteure, die eben nicht an einem Frieden interessiert sind«, sagte er gerade, als Mama ihm ins Wort fiel.

»Entschuldigen Sie, aber wer hat Ihre Zähne gemacht?«

Ahmet zuckte erschrocken zusammen. »Wie meinen Sie das?«

»Ja, wie ich es sage: Welcher Zahnarzt hat Ihre Jacketkronen gemacht?«

Ahmet schien etwas irritiert, nannte aber brav den Namen des Zahnarztes.

Mama schüttelte den Kopf. »Seien Sie mir nicht böse, aber Ihre Jacketkronen sind nicht gut. Ich weiß nicht, ob Lale es Ihnen erzählt hat, ihr Vater war Zahnarzt. Durch meinen seligen Ehemann habe ich quasi seine Berufskrankheit geerbt, jedem sofort in den Mund zu schauen und seine Zähne zu beurteilen. Und ich sage Ihnen, Ihre Jacketkronen sind viel zu groß für Ihren Mund, Sie sehen aus wie Jimmy Carter!«

Ahmet machte den Mund auf und wieder zu, und ich hatte das Gefühl, er wolle ihn nie wieder aufmachen, damit man seine Zähne nicht sähe.

»Schauen Sie nicht so traurig, junger Mann«, sagte Mama aufmunternd, »ich kenne alle guten Zahnärzte hier in der Stadt. Ich werde einen von denen anrufen, der macht dann Ihre Zähne neu; Zähne, die in Ihren Mund passen.«

Ahmet nickte, schicksalsergeben. Mit einer Schwiegermutter in spe, die sich bei der ersten Begegnung handfest um seine Zähne kümmert, hatte er nicht gerechnet.

»Also, ich finde Sie auch mit diesen Zähnen hübsch«, sagte Tantchen aufmunternd, »aber wer weiß, vielleicht hat meine Schwägerin ja recht und Sie sehen mit den neuen Jacketkronen noch hübscher aus!«

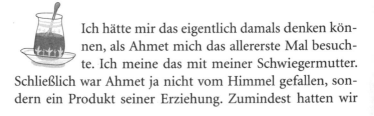 Ich hätte mir das eigentlich damals denken können, als Ahmet mich das allererste Mal besuchte. Ich meine das mit meiner Schwiegermutter. Schließlich war Ahmet ja nicht vom Himmel gefallen, sondern ein Produkt seiner Erziehung. Zumindest hatten wir

in den siebziger Jahren an der Uni immer behauptet, jeder Mensch sei ein Produkt seiner Erziehung. Und so hätte ich leicht von Ahmets Verhalten auf seine Erziehung und von dieser Erziehung auf seine erziehende Mutter schließen können. Aber wahrscheinlich war ich zu sehr verliebt.

Als Ahmet mich das allererste Mal besuchte, trat er in mein Wohnzimmer, setzte sich auf mein Sofa, blickte sich um und sagte mit deutlicher Stimme: »Deine Gardinen sind schmutzig.«

Ich dachte zuerst, ich hätte mich verhört. Wenn man das erste Mal jemanden besucht, dann sagt man Dinge wie, »Hübsch hast du dich eingerichtet« oder »Du hast eine edle Couch«, oder aber man sagt gar nichts und denkt sich seinen Teil. Dass aber jemand sagt »Deine Gardinen sind schmutzig«, das hatte ich bis dato weder gehört noch selbst erlebt. Ein Gipfel der Unverfrorenheit! Ich lachte gezwungen.

»Auf was du alles achtest!«

»Meine Mama ist eine sehr penible Hausfrau, dann sieht man so etwas sofort.«

So etwas? Ich schaute aus den Blickwinkeln Richtung Wohnzimmergardine. Es war eine stinknormale Gardine, ein bisschen grau, das ja, aber als schmutzig hätte ich sie nun nicht bezeichnet.

»Wie sehen denn die Gardinen bei euch zu Hause aus?« Ich versuchte die Frage beiläufig zu stellen, aber eine gewisse Schärfe war in meiner Stimme durchaus enthalten.

»Strahlend weiß natürlich, sie werden auch jede Woche gewaschen!«

»Das heißt ja, jede Woche abgehängt und wieder aufgehängt!«

»Nein, sie werden natürlich erst gebügelt und dann aufgehängt!«

An dieser Stelle wurde mir klar, dass ich einem Menschen gegenübersaß, der von einem anderen Planeten kam, was Ordnung und Sauberkeit anging. Und diesen Planeten durfte ich zwei Jahre später betreten, als wir beschlossen hatten, zu heiraten. Trotz unterschiedlicher Vorstellungen von Gardinensauberkeit. Herrscherin dieses mir unbekannten Planeten war Makbule, meine zukünftige Schwiegermama.

 Jetzt flogen wir also das erste Mal nach Ankara, wo ich meine zukünftigen Schwiegereltern kennenlernen sollte. Im Flieger von Köln nach Ankara bereitete mich Ahmet vorsichtig auf das Bevorstehende vor.

»Hatte ich dir erzählt, dass Mama eine sehr penible Hausfrau ist? Du musst das wissen, für den Fall, dass dir einiges etwas merkwürdig vorkommt!«

»Was zum Beispiel?«

»Gewisse Rituale. Du darfst es nicht persönlich nehmen, wenn sie zum Beispiel nach dir auf die Toilette geht, um noch einmal sauber zu machen.«

»Dieses Ritual kenne ich eigentlich nur von den Klofrauen bei Kaufhof, aber in umgekehrter Reihenfolge: Sie pflegen vor jedem neuen Gast schnell über den Klositz zu wischen, abzuziehen und sich für das Trinkgeld zu bedanken!«

»Ich bin froh«, sagte Ahmet, »dass du es mit Humor nimmst. Ach übrigens, es wäre fürs Erste vielleicht besser, wenn du Mama nicht erzählst, dass du eine Katze hast, die sich im Garten herumtreibt und dann bei dir unter die Bettdecke schlüpft.«

Am späten Nachmittag kamen wir in Ankara an. Wir wurden von Ahmets Vater und Schwester abgeholt.

»Mama wartet schon ganz sehnsüchtig auf euch«, sagte mein zukünftiger Schwiegerpapa. »Sie ist nicht mitgekommen, weil sie noch die letzten Vorbereitungen für euren Besuch erledigen musste.«

Von meiner zukünftigen Schwägerin war ein unterdrück-

216

tes Stöhnen zu hören, was ihr einen tadelnden Blick ihres Vaters einbrachte.

»Mama hat in den letzten Tagen so viel im Haushalt machen müssen«, sagte er zu Ahmet, »du kennst sie ja, immerhin bekommen wir Logierbesuch für zwei Wochen.«

Ahmets Schwester verdrehte die Augen. »Als ob in diesem Haushalt irgendetwas zu machen wäre.«

Ahmets Vater war sichtlich bemüht, mich nicht gleich in die Familiengeheimnisse einzuführen und mit Familienzwist zu empfangen. »Ja, dann wollen wir mal fahren«, sagte er.

Jetzt war ich wirklich gespannt.

Meine zukünftige Schwiegermama erwartete uns an der Haustür. Angesichts der mir durch Gespräche mit meinem zukünftigen Ehemann bekannten Tatsache, dass sie ein sehr autoritäres Regiment führte, hatte ich sie mir in meiner Phantasie größer vorgestellt. Sie war noch kleiner als ich – was eigentlich kaum zu schaffen war – und, wie soll ich es beschreiben, »tipptopp« angezogen. Wenn sie nicht so klein und eher dunkel gewesen wäre, hätte sie gut und gern für eine englische Landadlige durchgehen können. Ihr Lächeln bei der Begrüßung war im eigentlichen Sinne keine Kriegserklärung, sollte mir aber von Anfang an klarmachen, wie die Machtverhältnisse im Hause Akgün gelagert waren. Das Lächeln schien mir zu sagen: »Mit mir ist gut Kirschen essen, solange das gemacht wird, was ich sage.«

Meine zukünftige Schwiegermama war in vielerlei Beziehung eine besondere Frau, was jedoch die Qualitäten eines Putzteufels betraf, war sie schon einzigartig. Schon bei unserer Ankunft an der Tür nahm sie zuerst nicht etwa ihren Sohn oder vielleicht mich (warum eigentlich nicht?) in die Arme, sondern unsere Koffer. Sie stand nämlich an der Tür, mit einem Putzlappen bewaffnet, und putzte erst einmal unsere Koffer ab, bevor diese in die Wohnung durften. Wir durften zum Glück so rein, ohne abgeputzt zu werden.

Dass das nicht selbstverständlich war, konnte ich einige

Tage später live und in Farbe miterleben. Die Waschmaschine streikte, was ihr angesichts der gnadenlosen Ausbeutung durch Schwiegermama nicht zu verdenken war. Und aus diesem Grunde wurde ein Installateur bestellt, der der armen misshandelten Waschmaschine gut zureden sollte. Als es an der Tür klingelte, machte sie auf. Vom Frühstückstisch aus bekamen wir eine kleine Auseinandersetzung mit dem Installateur mit, ohne zunächst zu verstehen, worum es ging. Neugierig lauschte ich dem Gespräch.

»Der Overall ist ganz leicht«, hörte ich Schwiegermama sagen, »bitte ziehen Sie ihn ganz einfach über Ihre Kleidung. Alle Handwerker, die bei mir reinwollen, müssen das machen.«

Zuerst widersprach der Mann energisch, es ging ihm gewissermaßen gegen die Ehre. Aber sein Widerstand währte nicht lange. Schwiegermama duldete keinen Widerspruch. Er musste natürlich auch die Schuhe ausziehen. Da aber Schwiegermama (aus ihrer Sicht) berechtigte Zweifel an der Sauberkeit seiner Socken hatte (wie auch an der Sauberkeit der Socken all seiner Vorgänger), hatte sie an den Overall Füßlinge nähen lassen, sodass der Installateur fünf Minuten später wie ein überdimensionaler Osterhase im Wohnzimmer stand und nach der Waschmaschine fragte.

Aber es waren nicht nur die Handwerker, die Schwiegermama zur Verzweiflung brachten. Auf dem Makbuleschen Planeten waren alle Menschen potenzielle Bakterienträger: das Brot, das der Verkäufer in der Bäckerei anfasste, musste erst in den Backofen, das Obst wurde unter fließendem Wasser abgebürstet, bevor es geschält wurde. Auch wir waren strikten Verhaltensregeln unterworfen, deren Sinn sich mir unter hygienischen Gesichtspunkten nicht erschloss. Zum Beispiel durften wir nicht im Mantel in die Schlafzimmer, und wenn wir ohne Mäntel die Schlafzimmer betraten, durften wir uns in Straßenkleidung nicht auf die Betten setzen.

Ihr Ordnungssinn entsprach in etwa dem eines Brigade-
generals bei der preußischen Armee. Schon am ersten Morgen hatte ich die Disziplin im Hause Akgün zu spüren bekommen. Als ich zum Frühstück erschien, wie gewöhnlich
im Nachthemd, sagte Schwiegermama lächelnd:

»Mein liebes Kind, bei uns ist es nicht üblich, im Nachthemd an den Frühstückstisch zu kommen. Aber setz dich
ruhig, für heute wollen wir mal eine Ausnahme machen –
wenn auch ungern«, fügte sie gönnerhaft hinzu, immer noch
ihr Schwiegermamagrinsen im Gesicht.

Ich schaute mich unter den Anwesenden bei Tisch um. Aus
jeder Pore der Anwesenden atmete »Contenance«. Schwiegerpapa hatte sich morgens um acht eine Krawatte umgebunden, und Ahmet trug eine Jacke! Ich hatte ihn noch nie
an einem arbeitsfreien Tag mit Jacke am Frühstückstisch
sitzen sehen. Er war zu seinen Wurzeln zurückgekehrt und
wusste, wie die Uhren im Hause seiner Eltern, besser: seiner
Mutter, tickten. Die Kulturunterschiede zur legeren Lebensweise in meinem Elternhaus waren nicht zu übersehen und
auch nicht zu überhören, wenn meine Schwiegermama
das Wort ergriff. Im Gegenteil, ich hatte Mama in meinem
ganzen Leben nie anders als im Morgenmantel am Frühstückstisch sitzen sehen. Wie anders sah dagegen Makbule
aus! Am frühen Morgen im energischen Outfit, das ihre
ganze Lebenshaltung nach außen projizierte: blütenweiße
Bluse, Tweedrock und wieder die Strickjacke. Bereit, nach
dem Frühstück den Kampf gegen Schmutz und Staub auf-
zunehmen.

»Ach, übrigens«, sagte sie, »ich weiß nicht, ob Ahmet es
dir gesagt hat, ich hasse Hausschuhe, sie haben so etwas Di-
stanzloses an sich. Bei uns tragen die Herren Slipper und die
Damen Ballerinas zu Hause. Sei so gut und kauf dir heute
ein Paar Ballerinas.«

Ich stand immer noch und schielte mit einem Auge unter
den Tisch. Tatsächlich! Ahmet und sein Vater trugen Slipper,

Makbule Ballerinas. Das war mir am Abend vorher nicht aufgefallen.

»Ich laufe zu Hause immer barfuß.« Kaum ausgesprochen, fand ich den Spruch selbst dämlich und unangemessen. Wie pubertär! Außerdem war die Niederlage vorprogrammiert.

»Nicht bei uns zu Hause, meine Liebe!«

Das war deutlich. Ahmet und mein Schwiegervater beschäftigten sich derweil mit Butter und Marmelade, die Augen geschäftig auf den Tisch gesenkt. Von dieser Seite also war keine Unterstützung zu erwarten. Wie auch? Sie hatten sich morgens um acht dem Makbuleschen Joch unterworfen. In Jacke und Slipper. Und es fehlte nicht viel, und die Kulturunterschiede würden schnurstracks zu Kulturkonflikten führen, wenn, ja wenn ich jetzt eine Diskussion entfachen würde, in welchem Outfit ich zu frühstücken wünschte, und ob ich bereit sei, mir heute ein Paar dämliche Ballerinas zu kaufen.

Ich grinste dümmlich, dabei arbeitete mein Hirn fieberhaft an einer Taktik.

»Sein oder Nichtsein; das ist hier die Frage
Obs edler im Gemüt, die Pfeil und Schleudern
Der wütenden Makbule erdulden oder
Sich waffnend gegen eine See von Plagen
Durch Widerstand sie enden?«

Ich hörte mich innerlich Shakespeare aufsagen! Hatte er Makbule gekannt? Verdammt! Nein! Es hieß natürlich »Des wütenden Geschicks«, nicht: »Der wütenden Makbule.« Hamlet, dritter Aufzug, erste Szene. Nein, Hamlet hatte recht: Durch Widerstand würde ich die See von Makbules Plagen nicht austrocknen können. Ich machte mich nur lächerlich.

»Willst du dich nicht setzen?« Das war Ahmets Stimme.

»Ich gehe mich schnell umziehen«, sagte ich ganz freundlich. Meine Stunde würde noch kommen.

Später räumte Schwiegermama die Zeitung, die ich gelesen

hatte, demonstrativ weg und sagte dabei ihr Lieblingssprüch-
lein auf: »Une place pour chaque chose et chaque chose à sa
place.« Natürlich wusste ich damals noch nicht, dass dieser
Spruch für meine Schwiegermama eine Art Dogma war, eine
festgelegte Formulierung ihrer Glaubensüberzeugung. Sie
wurde nicht müde, dieses Dogma bei jeder sich bietenden
Gelegenheit zu wiederholen, dass es uns ins Fleisch und Blut
übergehe. »Une place pour chaque chose et chaque chose à
sa place.« Das ist Französisch und bedeutet ungefähr so viel
wie, dass es ganz wichtig ist, alles hinter sich aufzuräumen!
Aha. Als unsere Tochter ein Jahr alt war und anfangen sollte, zu sprechen, sprach ich ihr vor: »Ma-ma«, sag mal: »Mama.« Doch was sagte das Kind nach mehreren Besuchen bei
der Großmama? »Ühn plasch puur schack schoosch …« Leider hielt sich das Kind in späteren Jahren nie an die Maxime
ihrer Großmama, womit wieder bewiesen ist, dass Dogmen,
von oben verkündet und vom Fußvolk nur nachgeplappert,
nicht zum erwünschten Erfolg führen.

Doch zurück zu meinem Einstandsbesuch bei den Schwiegereltern: Ich weiß bis heute nicht, wann die Haushaltshilfe
morgens kam. Aber es war sicherlich nicht besonders spät,
denn ich wurde regelmäßig vom Brummen des Staubsau-
gers wach, und da zeigte der Wecker nie später als halb acht.
Und wenn ich zum Frühstückstisch wollte, hatte sie schon
die halbe Wohnung unter Wasser gesetzt. In den 14 Tagen
meines ersten Aufenthalts putzte sie das Haus zweimal von
oben bis unten. Das waren die Tage, an denen nicht nur die
berühmt-berüchtigten Gardinen abgehängt wurden, die
meine Schwiegermama persönlich wusch und bügelte, während ihre Haushaltshilfe die Fenster wischte, sondern auch
alle Schränke weggerückt. Das alles war für mich sehr fremd,
denn im Expresshaushalt meiner Mama wurde zweimal im
Jahr groß reinegemacht. Höchstens.

Aber zugegebenermaßen, die Wohnung sah aus wie ein
blitzsauberes Museum. Und zwar immer. Deswegen war mir

auch nach näherer Betrachtung nicht klar, wo hier noch etwas zu putzen wäre. Aber egal. Die Dauerbewohner hatten sich mit der Situation arrangiert, und ich hatte ja nur zwei Wochen auszuhalten, die sich allerdings als echter Härtetest entpuppten.

Schwiegermama hielt nichts von Integration, in der Art, dass auch die Gäste ihre eigenen Normen haben durften. Sie hielt auch nichts von Kompromissen. Es war ihr Planet, und sie verlangte absolute Assimilation. Man musste immerzu die ungewohnten Verhaltensregeln beachten: Zum Beispiel wurde »jedes Ding« (dazu zählten auch Menschen und Lebensmittel), das in die Wohnung kam, derart behandelt, bis es irgendwann im Sinne meiner Schwiegermama »koscher« war. Und dabei hatten wir den ersten Konflikt. In der Stadt hatte ich sehr hübsche Knöpfe gesehen und gekauft, die ich an meine Jacke nähen wollte. Am Abend packte ich die Knöpfe aus und zeigte sie den Anwesenden. Dann bat ich um Nadel und Faden, um die Knöpfe anzunähen.

»Du kannst die Knöpfe doch nicht so an deine Jacke nähen«, sagte Schwiegermama sehr streng, »die müssen erst mal sauber gemacht werden!«

»Die Knöpfe? Sauber machen?« In meiner Stimme lag die ganze Anstrengung der letzten zwei Wochen, dadurch war sie zwei Oktaven zu hoch.

»Ja, auch Knöpfe müssen sauber gemacht werden.« In ihrer Stimme schwang die pädagogische Autorität einer zukünftigen Schwiegermama mit, dadurch war sie zwei Oktaven zu tief.

»Wie bitte kann man Knöpfe sauber machen?«

»Ich zeige es dir!«

Schwiegermama verschwand im Badezimmer und kam mit einem Schälchen voller Flüssigkeit wieder.

»Das ist Alkohol«, sagte sie, »gib mir die Knöpfe und die Jacke gleich mit, ich nähe sie auch dran.«

Schwiegermama nahm die Knöpfe und ertränkte sie im

Alkoholbad. Dann nahm sie sie einzeln heraus, trocknete sie sorgsam ab und nähte sie – zugegebenermaßen meisterhaft – an die Jacke an.

»Danke, Mama«, sagte ich, »das haben Sie wirklich schön gemacht.«

»Habe ich Ihnen übrigens erzählt, dass ich eine Katze habe? Nein, keine besondere Rasse, nur eine europäische Kurzhaarkatze, aber dafür, dass sie Kurzhaar heißt, haart sie ganz schön, im Sommer viel mehr als im Winter, da hat sie einen viel dichteren Pelz, dafür kotzt sie im Winter mehr, eben wegen der Haare, die sie verschluckt, sie lebt natürlich bei mir in der Wohnung, sie darf auch bei mir ins Bett, sie darf aber auch in den Garten, nein, beim Reingehen in die Wohnung putzt sie sich ihre Pfoten nicht ab, leider habe ich sie nicht so weit dressieren können. Im Sommer bringt sie auch Mäuse mit, vor allem wenn es nachts geregnet hat, manchmal sind die Mäuschen schon tot, aber nicht immer … Wann kommen Sie übrigens zu uns nach Köln? Erst zur Hochzeit, oder auch schon mal früher?«

Das hätte ich ihr gerne gesagt, und das hätte ich sie gerne gefragt. Aber ich schluckte und biss mir lieber auf die Zunge.

Ein Jahr nach unserem Besuch in Ankara war es so weit: Wir wollten heiraten, in Köln.

Das hieß folglich, dass Familienmitglieder aus der Türkei anreisen würden, unter anderem Ahmets Familie aus Ankara. Die Frage war, wo sie die 14 Tage ihres Deutschlandaufenthaltes wohnen würden. Angesichts des Sauberkeitsfimmels meiner Schwiegermutter hatten wir eine Entscheidung zu treffen. Die Frage lautete: »Ist Mama Akgün irgendjemandem zuzumuten?«

»Das eine sage ich dir gleich«, sagte ich zu meinem zukünftigen Ehemann, »mir nicht! Außerdem«, fügte ich hinzu, »bringe ich einen Kater mit in die Ehe, und ich meine das wörtlich, dieser Kater wird nicht versteckt vor deinen Eltern wie bei anderen Leuten ein uneheliches Kind … und ich stecke den Kater auch nicht in eine Katzenpension! Solltest du jemals solche Phantasien gehegt haben, kannst du sie dir abschminken!«

Ich hatte mich in Rage geredet. Es war nie die Rede davon gewesen, dass der arme Kater in eine Katzenpension gehen würde.

»Ein uneheliches Kind wäre nicht so schlimm gewesen«, murmelte Ahmet, »es verliert keine Haare und schmutzt nicht so in der Wohnung!«

»Wechsel bitte jetzt nicht das Thema. Was machen wir mit deinen Eltern?«

Es war keine einfache Abwägung zwischen den Erfordernissen der traditionellen türkischen Gastfreundschaft und der Strapaze, der das Nervenkostüm der potenziellen Gastgeber ausgesetzt wäre.

»Eigentlich müssten deine Eltern bei meiner Mutter wohnen«, gluckste ich, »das gehört sich doch so, und das erwarten deine Eltern sicher auch. Wir könnten das doch arrangieren und dann abwarten, wer die besseren Nerven hat!«

»Deine Mama.« Ahmet war sich da sicher.

Die Vorstellung, dass meine Mama, die inzwischen eine äußerst schlampige Hausfrau geworden war, und meine Schwiegermama hätten zwei Wochen zusammenleben müssen, war äußerst lustig. Aber Ahmet wollte nicht. Er wollte keine Familienkrise zwei Wochen vor der Hochzeit.

»Ja, da bleibt nur eine Lösung: Wir bringen sie im Hotel unter. Da wird sie zwar auch über die schlampige Hotelleitung und die unwilligen Zimmermädchen schimpfen, aber das ist nicht unser Problem.«

Eine Woche vor der Hochzeit tröpfelte die Verwandtschaft so langsam ein. Für meine Schwiegereltern hatten wir ein besonders schönes Hotel gebucht, in der Hoffnung, dass es auch ein besonders sauberes Hotel wäre. Meine Schwiegereltern waren deswegen nicht beleidigt, und wenn, ließen sie sich nichts anmerken.

»Das wäre geschafft«, sagte Ahmet, nachdem wir sie einquartiert hatten. »Ich glaube, die größte logistische Herausforderung ist geschafft.«

Er glaubte das, aber er sollte sich irren. Es war am nächsten Tag, wir waren zusammen im Restaurant des Hotels essen. Schwiegermama saß mit einem versteinerten Gesicht am Tisch. Es war mir klar, sie würde gleich anfangen zu schimpfen.

»Ich weiß nicht, was du dir dabei gedacht hast«, sagte sie zu Ahmet, »dieses Hotel zu buchen. Es ist eine Zumutung. Federbetten, ich kann in diesen komischen Federbetten nicht schlafen« (kein Wunder, die Federn waren ja auch den Gänsen vom Arsch gerupft worden), »und wo man draufschlägt, steigt eine Staubwolke auf!«

»Wo schlagen Sie denn überall drauf?«, wollte ich wissen.

Sie überhörte meine Frage geflissentlich. »Ich kann unter diesen Umständen nicht bis zur Hochzeit in Deutschland bleiben, ich habe Papa schon nahegelegt, dass wir abreisen!«

Ach du grüne Neune! Der arme Schwiegerpapa blickte ganz unglücklich drein, aber er hatte keine Chance, sie vom Gegenteil zu überzeugen. Auch Ahmet sah ziemlich unglücklich aus. Er wusste, seine Mutter würde ihre Drohung wahr machen, und dann musste Schwiegerpapa mit nach Ankara zurück. Es musste eine Lösung her! Aber welche?

Ich schaute mich im Hotel um. Meine Schwiegermama war wirklich komisch, in so einem Hotel würde jeder normale Mensch gerne wohnen. Ich hätte zum Beispiel gar nichts dagegen, in so einem schönen Hotel ... Moment ... ich hatte eine Idee.

»Sie dürfen nicht abreisen«, hörte ich mich sagen, »das wäre ja schrecklich, Sie beide als Eltern bei der Hochzeit nicht dabeizuhaben. Was sollen die Leute denken?« (Das mit den Leute denken war ein starkes Argument, fand ich, wenigstens für Makbule.) Wir finden schon eine Lösung. Was halten Sie davon, wenn wir einfach tauschen? Sie wohnen in unserer Wohnung, und wir ziehen so lange ins Hotel? Sie haben unsere Wohnung noch nicht gesehen, sie ist nicht groß, aber ich denke, sie wird Ihren Ansprüchen gerecht.«

Schwiegermamas Miene hellte sich auf, Ahmet trat mich unter dem Tisch, das sollte heißen: »Was machst du für Sachen?«

Ich trat zurück, das sollte heißen: »Sag jetzt nichts, ich habe einen Plan.«

»Was meinst du, Nadir?«, sagte sie zu Schwiegerpapa. Jetzt, wo die Aussichten näher rückten, dass sie ihren Willen bekam, wurde er gefragt. Der war wie immer mit allem einverstanden.

»Ja, wenn das keine Zumutung für die Kinder ist, nehmen wir das Angebot an«, sagte er bescheiden.

»Nein, überhaupt nicht«, sagte ich, »ich denke, morgen Abend können Sie bei uns einziehen, und wir im Hotel.«

»Ja, dann bleiben wir.«

»Wie schön.« Ich trat Ahmet noch einmal unter dem Tisch.

Als wir wenig später aus dem Restaurant herauskamen, war Ahmet ganz aufgeregt.

»Sag mal, was hast du dir dabei gedacht und wie hast du dir diesen Tausch vorgestellt?«

»Mann, einmal wollte ich konstruktiv sein, und jetzt mache ich es dir auch nicht recht!«

»Nein, versteh mich nicht falsch, ich fand es ja großartig,

dass du eine Lösung vorgeschlagen hast, die meine Mutter akzeptieren musste, aber wie soll das Ganze laufen?«

»Ganz einfach, morgen früh kommt das uneheliche Kind mit den Samtpfoten in eine Katzenpension.«

»Also doch!«

»Wir müssen alle Opfer bringen die nächsten 14 Tage, er wird es überleben. Und dann bestellen wir eine Putzfirma, die sogenannte Grundreinigungen anbietet.«

»Das ist doch irrsinnig teuer.«

»Na und? Dafür wohnen wir 14 Tage umsonst im Luxushotel, ist auch schön, oder? Dein Vater wird uns schon nicht die Hotelrechnung bezahlen lassen.«

»Stimmt!«

»Also weiter: Diese Grundreinigung wird zwar für den hohlen Putzzahn deiner Mutter sein, aber egal, wir engagieren die Firma für die nächsten 14 Tage dreimal die Woche und kaufen Unmengen von Putzmitteln, damit deine Mutter zwischendurch weiterputzen kann. Und nach 14 Tagen kehren wir in eine so saubere Wohnung zurück, dass wir die nächsten zehn Jahre nicht mehr putzen müssen!«

»Toller Plan«, sagte Ahmet.

»Finde ich auch«, sagte ich.

»Letztendlich ist das für uns ein Nullsummenspiel, wenn du überlegst, welches Theater wir uns damit ersparen.«

»Nicht für das Katzenkind.«

»Stimmt, aber wir erzählen ihm nicht die Wahrheit, dass wir ihn verstecken müssen und seine Existenz leugnen, das würde ihn traumatisieren, wir erzählen ihm, wir wären schon auf der Hochzeitsreise und würden ihm etwas Schönes mitbringen!«

»Eine Maus.«

»Zwei Mäuse!«

Mein Plan ging auf, ich war stolz wie Bolle, dass ich diesen Hattrick gelandet hatte. Schwiegermama hatte nur ihren Willen durchsetzen wollen, von wegen Tradition! Man setzte

Makbule nicht in ein Hotel, wenn ihr Sohn in der gleichen Stadt lebte. So waren alle zufrieden. Wir würden die zwei Wochen in dem Hotel genießen, und sie das Gefühl, sich durchgesetzt zu haben.

Per aspera ad astra: Ahmet und ich hatten nur noch eine winzige Prüfung zu überstehen, bevor wir mit der gesamten Familie im Kölner Rathaus heiraten konnten: die Begegnung der Gigantinnen. High noon in Köln. Im Ring Latife gegen Makbule, sprich: Mama und Schwiegermama mussten sich noch kennenlernen. Bisher war das noch nicht der Fall gewesen, es war nicht beabsichtigt, es hatte sich einfach noch nicht ergeben.

»Ja, soll ich deine Schwiegermutter erst auf dem Standesamt kennenlernen?«, hatte Mama pikiert gefragt.

»Oh, ich habe nichts dagegen«, hatte ich gedacht, es aber dann nicht ausgesprochen, sondern stattdessen: »Aber nein, Mama, sobald meine Schwiegereltern da sind, werden sie dich selbstverständlich besuchen«, gesagt.

Nun war es so weit. Wir fuhren mit meinen Schwiegereltern zu Mama. Ich muss gestehen, dass ich einen ganz leichten Bammel verspürte. Dann standen wir vor der Tür. »Lieber Gott, lass die nächsten drei Stunden ohne allzu große Konflikte vorbeigehen!«

Als wir klingelten, machte Mama zusammen mit Tantchen die Tür auf. Gott sei Dank! Tantchen war auch da, und würde – für den Fall des Falles – die Konversation im Gang halten. Meine Schwiegermama hatte gerade etwas Belangloses erzählt, als sie die beiden Damen erblickte. Mama hatte sich nicht die Mühe gemacht, sich für diesen Tag umzuziehen. Sie lief wie immer in ihrem Räuberzivil herum: karierte Hose, Hemdbluse, darüber Wollweste, Gesundheitsschuhe. Tantchen hatte sich zum eleganten Seidenkleid ei-

228

nen farblich passenden Turban um den Kopf geschlungen. Schwiegermama stockte der Atem, wortlos schaute sie von Mama zu Tantchen und von Tantchen zu Mama. Auf einmal fiel mir ein, dass sie nicht wusste, welche nun meine Mutter war, die für ihre Maßstäbe ungepflegte burschikose Alte oder die Kopftuchtussi!

Meine Schwiegermama stand zwischen Skylla und Charybdis. Sie sah aus, als würde sie im nächsten Moment zusammenbrechen! Die beiden übertrafen ihre schlimmsten Befürchtungen! »Keine«, hätte sie wohl am liebsten geschrien, aber da reichte ihr Mama schon die Hand: »Ich bin die Mutter von Lale! Herzlich willkommen!«

Nach der Begrüßung setzten wir uns ins Wohnzimmer. Alle Spuren in der Wohnung deuteten darauf hin, dass Tantchen schon seit einigen Stunden da war. Ich hatte ihr von Makbules Sauberkeitsfimmel erzählt, und sie hatte sichtbar Hand an Mamas Expresshaushalt gelegt. Mama hatte jetzt – nach Papas Tod – jedes Interesse an überflüssiger Haushaltstätigkeit verloren. »Wer weiß, wie lange ich noch zu leben habe«, sagte sie, »du siehst, wie schnell es geht mit dem Sterben, ja soll ich die mir verbliebene Zeit etwa mit Putzen verbringen?« Und sie gab auch selbst gleich die Antwort: »Es gibt viel wichtigere Dinge im Leben!«

Als ob diese Einstellung, die sicher nicht wirklich Makbules Zustimmung gefunden hätte, nicht gereicht hätte, zusätzlich dazu besaß sie nicht eine, nein zwei Katzen. Angesichts der Tatsache, dass Schwiegermama sich nur wenige Stunden in Mamas Wohnung aufhalten würde, hatte ich diese Tatsache Makbule bereits auf dem Weg dahin mitgeteilt. Damit sie sich mental darauf vorbereitete.

Kaum saßen wir da, kamen auch, schwups, die Katzen ins Wohnzimmer. Schwiegermama gab einen leichten Quietschton von sich.

»Mögen Sie keine Katzen?«, fragte Mama.

Makbule kam ins Stottern.

»Ich mag keine Haustiere, sie machen Dreck.«

»Wir machen alle Dreck!«, erwiderte Mama ungerührt. »Aber die Katzen machen wenigstens auch Freude, was man von Menschen nicht immer sagen kann.«

»Die Haare überall!« Schwiegermama versuchte einen lahmen Widerspruch.

»Ja, soll ich die Katzen rasieren? Oder sollen sie sich selber rasieren?«

Schwiegermama schluckte. Ich glaube, in den letzten 50 Jahren hatte ihr niemand in puncto Hygiene widersprochen.

»Außerdem«, fuhr Mama fort, »waren Katzen die Lieblingstiere des Propheten Mohammed, fragen Sie meine Schwägerin hier. Die weiß das alles, sie war ja auch im *Hadsch,* weswegen sie ja auch meint, das Ding da auf dem Kopf tragen zu müssen. Semra, erzähl doch mal die Geschichte, wo der Prophet seinen Kaftan zerschneidet, um die Katze nicht zu wecken, die darauf schläft!«

Wenn es um ihre Katzen ging, zog Mama immer die Islamkarte und brachte so mögliche Haustiergegner wie meine Schwiegermutter zum ehrfürchtigen Schweigen.

»Ach, Sie waren im *Hadsch*?«, fragte Schwiegermama, und bevor Tantchen etwas sagen konnte, fuhr Mama dazwischen.

»Es war so«, sagte sie achselzuckend, »wir konnten es ihr nicht ausreden, und jetzt haben wir uns mit der Tatsache abgefunden, dass sie diese bescheuerte Kopfbedeckung trägt!«

Schwiegermama schaute mit tellergroßen Augen auf Tantchen und wartete auf eine empörte Reaktion. Doch Tantchen schien durch Mamas Worte keineswegs beleidigt zu sein und servierte fröhlich den Tee.

»Tragen Sie das Kopftuch immer?«, fragte meine Schwiegermutter interessiert.

»Na ja, im Bett gerade nicht, aber sonst schon«, erwiderte Tantchen trocken. »Wissen Sie, am Anfang, nach dem

Hadsch-Besuch, dachte ich, ich muss es tragen, obwohl meine Familie schwer dagegen protestiert hat, und es mir – ehrlich gesagt – auch nicht leichtgefallen ist, das Ding umzubinden. Es ist wie mit einem BH, am Anfang trägt man ihn, obwohl er drückt und zwickt, und irgendwann gewöhnt man sich dran und kann nicht mehr ohne.«

»Dann ziehen Sie abends nicht nur das Kopftuch aus«, sagte mein Schwiegervater verwegen, was ihm einen strafenden Blick meiner Schwiegermutter einbrachte.

»Entschuldigung, war nur ein Witz«, murmelte er schnell, erschrocken über seine eigene Zivilcourage.

»Kein Problem«, sagte Tantchen trocken, »solange Sie nicht dabei sein wollen!«

»Sie bleiben doch zum Abendessen?«, fragte Mama.

»Wenn wir nicht stören, gerne!«, sagte Schwiegerpapa, froh, das Thema wechseln zu können.

»Sie stören nicht!«, meinte Mama munter, »ich koche sowieso nicht mehr, ich bestelle mir immer etwas per Telefon aus den Imbissstuben. Ich hole jetzt mal die diversen Speisekarten, und Sie sagen mir, was Sie möchten: Italienisch, Türkisch, Chinesisch, es gibt auch Imbissstuben, die alles durcheinander anbieten, aber die sind nicht ganz so gut, ich empfehle eine Richtung. Also, was darf es sein?«

Makbule saß völlig sprachlos auf der Couch. Essen aus der Imbissstube! Für die Gäste! Das war ein Affront! Und da war die Frage der Hygiene noch gar nicht bedacht!

Mama hatte den Sturm der Entrüstung, den sie in der Seele meiner Schwiegermama ausgelöst hatte, gar nicht mitbekommen, sie war in das Nebenzimmer gegangen und kam mit einer Handvoll bunter Prospekte von verschiedenen Liefer- und Partyservices wieder.

»Nun?«, fragte sie fröhlich, »habt ihr euch entschieden? Was nehmen wir heute Abend?«

Tantchen hatte mitbekommen, dass meine lieben Schwiegereltern mit der Situation überfordert waren.

»Italienisch«, rief sie eine Spur zu fröhlich, »wir sollten heute Abend Italienisch nehmen!«

Mama schaute Tantchen überrascht an. »Semra«, sagte sie tadelnd, »wir sind nicht allein, lass doch heute Abend die Gäste entscheiden, wir können Italienisch nehmen, wenn wir allein sind.«

»O ja«, sagte Tantchen, und schnaufte bedenklich, um nicht loslachen zu müssen, »entschuldige bitte, ich war ein wenig zu voreilig. Aber ich dachte, Türkisch können unsere Gäste immer essen!« Dabei lächelte sie entschuldigend.

»Da hast du auch wieder recht«, sagte Mama jetzt, »außerdem ist das türkische Essen in Deutschland grottenschlecht!«

»Ja, das aus deinen Imbissstuben ganz bestimmt«, sagte ich, »du kannst das doch nicht auf alle Restaurants beziehen.«

Aber Mama beharrte darauf, dass das türkische Essen in Deutschland niemandem aus der Türkei zuzumuten sei, sodass Tantchens Vorschlag einstimmig angenommen wurde, heute Abend den Pizzaservice anzurufen. Nachdem alle in die Speisekarte geschaut und ausgesucht hatten, gab Mama telefonisch bei Alfredo die Nummern durch. Dabei schäkerte sie ein wenig mit ihm.

»Ist das alles auch hygienisch, was so geliefert wird?«

Mama schaute Schwiegermama erstaunt an. »Wie meinen Sie das?«, fragte sie. »Ich vergifte Sie schon nicht. Wie Sie sehen, erfreue ich mich bester Gesundheit, und ich kann Ihnen sagen, ich bin Stammgast bei Alfredos Pizza-Service.«

»Kochen Sie denn gar nicht mehr?«

»Nein, wozu? Diese ganzen Hausfrauentätigkeiten sind mir mein ganzes Leben auf den Geist gegangen, und nachdem die Kinder aus dem Haus waren und mein Mann verstorben ist, habe ich peu à peu diese überflüssigen Tätigkeiten eingestellt. Jetzt nutze ich meine Zeit für nützliche Dinge.«

»Die da wären?«, fragte Schwiegermama spitz. Mama stellte gerade den Sinn ihres ganzen Lebens in Frage.

»Da gibt es viele schöne Dinge.« Mama zählte auf, was sie so den ganzen Tag trieb, Ausschlafen, Lesen, mit Tante Semra ausgehen, mit Tante Semra streiten, mit Tante Semra verreisen.

»Es ist so schön, wenn Harmonie in der Familie herrscht«, flötete Schwiegermama, »und Sie beide«, dabei schaute sie Mama und Tante Semra an, »scheinen sich so gut zu verstehen!«

»Ehrlich gesagt, war es nicht immer so harmonisch zwischen uns beiden«, gab Mama zurück, »aber mit der Zeit rauft man sich zusammen!«

»So ist es«, bestätigte Semra, »Latife hat 30 Jahre gebraucht, um zu kapieren, dass Blut dicker ist als Wasser, auch in Bezug auf mich, obwohl wir beide nicht blutsverwandt sind, aber eben doch verwandt, und das zählt!«

Mama nickte. Schwiegermama sagte nichts mehr, die Auskunftsfreudigkeit der beiden Damen in Bezug auf ihr Verhältnis war für sie sehr ungewohnt. Makbule gab keine Familiengeheimnisse preis.

Zehn Minuten später klingelte Alfredos Laufbursche und brachte unsere Pizzas.

»Ja, dann wollen wir uns an den Tisch setzen«, meinte Mama. »Alfredo will mir immer seinen italienischen Rotwein andrehen, aber Semra und ich, wir trinken am liebsten Rotwein von der Ahr. Deswegen habe ich dem Laufburschen den Fusel wieder mitgegeben.«

»Sie trinken Rotwein, aber ich dachte …« Schwiegermama vollendete ihren Satz nicht und schaute schon wieder auf Tantchens Kopfdrapierung.

»Ach«, sagte Mama, und machte eine abwehrende Handbewegung, »das Kopftuch trägt Semra doch nur, um mich zu ärgern.«

»Außerdem«, fügte Tantchen lächelnd hinzu, »es spricht aus islamischer Sicht gar nichts gegen ein, zwei Gläschen Rotwein, man darf es halt nur nicht übertreiben.«

Schwiegermama schaute immer hilfloser um sich. Sie fühlte sich offensichtlich nicht wohl in Absurdistan.

Tantchen hatte Gott sei Dank in der Zwischenzeit gedeckt, sodass wir wenigstens nicht aus Pappschachteln essen mussten. Das kam auch schon mal vor. Hoffentlich würde Mama heute darauf verzichten, ihre Katzen am Tisch zu füttern.

»Wo kann ich mir die Hände waschen?«, fragte Schwiegermama.

»Lale«, befahl mir Mama, »zeig deiner Schwiegermutter die hintere Toilette!« Und zu Schwiegermama gewandt, fuhr sie fort: »Die vordere ist zwar größer, aber da stehen die Katzenklos, und Sie machen einen etwas empfindlichen Eindruck auf mich, gehen Sie lieber in das hintere Klo.«

»Wir sollten es heute Abend nicht spät werden lassen«, sagte ich betont laut zu Ahmet, »ich muss morgen arbeiten.«

 »Deine Schwiegermutter ist ein wenig zurückhaltend«, meinte Mama am nächsten Tag am Telefon zu mir, »ich hatte sie mir lebhafter vorgestellt, sie hat ja nicht wirklich viel gesprochen.«

»Mama. Um ehrlich zu sein, sie war entsetzt. Ich hatte dir doch erzählt, dass sie eine Sauberkeitsfanatikerin ist.«

»Wie meinst du das?« Mama war leicht pikiert. »War ihr mein Haus nicht sauber genug?«

»Das ganze Drum und Dran war ihr sehr fremd, Haustiere, Pizza-Service für Gäste, das ist nicht ihre Welt.«

»Da bin ich aber sehr gespannt auf ihre Welt«, meinte Mama, »nächsten Sommer fahre ich nach Ankara, und dann werde ich sie mal besuchen.«

»Da freut sie sich bestimmt. Sie hat mir schon gesagt, dass sie deinen Besuch erwartet.«

Ich erzählte ihr aber nicht, dass Schwiegermama eigentlich gesagt hatte: »Ich hoffe, deine Mutter kommt mich mal

besuchen, damit ich ihr zeigen kann, wie man Besuch emp-
fängt.«

Aber vorher würden Ahmet und ich heiraten!

Dann ging alles unkompliziert über die Bühne. Trauung,
Hochzeitsfeier, 14 Tage später waren alle weg und wir wieder
in unserer Wohnung. Sie roch so unwirklich. Allerdings sollte dieser Zustand nicht lange anhalten. Denn eine Sache trat
nicht ein: Unsere Wohnung fiel nach Makbules Abreise sehr
schnell wieder in den alten Zustand zurück. Von wegen zehn
Jahre nicht putzen!

Eine Doktorarbeit und ihre Folgen

Meine Doktorarbeit hatte mir – als nette Beigabe – einen Ehemann beschert, der erst mit 24 Jahren nach Deutschland gekommen war. Vieles erschien ihm am Anfang noch fremd, etwa das weibliche Mitteilungsbedürfnis in den frauendominierten Lehrerinnenzimmern. Der Lehrerberuf ist in Deutschland nun mal ein Frauenberuf. Wenn ein Mann sich für diesen Beruf entscheidet, muss er entweder emanzipiert sein oder sich emanzipieren. Ahmet war eigentlich nicht unemanzipiert, aber am Anfang doch ein wenig irritiert, wenn seine Kolleginnen lautstark über ihre Menstruationsbeschwerden klagten. Auf die Bitte »Ahmet, bringst du mir auch einen Kaffee mit, ich bleibe lieber sitzen, ich habe meine Tage«, wusste er meistens nichts zu sagen, machte aber auch keine dummen Bemerkungen und holte sofort den Kaffee.

Mit der Zeit festigte sich dadurch sein Ruf, ein Frauenversteher zu sein. Also wurde er auch mal um seine Meinung gefragt. Zuerst bei eher profanen Dingen, wie: »Steht mir dieses oder jenes Kleid?« Da sein Geschmack eher orientalisch-barock ist, steht er meist diametral zum Geschmack von emanzipierten deutschen Lehrerinnen, sodass er im Lehrerinnenzimmer als Stylist nicht wirklich überzeugend war. Seine ehrlichen Antworten, das Kleid sei zu schlicht, die Schuhe zu klobig, überhaupt sei das Outfit zu wenig weiblich, klangen ein wenig machohaft, festigten aber auch seinen Ruf als Mann von Welt, sodass er bald auch bei wichtigeren

Dingen – wie zum Beispiel: »Passt dieser Mann zu mir?«, gefragt wurde.

Seine Antworten auf die Frage: »Was sagst du als Mann dazu?« kommentieren seine Kolleginnen mit einem »Ja, Ahmet, du bist ja auch ganz anders!«.

Auch wenn er als Ehe- und Beziehungsberater nicht immer den entscheidenden Hinweis beitragen konnte, so blieb ihm aber immer noch der Job als Zuhörer und Seelentröster im Lehrerinnenzimmer. In der Funktion ist er allerdings unschlagbar.

Ja, Ahmet ist anders als die meisten Männer. Er ist ein Softie. Oder ein wahrer Demokrat, je nachdem, aus welcher Perspektive man ihn betrachtet. Weder der türkischen Gesellschaft noch meiner Mutter, noch mir ist es gelungen, aus ihm einen Macho zu machen. Alle haben kläglich versagt. Meine arme Mutter, die ein etwas verengtes Männerbild pflegte, war nicht nur mit einem freundlichen Mann, ihrem Ehemann, geschlagen, sondern auch mit einem soften Schwiegersohn. Eine ihrer Lieblingsbeschäftigungen war es, bei uns anzurufen, um rauszufinden, wo ich mich denn herumtriebe. Wenn sie die Antwort nicht befriedigte, beendete sie das Gespräch: »Ahmet, was bist du bloß für ein Mann! Du weißt nicht einmal, wo deine Frau ist!«

Einmal hatte ich mich zu einer Dienstreise nach Österreich verabschiedet mit den Worten: »Ich bin bis Mittwoch in Österreich!«

Ahmet reichte diese Auskunft aus, nicht aber meiner Mutter. Montagabend rief sie bei uns zu Hause an, Ahmet war am Telefon.

»Wo ist Lale?«, fragte sie. »In Österreich«, antwortete Ahmet freundlich.

»Ja, wo in Österreich?«, Mama wurde ungeduldig, »Österreich ist groß!«

Ahmet: »Ich weiß es nicht.« Etwas überflüssig schob er nach: »Und so groß ist Österreich auch wieder nicht.«

»Wie«, empörte sich Mama, »du weißt nicht, wo Lale ist?«

Ahmet: »Doch, ich sagte bereits, sie ist in Österreich!«

»Österreich, Ungarn! Sag doch gleich, dass du nicht weißt, wo sie ist! Hast du keine Telefonnummer von einem Hotel oder so etwas? Sie geht nicht an ihr Handy!«

»Nein, ich habe keine Telefonnummer von ihrem Hotel. Wozu? Sie kommt doch schon übermorgen wieder«, sagte Ahmet.

»Ja, wozu wohl! Wie erreichst du sie denn bis dahin?«

»Gar nicht, sie meldet sich schon.«

»Ahmet«, nun wurde Mama vollends ungeduldig, »was bist du für ein Mann, wenn es dir egal ist, wo sich Lale herumtreibt!«

Zack, aufgelegt. Eine halbe Stunde später rief ich zu Hause an: »Wo bist du?«, fragte mich Ahmet. Etwas verwundert sagte ich: »Das weißt du doch: in Österreich!«

»Haha«, lachte Ahmet, »diese Angabe ist deiner Mutter zu allgemein, bitte nenne mir die Stadt und das Hotel, ansonsten ist der Ruf meiner Männlichkeit in Gefahr!«

»Ich fürchte, der ist schon ruiniert, du machst dir einfach zu wenig Sorgen um mich. Bei uns in der Familie macht man sich Sorgen um die anderen. Und zwar permanent.«

»Ich weiß. Und jeden Monat sehe ich es auch an der Telefonrechnung.«

»So ist das, mein Lieber, die einen geben ihr Geld fürs Telefonieren aus, die anderen für Putzmittel.«

Es war so: In meiner Familie herrschte allseits ein starkes Bedürfnis nach permanentem Informationsaustausch über den genauen Aufenthaltsort der einzelnen Familienmitglieder. Sonst machte man sich Sorgen. Große Sorgen. Wie zum

Beispiel mein Onkel Daniel. Der lebte seit geraumer Zeit in Israel. Ich hatte ihn selbstredend zu informieren, sollte ich mich im Nahen Osten aufhalten, und ich musste ihn auch selbstredend besuchen. Egal, wie lange ich dort war und egal in welcher Mission.

»Du musst ihm Bescheid sagen«, schärfte mir Mama ein, »stell dir vor, er erfährt es aus dem Fernsehen, dass du da bist.«

»Oder vielleicht doch von dir, Mama«, dachte ich im Stillen.

Sie wusste immer, wo ich gerade war oder sein würde. Sie hatte auch keine Hemmungen, meine Sekretärin anzurufen und zu fragen, wo denn gerade ihre Tochter sei. Natürlich musste ich meinen Onkel anrufen, und zwar bevor es Mama tat, um ihm die freudige Nachricht von meinem Besuch mitzuteilen. Und dann musste ich ihn natürlich auch besuchen, er war ja schon 77, und vielleicht war es das letzte Mal, dass ich ihn überhaupt besuchen durfte. Gott sei Dank war es bisher nie das letzte Mal gewesen, aber theoretisch wäre es ja möglich, und dann würde ich mich – sollte ich ihn nicht besucht haben – bis zu meinem eigenen Ableben mit Gewissensbissen herumschlagen. Das jedenfalls prophezeite mir meine Mama, aber nicht nur sie. Sie wurde sekundiert vom Rest der Verwandtschaft. Es war mir klar, dass es nichts zu diskutieren gab. Also erklärte ich, dass ich ihn und seine Frau selbstredend aufsuchen würde.

»Irgendein winziges Zeitfenster wird sich schon finden lassen, oder? Abends zum Beispiel, da sitzt du doch nur im Hotel herum.«

Natürlich, wie gut, dass Mama immer so pragmatische Lösungen parat hatte und mir sofort ein Zeitfenster öffnete.

Es war mal wieder so weit: Ich war zu einem Kongress in Jerusalem eingeladen und würde im Rahmen dieses Kongresses auch Palästina besuchen. Ich hatte bis zum Abflug alles richtig gemacht: Onkel und Tante waren informiert und meine eigenen Geschenke und diverse »Kannst-du-das-auch-noch-Mitnehmen« von der Verwandtschaft einge-packt. Auch die wichtigsten Fragen waren geklärt: Nein, ich würde nicht bei ihnen schlafen, da sollten sie bitte Verständnis haben und das nicht als Beleidigung auffassen, es wäre nur wegen des Kongresses, ja, selbstverständlich würde ich vorbeikommen, sobald ich Zeit hätte.

Am späten Nachmittag des ersten Tages klingelte mein Handy. Erraten, es war Onkel Daniel.

»Wir warten schon ganz sehnsüchtig auf dich«, sagte er, »wo bleibst du denn?« Seine gute Laune schnurrte geradezu durch das Telefon.

»Ich bin noch in Ramalla«, flüsterte ich, weil es bekanntlich nicht so gut angesehen ist, wenn man während wichtiger Sitzungen per Handy telefoniert. Nach einer Sekunde kam ein Brüller durch die Leitung.

»In Ramalla?«

»Ja, Onkel.« Ich flüsterte weiter, wobei seine Stimme im Raum eher zu hören war als meine. Jedenfalls bildete ich mir das ein.

»Was machst du bitte in Ramalla? Wer hat dir erlaubt, nach Ramalla zu fahren? Das ist doch viel zu gefährlich, du gehst da sofort weg und kommst nach Jerusalem.«

»Onkel«, flüsterte ich, Gott sei Dank auf Türkisch und froh, dass die Kollegen um mich herum nichts verstanden. »Ich bin in einer Sitzung, weißt du, ich kann jetzt hier nicht weg. Ich komme in zwei bis drei Stunden.«

»Hast du nicht verstanden, was ich dir gesagt habe? Du bewegst jetzt sofort deinen Hintern Richtung Jerusalem. Ich bin dein Onkel, und ich sage dir, dass du in Ramalla nichts verloren hast. Wenn dir dort was passiert, ich könnte deiner Mutter nicht mehr unter die Augen treten, sie hat doch genug Leid, wo auch dein lieber Vater nicht mehr unter uns ist.«

Ja, klar, ich hatte völlig vergessen, dass die Verantwortung für meine Sicherheit bei meinem zu dem Zeitpunkt 77-jährigen Onkel lag. Ich sah die Szene lebhaft vor mir, sollte ich mir in Ramalla den Magen verderben oder das Knie aufschlagen:

»Danny«, würde Mama streng rufen, »Danny, ich hatte dich doch gebeten, auf das Kind aufzupassen, während sie sich da unten aufhält. Jetzt höre ich, dass sie sich in Ramalla den Magen verdorben hat!« Und dann mit etwas mehr Timbre in der Stimme: »Wo das Kind doch keinen Vater mehr hat!«

Wie hatte ich vergessen können, dass ich eine 40-jährige Halbwaise war? Wie stünde Onkel Daniel dann da? Er hätte glatt versagt. Diese Diskussion würde länger dauern, sollte ich mich darauf einlassen und mit »Ich bin alt genug, ich kann selber auf mich aufpassen«- oder »Ich bin in der Lage, zu entscheiden, ob Ramalla gefährlich ist«-Argumentationen anfangen – dummes Geschwätz in den Augen meines Onkels und mit ihm in den Augen der übrigen Verwandtschaft. Also machte ich das, was einer guten Nichte gut zu Gesicht steht: Ich sagte, dass ich so schnell wie möglich kommen würde, dass ich ganz vorsichtig sein würde, dass er sich bitte keine Sorgen machen solle. Und dass ich ihn sehr lieb hätte. Dann legte ich auf und machte mein Handy aus.

Als ich drei Stunden später vorsichtig mein Handy wieder einschaltete, konnte ich sehen, dass mein Onkel noch elfmal angerufen und viermal auf die Mailbox gesprochen hatte.

Als ich Mama darauf ansprach und es wagte, mich darüber zu beschweren, weil sie auch nicht ganz unschuldig daran war, immerhin saß sie ja meinem Onkel im Nacken, war Mama ganz erbost, dass ich auch nur daran denken konnte, mich beschweren zu wollen.

»Dein Onkel ist eben ein Mann, der bereit ist, Verantwortung zu übernehmen«, belehrte sie mich, »und der sich richtigerweise Sorgen um dich macht – im Gegensatz zu deinem Mann«, fügte sie noch spitz hinzu.

Ahmet amüsierte sich bei solchen Gesprächen königlich,

was den Ruf seiner Männlichkeit bei meiner Mutter noch stärker in Gefahr brachte. Ihn störte das wenig: Ja, man könnte behaupten, er tut bis heute nicht besonders viel für diese Art männlicher Reputation.

All die wichtigen Dinge, die andere Männer interessieren, lassen ihn kalt: Autos, Bohrer, Fußball. Er hat nicht nur kein Auto, er hat nicht einmal einen Führerschein, dafür hat er ein Fahrrad. Auch sind ihm Baumärkte weniger Heimstatt, dafür umso suspekter. Und Actionfilme schaut er allenfalls mir zuliebe an. Nicht nur beim Boxen schaltet er den Fernseher ab, auch sogenannte »Kampfsportarten« lösen bei ihm Widerwillen aus, er macht lieber Yoga. Derlei Eigenschaften sind schon der deutschen Gesellschaft unheimlich, aber erst recht der türkischen. Der Gipfel aber ist ein türkischer Mann in der deutschen Gesellschaft. Das passt in keine Klischeeschublade. Ich erinnere mich an einen Vorfall in unserer Siedlung: An einem schönen Nachmittag arbeitete Ahmet an der Bügelmaschine, und weil das Wetter so schön war, hatte er das Teil mit einem Verlängerungskabel auf die Terrasse in unserem Garten bugsiert. Wohl etwas in Gedanken versunken merkte er, dass einige der Nachbarinnen vor dem Gartenzaun standen und schauten.

»Hallo, kommt rein«, rief er ihnen zu, sie aber liefen rot an, als sie gewahr wurden, dass Ahmet sie erblickt hatte. Zögernd kamen sie näher:

»Ahmet«, sagte die eine, »sei nicht böse, wir haben zwar einen Mann mal bügeln gesehen, aber noch nie einen Mann an der Bügelmaschine! Und dann du!« Mit »dann du« meinten sie natürlich »und dann du als Türke«.

»Dann tut euch mal keinen Zwang an«, erwiderte er freundlich, »kommt rein, dann könnt ihr alles sehen und sicher sein, dass ich keine Sinnestäuschung bin.«

242

Das Verhältnis zwischen Ahmet und den Nach-barinnen wurde mit der Zeit immer freundlicher und intimer, vor allem nachdem wir geheiratet hatten und unser Kind auf die Welt gekommen war, und aus dem Softie-Mann der bekennende Vater wurde – und Ahmet somit zum unverzichtbaren Bestandteil des Nachmittagzirkels auf dem Spielplatz. Die Damen liebten ihn, nicht nur weil er der einzige Mann war, der regelmäßig von Montag bis Freitag mit dem Kind auf dem Spielplatz auftauchte. Nein, er klinkte sich problemlos in die Damenclique ein und beteiligte sich am Gemeinschaftsleben. Es war für Ahmet ein fast paradiesisches Leben, vor allem weil er für Dinge gelobt wurde, die die anwesenden Frauen für sich selbst als selbstverständlich ansahen. Zum Beispiel für Kaffee in der Thermokanne und Kuchen auf dem Spielplatz zu sorgen oder ein Kind mitzunehmen, wenn die dazugehörige Mama keine Zeit hatte, um sich fleißig an dem Nachbarschaftsklatsch zu beteiligen. Ahmet gab sich aber auch Mühe. Wenn er mit der Verköstigung des Spielplatzes dran war, besorgte er Ökokuchen, was bei den anwesenden Müttern für Zusatzpunkte sorgte.

Stießen neue Frauen in die Runde, die mit den Gegebenheiten des Spielplatzes nicht vertraut waren, hielten sie Ahmet für einen alleinerziehenden Vater.

»Du, ich bin heute Nachmittag wieder angemacht worden«, berichtete mir Ahmet dann grinsend am Abend. »Eine alleinerziehende Mutter, Mannomann, hat die mich angebaggert, und als sich zum Schluss herausstellte, dass ich nicht alleinerziehend bin, war sie wahnsinnig enttäuscht!«

»Hmm, vielleicht sollte ich dir als Spielplatzkleidung ein T-Shirt machen lassen, wo draufsteht: ›Glücklich verheiratet!‹«

Völlig in äolische Sphären stieg er auf, als die Mütter vom Spielplatz beschlossen, einen Tagesausflug mit den Kindern zu unternehmen, und Ahmet bereit war, sich der Gruppe anzuschließen: »Ich muss nichts an Proviant mitnehmen«, sagte er mir am Vorabend, »die Mütter sorgen für alles, ich bin sozusagen morgen der Gast der Frauen.«

Er sah bei den Aussichten für den morgigen Tag sehr zufrieden aus. Aber seine Erwartungen sollten bei Weitem übertroffen werden. Als ich am nächsten Abend nach Hause kam, erwartete ich eigentlich einen müden, gestressten Mann. So einen ganzen Tag mit einer Zweijährigen unterwegs zu sein, sollte auf die Knochen gehen … Doch weit gefehlt: Mich erwartete ein ausgeruhter, höchst gut gelaunter Ehemann.

»Wie war es?«, fragte ich, »es scheint ja gut gelaufen zu sein!«

»›Gut gelaufen‹ beschreibt den heutigen Tag höchst unzureichend«, sagte er und grinste. »Mir wurde alles abgenommen, praktisch alles, was Arbeit bedeutet hätte. Sogar um das Kind habe ich mich nicht kümmern müssen. ›Lass mal, Ahmet, das machen wir mit‹, haben die Frauen gesagt.« Er lächelte selbstzufrieden. »Wenn du erst mal den Ruf hast als emanzipierter Mann, kannst du dich auf deinen Lorbeeren ausruhen. Du musst nichts mehr machen. Ich habe mich heute nicht anders verhalten als alle anderen Männer auch. Aber weil alle Frauen denken, Ahmet ist so emanzipiert, kann ich gar nichts falsch machen.«

»Du bist ja auch mitgefahren«, sagte ich, »immerhin als einziger Mann.«

»Stimmt. Als einziger und vor allem *türkischer* Mann.«

»Stimmt. Das kommt noch erschwerend dazu.«

»Erleichternd, mein Herz, erleichternd. Diese Kombination: Mann, Türke, allein unter Frauen, mit Kind, mit weiblichem Kind ist im Moment der Hit unter den Damen. Pass bloß auf mich auf: Ich bin ein Objekt der Begierde, nicht nur auf dem Spielplatz.«

»Ich sehe schon«, sagte ich, »du bist ein Solitär. Aber denk daran, du musst immer weiter an deinem guten Ruf arbeiten.

Außerdem, finde ich, sollte ich als Ehefrau auch von diesem Juwel profitieren. Wie wäre es, wenn du jetzt das Abendessen vorbereitest?«

 Das besagte Kind wurde größer, kam in den Kindergarten. In der ersten Adventssaison saß Aziza eines Abends mit tief gesenktem Kopf beim Abendessen.

»Die anderen Kinder im Kindergarten sind ganz gemein zu mir«, sagte sie furchtbar traurig.

»Was ist denn passiert?«, fragte ich erschrocken.

»Sie sagen, der Nikolaus kommt nicht zu dir, weil du schon den Moslem-Teller kriegst.«

Jetzt muss ich erklären, was ein »Moslem-Teller« war. Es war nicht etwa ein Teller, auf dem ein Moslem serviert wurde, sondern ein Teller, auf dem nichts aus Schweinefleisch war. Auf dem Moslem-Teller lagen Käse, Rindwurst und andere Dinge. Und alle Kinder, die bei der Anmeldung als Religionszugehörigkeit »Islam« angegeben hatten, bekamen den »Moslem-Teller«. Ein kleiner und gut gemeinter Beitrag des Kindergartens zur interreligiösen Verständigung. Dieser Teller war unter allen Kindern sehr begehrt, weil er ein Privileg von wenigen war. Und jetzt kam die Retourkutsche. Jetzt sollte mein armes Kind, das dasaß wie ein Häuflein Elend, vom Nikolaus diskriminiert werden, weil es ja das Privileg des Moslem-Tellers genoss. »Moslem-Teller« und dazu noch Geschenke vom Nikolaus, das war zu viel des Guten. Meinten jedenfalls die anderen Kinder.

»Aber ich bitte dich«, tröstete ich sie, »den Nikolaus interessiert es überhaupt nicht, was du im Kindergarten zu essen bekommst, der unterscheidet nicht nach Religionszugehörigkeit, er unterscheidet nach brav und böse, und er kommt zu allen Kindern, die brav gewesen sind.«

»Bist du dir sicher?«, Aziza schaute mich an, und in ihren Augen keimte eine Spur von Hoffnung.

»Ganz sicher!«

Sie schien zu überlegen. »Und das Christkind?«

Nachdem ich nun gerade den Nikolaus als so gerecht und weise dargestellt hatte, konnte ich das Christkind nicht ausschließen, und ihm Diskriminierungstendenzen unterstellen. »Das Christkind auch!«, sagte ich voller Überzeugung. »Auch das Christkind bringt allen lieben Kindern was mit!«

»Hmm«, es folgte eine kleine Pause. »Und der Osterhase?«

Bitte, sollte ich jetzt den Osterhasen ausschließen, nur weil er kein lupenreiner Christ ist? »Der Osterhase, der versteckt die Eier für alle Kinder, und …«, fügte ich schnell hinzu, um die Reihe zu komplettieren, »… der Sankt Martin, der hat seinen Mantel doch mit einem Bettler geteilt. Und was heißt das? Er hat ihn mit allen Menschen geteilt!«

Nach diesem Plädoyer für die Schutzpatrone und Helden der Christenheit (bis auf den Osterhasen) war Aziza einigermaßen beruhigt. Nikolaus, Christkind, der Osterhase und Sankt Martin, sie alle gehörten jetzt auch uns, wir hatten sie einfach adoptiert.

 In meiner tollkühnen und verwegenen Art hatte ich zwar alle wichtigen Figuren des christlichen Abendlandes adoptiert, aber es lief nicht immer vice versa: Wir wurden deswegen nicht ebenfalls gleich mit adoptiert.

Wenige Monate später waren wir zu einer kirchlichen Heirat eingeladen. Aziza war bester Laune. Als Einzelkind liebte sie solche Veranstaltungen und lief allen Kindern hinterher. Als es Zeit wurde, in die Kirche zu treten, war Aziza sofort mit allen Kindern nach vorn gelaufen und saß mit ihnen auf einem vorderen Platz, sodass sie das Brautpaar und alles, was passierte, gut mitbekommen konnte. Wir saßen ziemlich hinten, unser Kind drehte sich ab und zu um und winkte uns zu. Dann setzte auch die Orgel ein, und das Brautpaar marschierte angemessenen Schrittes in die Kirche. Der Pfarrer konnte loslegen. Der Rest war »Business as usual«: Wir standen auf, wir setzten uns hin, der Pfarrer sprach salbungsvolle Worte, das Brautpaar schwor sich ewige Treue, dann verteilte der Pfarrer die heilige Kommunion, und alle Kinder sprangen auf und gingen nach vorne, auch Aziza.

Zwei Minuten später zerriss ein markerschütternder Ausruf die Stille.

»Ich will meine Oblate zurück«, schrie ein Kind, »gib mir meine Oblate wieder!«

Dazwischen mischte sich ein Weinen, das jeden Stein erweicht hätte. Ahmet und ich schauten uns an, kein Zweifel, es war die Stimme unseres Kindes. Wir sprangen auf, aber in dem Moment war sie auch schon bei uns und warf sich mit einem »Mama« in meine Arme, und dazwischen rief sie immer weiter: »Ich will meine Oblate wiederhaben!«

Jetzt drehten sich alle zu uns um, auch das Brautpaar schaute verstohlen in unsere Richtung.

»Was für eine Oblate denn?«, fragte ich ganz leise.

Zornig und mit erhobenem Zeigefinger zeigte sie auf den Pfarrer: »Er hat mir die Oblate aus dem Mund genommen.«

»Was hat er gemacht?«, fragte ich ungläubig.

»Er hat meine Oblate genommen, erst hat er allen Kindern eine Oblate in den Mund gelegt, bei mir auch, dann hat er mir meine Oblate wieder aus dem Mund genommen!«

»Und dann?«, fragte ich nach.

»Dann hat Elfie meine Oblate gegessen!«

»Ach so.«

Elfie war die Braut. Mir schwante Unheilvolles, aber ich

musste mich vergewissern. Auf der anderen Seite … es war Hochzeit.

»Warte, Schätzchen, gleich ist die Zeremonie zu Ende, dann gehen wir nach vorn und fragen nach der Oblate!«

»Ich will aber jetzt meine Oblate!«

»Hör auf zu weinen, Montag kaufe ich dir so viele Oblaten wie du willst!«

»Ich will aber jetzt meine Oblate!«

»Was willst du mit einer blöden Oblate, gleich gibt es Hochzeitstorte!«

Dabei rollte ich mit den Augen und versuchte ein Gesicht zu machen, als würde ich die Buttercreme gerade auf meiner Zunge spüren.

»Ich will keine Hochzeitstorte, ich will meine Oblate!«

Jetzt heulte sie wieder, zwei Oktaven höher. Mein Gott! Dieses Kind hatte ein Stimmvolumen!

In der Zwischenzeit war endlich die Zeremonie zu Ende, die Ersten verließen die Kirche. Ich schlenderte auf den Pfarrer zu und versuchte ganz ruhig zu bleiben.

»Es gab wohl Probleme mit meiner Tochter?«, fragte ich, so neutral wie eben einer Mutter möglich, deren Kind sich gerade die Augen ausgeheult hatte.

»Nicht direkt Probleme, wie soll ich es sagen, ich habe die heilige Kommunion verteilt, als mir jemand von den Gästen zuflüsterte, dass das Kind nicht getauft sei, da habe ich ihr die heilige Kommunion aus dem Mund nehmen müssen.«

»Sie haben einer Fünfjährigen ernsthaft die Oblate aus dem Mund genommen?«

Das gibt es doch nicht! Jetzt klang meine Stimme wieder so scharf.

»Nicht die Oblate, gnädige Frau, die heilige Kommunion!«

»Und dann?«

»Ja, dann war die Braut so freundlich, eine zweite heilige Kommunion zu empfangen!«

248

Auf Deutsch gesagt: Elfie hatte die nasse, sich schon auf-lösende Oblate runtergewürgt, da der Pfarrer überzeugt genug war, dem Kind das Ding aus dem Mund zu reißen, aber zu fromm, es wegzuschmeißen und es zu eklig fand, das breiige Etwas selber in den Mund zu nehmen.

»Und das ist Ihr Verständnis von christlicher Barmher-zigkeit. Hat Jesus nicht gesagt, lasset die Kinderlein zu mir kommen?«

Der Pfarrer wollte nicht über christliche Ethik diskutieren. Er zog sich auf die formale Ebene zurück. »Wie ich bereits sagte, gnädige Frau, das Kind ist nicht getauft!«

»Komm«, hörte ich hinter mir den Vater des Kindes sagen, »das ist zu blöd, was willst du mit dem noch diskutieren. Fahren wir lieber zum Hauptbahnhof, vielleicht gibt es dort im Supermarkt Oblaten!«

»O ja«, freute sich das ungetaufte Kind, »ich will eine Oblate!«

Spätestens jetzt wusste Aziza Bescheid: Es gibt unter-schiedliche Religionen, die sich unter anderem durch ihre Speisevorschriften unterschieden, wobei sie nicht immer wusste, welche Religion welche Vorschriften hatte. Aber ein Grundsatz war ihr klar: Wer besonders fromm war, der ver-teilte entweder bestimmte Speisen nur an die Clubmitglieder oder er aß bestimmte Speisen überhaupt nicht.

Und Aziza lernte schnell hinzu, wusste immer mehr um die Unterschiede und die Finessen.

Dabei zeigte sie bereits im zarten Alter von acht Jahren keinerlei Skrupel, die Ahnungslosigkeit der Mehrheitsgesell-schaft zu ihrem Vorteil auszunutzen. Eine erste Kostprobe bekam ich mit, als ich der Mutter ihrer Schulfreundin Marie in der Straßenbahn begegnete. Damals waren Aziza und Marie sehr viel zusammen, Aziza ging nach der Schule oft zu Marie, wo sie dann zum Mittagessen eingeladen war, da Maries Mutter Hausfrau war. Ich ergriff die Gelegenheit, ihr für die Gastfreundschaft zu danken.

»Aber ich bitte Sie«, sagte sie, »Aziza isst ja kaum was bei uns. Sie hält die muslimischen Speisevorschriften sehr genau ein, sie sagt, ihre Eltern würden großen Wert darauf legen.«

Für einen Moment war ich sprachlos.

»Was isst sie denn so alles nicht bei Ihnen?«, fragte ich vorsichtig.

Annas Mutter verstand meine Frage als *Halal*-Kontrolle. »Oh«, sagte sie ganz eifrig, und um Azizas Wohlverhalten zu unterstreichen, zählte sie auf: »Fleisch fast gar nicht, bestimmte Gemüsesorten auch nicht, bei Aufläufen und Tellergerichten schaut sie immer genau drauf, bevor sie entscheidet, ob sie das essen darf.« Aha.

»Ich bin heute in der Bahn Maries Mutter begegnet! Sie hat mir erzählt, du würdest die muslimischen Speisevorschriften ganz sorgfältig einhalten, weil wir so großen Wert darauf legen würden! Kannst du mir bitte erklären, was das zu bedeuten hat? Seit wann musst du Speisevorschriften einhalten?«, sagte ich abends bei Tisch.

»Mama«, sie wand und drehte sich, »Maries Mutter kocht so schlecht, ich wollte sie aber nicht kränken, weil sie sich so viel Mühe gibt, da habe ich das erfunden. Immer, wenn mir was nicht schmeckt, sage ich, dass wir Muslime das nicht essen dürfen. Und, weißt du was, sie glaubt mir das auch noch!« Jetzt gluckste sie vor Vergnügen. »Sie hat nämlich keine Ahnung, was Muslime essen dürfen und was nicht! Du verrätst mich nicht, oder?« Dabei funkelten ihre Augen. »Mama, bitte!«

»Hmm, ich finde es nicht gut, wenn Kinder die Unwahrheit sagen!«

Am besten sollte ich Maries Mutter in den nächsten Jahren überhaupt nicht mehr begegnen. Denn sollte das Gespräch wieder einmal auf muslimische Speisevorschriften kommen, müsste ich entweder meine Tochter verraten und gleichzeitig die arme Frau kompromittieren … oder sie weiterhin in dem Glauben lassen, den meine Tochter ihr nahegelegt hatte.

Die kleine Standpauke hatte doch Spuren hinterlassen, denn in den nächsten Monaten sagte Aziza uns Bescheid, wenn sie wieder einmal Klischees einsetzen wollte, um sich ihren Vorteil zu sichern.

»Mama, Papa«, sagte sie einmal, »ich wollte euch nur Bescheid sagen, ich bin zu der Geburtstagsfeier von Martha eingeladen, mit Übernachtung, aber ich habe keine Lust: Ich werde einfach sagen, meine Eltern sind so streng, ich darf nicht woanders übernachten!«

»Ich glaube es nicht«, schrie Ahmet, »unsere eigene Tochter schmiedet mit an den Vorurteilen, weil sie zu feige ist, die Wahrheit zu sagen.«

»Nicht zu feige, Papa, ich will den Menschen nicht wehtun!«

»Und ich?« Ahmet schaute sie erbost an. »Wie stehe ich denn da? Als ein autoritärer Macho-Papa?«

»Du bist mein süßer kleiner Papi!«

»Und dein süßer kleiner Papi wird diese Leute anrufen und ihnen die Wahrheit sagen, wenn du es nicht tust! Bei wem hattest du gesagt, bist du eingeladen?«

»Ach, Papa, sei doch kein Frosch!«

Ich war sehr beeindruckt, wie meine Tochter die Probleme löste. So wie ein erfahrener Judokämpfer die Kraft des Gegners zu seinem Vorteil einsetzt und den Gegner praktisch mit seiner eigenen Energie k.o. schlägt, so setzte sie lässig die Vorurteile der Gesellschaft ein, um sich ihren Vorteil zu sichern und den Weg freizuschaufeln. Dabei schreckte sie auf keinen Fall vor Widersprüchen zurück. Wie es sich eben ergab. Während meine Schwester und ich, sinnbildlich gesprochen, in Deutschland erst laufen lernen mussten, so bewegte sich meine Tochter von Geburt an wieselflink zwischen Bosporus und Rhein.

Epilog
Angekommen!

Januar 2003, es war so weit: Ich sollte meine erste Rede im Deutschen Bundestag halten, meine sogenannte Jungfernrede. Nicht irgendeine Rede, es sollte eine besondere sein, schließlich war sie mein Einstand. Dementsprechend gut vorbereitet war ich, immer und immer wieder ging ich diese Rede durch, die gerade einmal acht Minuten lang sein durfte.

Zwei Stunden vorher kam ich ins Plenum und setzte mich hin. Ich schaute herum, prüfte im Geiste nochmal den Ablauf, wie ich zum Pult gehen würde, wohin ich schauen würde ... Und während ich auf meinen Einsatz wartete, schoben sich immer mehr Bilder aus meinem Leben in den Kopf: erst einige wenige, bruchstückhafte, dann ganze Bilderfolgen. Wo hatte meine Entwicklung hin zur Politikerin ihren Anfang genommen? Eine Entwicklung, deren vorläufiger Höhepunkt gleich in wenigen Minuten mit meiner Jungfernrede im Bundestag auf mich wartete.

Wer hatte mich alles unterstützt? Ich dachte an meinen Vater, der mir die politische Einstellung mit auf den Weg gegeben hat, er wäre heute sehr stolz auf mich. Was hatte er den Leuten nicht alles an den Kopf geworfen, die ihn, den Vater zweier Töchter, fragten, ob er sich nicht einen Sohn wünsche?

»Sohn? Wozu brauche ich einen Sohn? Ich habe zwei Töchter, und ich würde nicht eine Tochter eintauschen wollen, jede meiner Töchter ist neun Söhne wert!«

Mir hatte das imponiert, und der Leitsatz, den er mir ein ums andere Mal nahegelegt hat, prägt bis heute mein Denken: »Du kannst die Verhältnisse ändern, wenn du dein Verhalten dementsprechend ausrichtest!«

Und ich dachte an meine Mutter, die Frauen in ihrer Radikalität für das intelligentere Geschlecht hielt, und das auch lauthals kundtat: »Ich halte Frauen in allen Bereichen für begabter, auch in den Naturwissenschaften. Es ist eine Legende, dass Frauen naturwissenschaftlich nicht begabt sind, das Problem ist doch nur, dass Frauen an diese Legende auch noch glauben!« Zu mir sagte sie fast jeden Tag: »Du kannst alles schaffen, was du willst, wenn du es willst. Hinfallen ist erlaubt, liegen bleiben aber nicht!«

Natürlich war es wichtig für mich, eine jüngere Schwester zu haben. Ganz wichtig! Durch sie lernte ich, die Dinge in die Hand zu nehmen. Und mein Mann Ahmet, meine Tochter Aziza – sie alle würden mit mir zusammen an diesem Tag zum Rednerpult schreiten. Und mit ihnen allen hätte ich den typischen Humor im Gepäck, jenes kostbare Gut, das mir meine Familie mitgegeben hat und das mich gelehrt hat: Nimm die Dinge nicht ernster, als sie sind.

»Ich erteile das Wort der Abgeordneten Dr. Lale Akgün, SPD-Fraktion.« Der Satz aus dem Mund des Bundestagspräsidenten riss mich unsanft aus dem Tagtraum. Ich wurde aufgerufen.

Langsam stand ich auf und ging zum Rednerpult. Was hätte mir meine Familie gesagt? »Sprich schön langsam«, das wären Mamas Worte gewesen. »Du redest immer viel zu schnell!«

»Geh auf die soziale Gerechtigkeit ein!« Die Worte meines Papas. »Das ist das A und O!«

Und mein Tantchen? »Es ist ein großer Tag für dich«, ich sehe ihr Lächeln im Gesicht, »und wie schick du aussiehst!«

»Ein großer Tag für uns alle, die ganze Familie«, hätte mein

Vater eingeworfen, und bei diesen Worten wären ihnen die Tränen gekommen.

Meine Rede ging glatt über die Bühne, nur verschwand ich ein wenig hinter dem Pult, weil ich nicht wusste, dass man das Pult hoch-, aber eben auch herunterfahren kann. Ich wusste das nicht, aber ich war wohl auch zu aufgeregt.

Unter dem Applaus meiner Bundestagskollegen ging ich zurück an meinen Platz. Meine Gedanken waren auf Abwegen: Ich dachte an Renate und Mariechen aus Köln, die mir am Wahlstand ordentlich auf den Zahn gefühlt hatten: Ob sie jetzt wohl am Fernseher saßen? Ich stellte mir das vor: Renate und Mariechen sitzen in ihren dicken Polstersesseln, schauen fern, und Renate sagt: »Ich sage es doch, sie ist ein bisschen klein geraten.«

Und Mariechen, die ihre Hand beschwichtigend auf Renates legt, antwortet: »Lass mal gut sein, es hätte schlimmer sein können. Immerhin kann sie ordentlich Deutsch. Und sie trägt kein Kopftuch.«

Das Kopftuch! Immer dieses Kopftuch. Als ich an die beiden betagten Damen dachte, kam mir wieder meine Tante in den Sinn, oder sagen wir besser: ihr Bild, das selbst nach ihrem Tod nie an Schärfe verloren hat. Ich erinnerte mich an den *Hadsch* meiner Tante und wie sie danach begann, die Traditionen einer gläubigen Muslimin bei sich einzuführen. Wie sie das Kopftuch in ihr modisches Aussehen einfügte. Und wie geschickt sie dabei war.

Ach, meine Tante. Natürlich: meine Tante! Sie, mit ihrer unerschütterlichen Liebe, das Leben nicht ganz so ernst zu nehmen. Sie, mit ihrem unbändigen Willen, allen Niederlagen eine positive Seite abzugewinnen! Sie, mit ihrer Art, flexibel mit Traditionen umzugehen und dabei immer menschlich zu sein. Dogmatisch waren andere, meine Tante war – auf ihre Art – einfach einmalig. Sie war eben Tante Semra im Leberkäseland.